Sous chacun
de tes baisers

Laura Lee GUHRKE

Sous chacun de tes baisers

*Traduit de l'américain
par Elizabeth Clarens*

Titre original
HIS EVERY KISS

Éditeur original
Avon Books, an imprint of HarperCollins Publishers, New York

Pour la traduction française
© Éditions J'ai lu, 2006

*Pour mon père, William Guhrke, parce qu'il
était le seul membre de notre famille doué
pour la musique et qu'il m'a appris
à aimer la musique classique. Je t'aime, papa,
mais je chante comme une casserole,
pourquoi ne m'as-tu pas donné ta voix?*

Remerciements

Je remercie Mme Terry Rogers pour son aide durant la rédaction de ce livre. Licenciée en Éducation musicale, Mme Rogers enseigne le piano depuis dix ans et elle m'a donné de précieux conseils. Terry, je te suis profondément reconnaissante.

Prologue

Londres, 1827

Il devenait fou. Maudit soit ce boucan infernal ! Un sifflement aigu et monocorde lui vrillait les tympans jour et nuit. Et il n'avait trouvé aucun moyen pour l'enrayer.

Dylan Moore repoussa le drap en lâchant un juron et se leva. Nu comme un ver, il traversa la chambre et tira les épais rideaux de brocart. Le ciel était d'un noir profond et le halo d'un réverbère solitaire trouait l'obscurité de la rue déserte. S'il n'y avait eu ce bruit incessant dans son cerveau, il aurait pu profiter du merveilleux silence de la nuit. Il regarda fixement par la fenêtre, en proie à une haine féroce envers tous les êtres humains qui dormaient à Londres, en cet instant, alors que cela lui était interdit.

On frappa à la porte. Son agitation avait réveillé Phelps. Le valet pénétra dans la chambre, une chandelle à la main.

— Encore une insomnie, monsieur ?

— Oui, répondit Dylan avec un soupir.

C'était ainsi depuis trois mois. Combien de nuits encore supporterait-il cette torture qui consistait à s'assoupir quelques minutes ? Harcelé par le sifflement qui résonnait sans répit dans sa tête, privé de sommeil depuis des semaines, son cerveau menaçait d'éclater. Il appuya le front contre la vitre, résis-

9

tant à l'envie de donner un coup de tête pour en finir.

— Le Dr Forbes vous a prescrit du laudanum, monsieur, lui rappela le valet d'une voix douce. Je devrais peut-être vous en préparer quelques gouttes dans un verre d'eau.

— Pas question.

L'idée de rester sagement allongé sur le lit en attendant que l'opiacé fasse son effet lui était intolérable. D'un pas décidé, Dylan se dirigea vers la pièce voisine.

— Je préfère aller en ville.

— Je vais réveiller Roberts et faire avancer la calèche, monsieur.

— C'est inutile. J'ai envie de marcher.

— Seul, monsieur ?

— Oui.

Phelps jugeait sûrement imprudent une promenade solitaire dans Londres, au beau milieu de la nuit, mais il n'en garda pas moins un visage impassible. Dylan était un homme qui n'acceptait ni les ordres ni les conseils, et son domestique ne se serait pas risqué à lui donner son avis.

Dix minutes plus tard, Phelps retournait se coucher tandis que Dylan descendait au rez-de-chaussée, une chandelle à la main. Il pénétra dans son bureau, s'approcha de sa table de travail et ouvrit un tiroir où se trouvait son pistolet. Un gentleman qui se promenait seul la nuit n'était pas à l'abri d'une mauvaise rencontre. Il glissa l'arme dans la poche de sa longue cape noire.

Alors qu'il passait devant le salon de musique, il hésita un court instant, le cœur serré. Avait-il vraiment besoin d'une promenade pour se changer les idées ? Ne se mentait-il pas à lui-même ? Il entra dans cette pièce dans laquelle il avait passé tant d'heures avant l'accident.

Quelques mois auparavant, il avait fait une mauvaise chute de cheval et sa tête avait heurté un rocher. Son oreille gauche avait saigné pendant deux jours, et il avait mis deux semaines à se remettre de la commotion cérébrale. Hélas, bien que son corps se soit rétabli peu à peu, le pénible sifflement dans ses oreilles n'avait fait qu'empirer.

Durant le mois de convalescence qui avait suivi, il était venu tous les matins dans le salon de musique. Il s'était installé au piano en feignant que tout allait bien, convaincu que cette séquelle auditive était passagère et qu'il n'avait pas perdu son talent musical. Puis, la mort dans l'âme, il avait fini par se rendre à l'évidence : le sifflement l'empêchait de composer. Depuis, il n'avait pas remis les pieds dans la pièce.

Il s'approcha du piano. Un Broadwood, l'un des meilleurs au monde. La flamme de la chandelle se reflétait dans le bois satiné de l'instrument. Son cœur se mit à battre plus vite. Et si un miracle s'était produit au cours des trois derniers mois ? Quand il étendrait les mains au-dessus du clavier, l'inspiration reviendrait peut-être, comme autrefois. Il se devait au moins d'essayer, non ? Il posa la chandelle, souleva le couvercle et s'assit sur le tabouret.

Dylan contempla longuement les touches, puis joua quelques notes d'un menuet qu'il avait composé à l'âge de sept ans. Aujourd'hui encore, il en était plutôt fier. En vingt ans, il avait composé dix-neuf symphonies, dix opéras, et d'innombrables concertos, valses et sonates. Bien qu'il fût issu d'une famille aisée, son talent lui avait apporté la fortune, en même temps que le succès et la notoriété. Mais l'argent et la célébrité lui étaient indifférents. Seule comptait la musique.

Il étudia la partition griffonnée avec l'impression de découvrir le travail d'un compositeur inconnu. C'était un extrait de *Valmont*, l'opéra rédigé d'après le roman *Les Liaisons dangereuses* qui avait fait scandale. Il l'avait terminé la veille de son terrible accident dans Hyde Park.

Il avait composé l'œuvre en moins d'une semaine. Depuis l'enfance, la musique lui venait de manière naturelle. Les mélodies naissaient dans son âme, il les écoutait et les transcrivait sur le papier sans aucune difficulté. Alors qu'il avait toujours pris ce don pour un dû, il devait désormais regarder la réalité en face : *Valmont* était sans doute sa dernière œuvre. Le sifflement persistant dans sa tête étouffait toute mélodie et il n'entendait plus rien d'autre.

Selon les quatre médecins qu'il avait consultés, les troubles étaient permanents, et c'était un miracle qu'il ne fût pas devenu sourd. Ils prétendaient qu'il s'habituerait au bruit avec le temps. De rage, il cogna du poing sur les touches et se leva d'un bond. Ces imbéciles ne pouvaient pas comprendre ! La musique était son unique passion, sa seule mission dans l'existence. Jamais il ne s'habituerait à cette perte dramatique.

Il souffla la chandelle et quitta la maison en claquant la lourde porte d'entrée derrière lui.

Comme souvent en hiver, des lambeaux de brouillard s'accrochaient aux branches nues des arbres et adoucissaient l'arête des toits. Il marcha au hasard des rues, ses bottes martelant les pavés en rythme. L'esprit vide, les yeux secs, il avançait sans réfléchir, comme dans un cauchemar. Il se retrouva bientôt devant le Charing Cross Palladium.

On avait délaissé cette salle de concert populaire quelques années plus tôt au profit du plus élégant Covent Garden. Dylan y avait dirigé sa première symphonie dix ans auparavant, alors que la popularité du Palladium était à son apogée. Désormais, on n'y jouait presque plus. Il esquissa un sourire amer. Quelle ironie ! Une salle de concert passée de mode pour un compositeur obsolète.

Dylan tressaillit soudain : un rai de lumière filtrait sous la double porte. Pourquoi des lampes étaient-elles allumées à cette heure indue ? Intrigué, il tourna la poignée.

— Il y a quelqu'un ? appela-t-il, et sa voix résonna dans le silence.

Il traversa le grand foyer et pénétra dans la salle de concert. Sur la scène, plusieurs lampes étaient allumées, éclairant un seau et un balai abandonnés, mais il n'y avait personne.

Dylan appela une nouvelle fois sans recevoir de réponse. La femme de ménage avait dû oublier d'éteindre et de verrouiller la porte avant de partir. On pouvait à la rigueur lui pardonner de ne pas avoir fermé à clé, car il n'y avait rien à voler. Aucun spectacle n'étant à l'affiche, le théâtre ne possédait ni accessoires, ni costumes, ni instruments de musique. En revanche, c'était criminel de laisser des lampes allumées sans surveillance ; elles risquaient de provoquer un incendie.

Il décida d'éteindre avant de s'en aller, mais s'immobilisa en arrivant à la fosse d'orchestre. Une baguette était posée sur le sol, probablement oubliée par le dernier chef d'orchestre. Il la contempla un moment, puis descendit les quelques marches et la ramassa.

Il fit rouler le bâton mince et flexible entre ses doigts en se remémorant son tout premier concert dans cette salle. Il avait remporté un véritable triomphe. Bientôt, hélas, son succès ne serait plus qu'un lointain souvenir. Des rumeurs évoquaient déjà ses sautes d'humeur et ses migraines. Pour l'instant, seul son valet et les quatre médecins étaient au courant de son mal, mais il ne pourrait plus garder très longtemps le secret. Depuis deux décennies, le public s'était habitué à ce qu'il compose sans interruption. Ne voyant rien venir, les gens commenceraient à se poser des questions, et bientôt, tout le monde saurait que Dylan Moore, le compositeur le plus célèbre d'Angleterre, avait perdu son inspiration. À même pas trente ans !

La musique était le socle de sa vie. Sans elle, il n'était plus qu'une coquille vide. Furieux d'être privé de ce qu'il aimait tant, il jeta la baguette au loin. Sans musique, que deviendrait-il ? Était-il condamné à n'entendre plus qu'un seul son, un sifflement monotone et insupportable, qui le hanterait jusqu'à la fin de ses jours ?

Il existait certes un moyen de mettre fin à cette torture. La pensée le traversa tel un vent glacé, et il sut aussitôt pour quelle raison il avait apporté son pistolet, et pourquoi ses pas l'avaient mené là où il avait connu son premier succès. Mieux valait mourir maintenant, alors qu'il était au sommet de sa gloire, avant que les critiques ne le déchirent et que ses amis n'aient pitié de lui.

Il glissa la main dans la poche de sa cape, et en tira son pistolet. Il posa l'extrémité du canon sous son menton. Les yeux fermés, il décida de faire taire une fois pour toutes ce bruit qui marquait son cerveau au fer rouge. C'était si simple. Il suffisait d'appuyer sur la détente pour retrouver le silence béni des dieux.

La musique le prit par surprise. Il se raidit, reconnaissant les premières notes de l'une de ses sonates pour violon, une mélodie joyeuse et gaie. Il ouvrit les yeux, tourna la tête à gauche, et aperçut une jeune femme, un violon à la main.

Elle traversa la scène tout en jouant, avant de s'arrêter devant lui.

Son épaisse chevelure blonde et les boutons dorés de sa robe vert foncé accrochaient la lumière. Mince et élancée, gracieuse, elle oscillait au gré de la mélodie, comme si une brise de printemps s'amusait avec son corps.

La tête inclinée de côté, l'instrument calé sous la mâchoire, elle continua à jouer la musique qu'il avait composée, sans le regarder en face. Il songea que pour une personne aussi jeune, elle jouait remarquablement bien, mais ce n'était pas son talent qui l'intriguait. Elle lui rappelait le folklore qui avait bercé son enfance dans le Devon. Ces fables qu'on racontait aux enfants où il était question de nymphes et de fées espiègles.

Captivé, il abaissa le pistolet, et elle cessa de jouer.

Dylan croisa son regard, et en eut le souffle coupé. Jamais, de sa vie, il n'avait vu une femme aussi belle. Elle possédait tous les attributs classiques de la beauté – des traits harmonieux, une peau de pêche, d'immenses yeux verts, des lèvres pulpeuses –, mais c'était moins la perfection de son visage que son regard qui le laissait coi.

Un regard tranquille, serein, sans l'ombre d'une coquetterie féminine, où il décelait néanmoins un soupçon de tristesse. On ne lui aurait pas donné vingt ans, et cependant son regard était sans âge. À quatre-vingts ans, devinait-il, il serait tout aussi merveilleux.

Elle continuait à l'étudier en silence, son instrument à la main. Puis, curieusement, en dépit du bruit dans sa tête, Dylan crut entendre les premières notes fugaces d'une mélodie au seuil de sa conscience. Il essaya de les retenir, mais elles étaient aussi insaisissables que la brume, et elles s'évanouirent, ne laissant que l'odieux sifflement.

La femme baissa les yeux sur le pistolet qu'il tenait à la main.

— Ce serait gentil de votre part de renoncer à ce geste, dit-elle d'un ton posé. Je suis la femme de ménage. Si vous vous suicidez, je serai obligée de nettoyer derrière vous.

La remarque prosaïque était si éloignée de l'image de la nymphe des bois qu'il s'était forgée d'elle que Dylan faillit éclater de rire.

— Comment se fait-il qu'une femme de ménage sache jouer du violon ? s'étonna-t-il, mais elle éluda sa question.

— Ce serait très désagréable, car je ne supporte pas la vue du sang. D'autre part, les taches sur le parquet seraient indélébiles, et on me donnerait aussitôt congé pour avoir laissé Dylan Moore se tirer une balle dans la tête.

Elle s'exprimait comme une femme de la bonne société, avec un léger accent de Cornouailles. Ainsi, il ne s'était pas trompé, elle venait de l'Ouest. Sa voix mélodieuse et envoûtante ne pouvait que réveiller l'imaginaire érotique d'un homme. Comment une jeune personne aussi distinguée pouvait-elle être femme de ménage ?

— Vous savez qui je suis, mademoiselle, mais moi, je ne vous connais pas. Nous sommes-nous déjà rencontrés ?

— Bien sûr que je vous connais ! Je suis musicienne. Je vous ai vu diriger l'orchestre à Salzbourg, l'année dernière.

La situation lui sembla parfaitement absurde. Les femmes de ménage ne jouaient pas au violon et n'assistaient pas à des concerts en Autriche. Il devait être en train de rêver.

— Si vous vous suicidez, je perdrai ma place, poursuivit-elle. Et comme je n'ai pas de références, je ne trouverai pas d'autre emploi et je serai à la rue. En outre, votre mort causera sûrement de la peine à vos proches. Avez-vous pensé à votre famille, à vos amis ? Enfin, le propriétaire se retrouvera avec un théâtre sans valeur sur les bras, car personne ne voudra plus ni louer une salle maudite ni la lui acheter.

Tandis qu'elle énumérait froidement les conséquences de son geste, très certainement pour qu'il en éprouve de la culpabilité, il décida que sa voix n'était pas aussi belle que cela finalement.

— Vos proches seront obligés non seulement de surmonter le chagrin de votre mort, mais aussi la disgrâce de votre suicide, continua-t-elle, impitoyable. Mais vous êtes persuadé, j'imagine, que vos soucis sont beaucoup plus sérieux que ceux des autres, et je parie que vous vous moquez de ce que votre geste entraînera.

L'impudence de la jeune femme l'irrita d'autant plus qu'elle n'avait pas tout à fait tort.

— C'est ma vie, répliqua-t-il sèchement. J'ai le droit d'y mettre un terme si je le souhaite, non ?

— Ce serait mal, déclara-t-elle, la mine grave.

— Et qui êtes-vous donc pour me faire la morale ? Mon ange gardien, mon âme, ma conscience ?

— Ce serait mal, répéta-t-elle.

— J'ai le droit de me suicider si je le souhaite !

Elle secoua la tête.

— Non. Un jour, on aura peut-être besoin de vous pour quelque chose d'important.

Il éclata d'un rire amer qui résonna dans le théâtre désert.

— Pour sauver des jeunes demoiselles en détresse, peut-être ? railla-t-il. Ou abattre des dragons ? Pourquoi aurait-on besoin de moi ?

— Je l'ignore.

Elle fit quelques pas, puis sauta d'un bond agile dans la fosse d'orchestre. Glissant le violon et l'archet sous son bras, elle lui prit le pistolet des mains, comme si elle savait qu'il n'oserait s'y opposer de crainte de la blesser. Pointant l'arme en direction des fauteuils vides, elle la désarma, avant de la glisser dans sa poche.

— Voilà qui est plutôt futile de votre part, vous ne trouvez pas ? se moqua-t-il. Vous vous doutez bien que je possède d'autres pistolets.

Elle haussa les épaules.

— Chacun dispose de son libre arbitre. Je ne serai pas toujours là, mais je ne pense pas que vous ferez une autre tentative.

— Vous semblez très sûre de vous.

— Je sais suffisamment de choses à votre sujet pour deviner que vous n'êtes pas ce genre d'homme. Pas vraiment.

— Et quel genre d'homme suis-je ?

— Vous êtes assez arrogant pour croire que le monde de la musique serait orphelin si vous disparaissiez. Vous êtes aussi têtu et obsessionnel. Votre travail l'emporte sur tout et tout le monde.

Là encore, il ne pouvait pas lui donner tort.

— Et vous avez de la volonté, ajouta-t-elle sur un ton plus doux. Je pense que vous trouverez le courage de continuer à vivre.

Il ignorait si elle le pensait vraiment ou si elle cherchait seulement à lui faire changer d'avis.

— Pour une femme de ménage, vous pensez beaucoup, ironisa-t-il.

— Maintenant que le moment difficile est passé, vous trouverez des raisons de ne pas utiliser le suicide pour mettre un terme à vos souffrances.

— Vous ne savez rien de moi. Vous ne connaissez même pas les raisons de mon choix.

— Rien ne justifie jamais un tel choix.

— Je suppose que vous vous êtes forgé cette opinion à la suite de longues années d'expérience, lança-t-il, agacé par le discours de cette femme qui finissait par ressembler à un sermon.

Elle détourna la tête.

— Pourquoi ? murmura-t-elle d'un ton exaspéré. Pourquoi êtes-vous tous des âmes tourmentées ?

Il arqua un sourcil, étonné par la question.

— De qui parlez-vous ?

— Des artistes en général. Musiciens, acteurs, peintres, poètes, compositeurs…

— Vous aussi, vous êtes musicienne.

— Je joue correctement, c'est tout. Je ne suis pas une virtuose. Je n'ai pas l'éclat d'un véritable artiste.

Tandis qu'elle tournait de nouveau les yeux vers lui, Dylan songea que le regard de cette femme hanterait longtemps ses rêves.

— C'est vous, monsieur, qui possédez la grâce du génie.

— C'est du passé, tout cela. Je ne composerai plus jamais.

Elle esquissa un sourire ironique.

— Bien sûr que si.

Il voulut lui expliquer, mais elle tourna les talons et gravit les marches jusqu'à la scène.

— Éteignez les lampes avant de partir, vous voulez bien ? lâcha-t-elle.

Dylan la regarda s'éloigner en se demandant s'il était prisonnier d'un rêve étrange.

C'est alors qu'il entendit de nouveau, montant des profondeurs de sa conscience, l'insolite et captivante mélodie. Il ferma les yeux pour mieux la percevoir. Quelques notes dansaient dans son esprit, mais il n'arrivait pas à s'en emparer, et la mélodie s'évanouit aussi vite qu'elle était apparue. Quand il rouvrit les yeux, la jeune femme qui la lui avait inspirée avait disparu.

— Attendez ! Ne partez pas !

Il grimpa sur la scène, puis se précipita dans les coulisses. Il l'appela, poussa les portes de loges désertes meublées de chaises vides et de tables poussiéreuses. Désemparé, le cœur battant, il sortit dans la ruelle à l'arrière du bâtiment. La brume s'était épaissie. Il distinguait à peine les façades des maisons aux volets clos.

— Je ne connais même pas votre nom ! s'écria-t-il.

Pas de réponse. La femme s'était évaporée, emportant avec elle la mystérieuse mélodie. Il essaya de se rappeler les notes éphémères. En vain… Seul résonnait le sifflement infernal. Il porta les mains à ses oreilles, puis, avec un cri de rage et d'impuissance, il flanqua un coup de poing dans la porte.

La mystérieuse inconnue avait raison; il n'aurait plus le courage de mettre fin à ses jours, et il la maudissait de lui avoir dérobé cette issue facile. Désormais, il devrait supporter cette torture jusqu'à en perdre l'esprit.

1

Londres, mars 1832

Une plume pendait de son chapeau et lui chatouillait le nez, mais Grace Clairval ne pouvait la repousser. Ses deux mains étaient occupées à jouer un allegro pour violon de Vivaldi qui exigeait toute sa concentration. « Pourvu que je n'éternue pas ! » se dit-elle, anxieuse.

Mais ce n'était, hélas, pas sa seule préoccupation. Les salles de bal étaient toujours surchauffées, notamment lors des fêtes de charité. Pire encore, celle-ci était costumée et elle étouffait dans son déguisement de bandit de grand chemin. Un épais pourpoint de velours était loin d'être une tenue idéale pour jouer du violon toute une soirée. Affublée d'un chapeau et d'un masque de cuir, elle avait l'impression de cuire dans un four.

Tout en jouant, Grace secoua la tête à plusieurs reprises, dans l'espoir – vain – de chasser l'exaspérante plume.

À son grand soulagement, le morceau se termina enfin. Tandis que les couples quittaient la piste de danse, elle posa le violon et l'archet sur ses genoux et arracha la plume de son chapeau d'un geste excédé. Puis, alors qu'elle tournait les pages de ses partitions jusqu'à la valse de Weber, la dernière danse de la soirée, l'un de ses compagnons se pencha vers elle.

— Tu n'en as arraché que la moitié, murmura-t-il. L'autre est restée plantée dans ton chapeau.

— Balivernes, Teddy! Tu n'es qu'un fieffé menteur.

— Pas du tout, protesta le jeune homme en ajustant la couronne de lauriers sur ses boucles blondes, avant de caler le violoncelle entre ses jambes. On dirait une cheminée… à plumes.

Grace brandit son archet d'un air menaçant.

— Quand tu mens, tes oreilles rougissent.

Il sourit, tandis que le petit orchestre entamait la valse.

Au cours de ces trois dernières années, Grace avait participé à tant de bals qu'elle connaissait la plupart des partitions par cœur, ce qui lui permettait d'observer les danseurs.

La reine Elizabeth tournoyait au bras du roi Henri II, tandis qu'Hélène de Troie dansait avec un homme vêtu d'une tenue de soirée sombre et d'une longue cape noire doublée d'or. Il ressemblait à Méphistophélès, le diable de la légende de *Faust*, cet ange déchu qui aspire à dominer le monde pour le détruire.

Le couple était séduisant, la longue toge blanche de la jeune femme créait un contraste saisissant avec la ténébreuse élégance de son cavalier. L'homme se tenait très droit, les épaules en arrière. Il avait de longs cheveux noirs attachés en catogan sur la nuque, une coiffure qui était pourtant passée de mode. Il n'était pas masqué, aussi vit-elle son visage lorsqu'il se tourna vers elle. Surprise, elle joua une fausse note stridente, mais se ressaisit aussitôt, tandis que le couple s'éloignait.

C'était Dylan Moore.

Elle n'avait pas oublié sa rencontre nocturne avec le célèbre compositeur. Quelle femme aurait pu oublier un aussi bel homme, dont le regard était si intense et si sombre qu'on avait l'impression de se noyer dans un puits sans fond? Sa mâchoire déterminée prouvait qu'il avait du caractère, et au pli cynique de sa bouche on devinait qu'il obtenait toujours ce qu'il souhaitait, ce qui devait finir par l'ennuyer. C'était un artiste de génie, riche et puissant, un homme qui avait une existence de rêve, et qui avait pourtant porté un pistolet à sa tête pour mettre fin à ses jours.

Elle se rappela l'angoisse qu'elle avait éprouvée cette nuit-là, au Palladium. Sans réfléchir, elle avait joué la musique de Moore en priant pour que ce dernier n'appuie pas sur la détente.

Le lendemain, Étienne l'avait emmenée à Paris. Elle n'avait plus revu Moore, mais elle avait beaucoup entendu parler de lui au cours des cinq années qui s'étaient écoulées depuis leur étrange rencontre. De Paris à Vienne, chacun aimait à raconter des histoires croustillantes au sujet du plus célèbre compositeur d'Angleterre.

Sa liaison orageuse avec l'actrice Abigail Williams était devenue une légende. Au beau milieu d'une représentation à Covent Garden, il avait bondi sur la scène pour la prendre dans ses bras. Mais la jeune femme avait mis un terme à leur histoire d'amour quand elle l'avait trouvé au lit avec une superbe prostituée chinoise qu'il avait, prétendait-on, gagnée au jeu.

Durant ces dernières années, il avait vécu ouvertement avec une demi-douzaine de femmes, dont une danseuse étoile d'origine russe et la fille illégitime d'un maharadjah indien.

Et puis, que penser de ces rumeurs insidieuses ? On racontait qu'à la suite d'un accident de cheval son cerveau avait été endommagé et qu'il devenait fou. On assurait qu'il buvait et jouait sans mesure, que les drogues opiacées n'avaient pas de secrets pour lui et qu'il fumait du haschich. On racontait que ses insomnies duraient des nuits entières, qu'il se battait en duel à l'épée et prenait des risques inconsidérés chaque fois qu'il montait à cheval, aussi bien en ville qu'à la campagne. Il relevait tous les défis, brisait toutes les règles, transgressait tous les tabous.

Quand Moore et sa partenaire virevoltèrent de nouveau devant Grace, celle-ci nota avec effarement le changement physique qui s'était opéré chez le compositeur. Bien qu'il possédât encore un corps d'athlète, son visage portait les stigmates d'une vie dissolue. Des rides sillonnaient son front et creusaient les coins de ses yeux. Un homme de trente-deux ans n'aurait pas dû être aussi marqué. Elle en déduisit, agacée, que les rumeurs ne mentaient pas. Le musicien, autrefois réputé homme de caractère, plutôt solitaire et sauvage, ressemblait désormais à un libertin sans scrupules.

Qu'est-ce qui avait bien pu le pousser à envisager le suicide quelques années auparavant ? À l'époque, elle avait eu la conviction qu'il ne tenterait pas une seconde fois de se supprimer. Elle avait eu raison. Mais à la place, il avait basculé dans l'autre extrême, menant une vie débridée, en quête d'émotions fortes et de danger.

Il s'était trompé lorsqu'il lui avait dit qu'il ne composerait plus jamais. Son *Valmont*, présenté quatre ans plus tôt, continuait à être joué dans les opéras d'Angleterre et d'Europe. L'année passée, sa Dix-Neuvième Symphonie avait été acclamée, même si les critiques l'avaient jugée un peu moins brillante que ses œuvres précédentes. Mais il ne composait plus avec la fièvre des premiers temps, et il n'avait offert à son public qu'une seule sonate depuis le début de l'année.

Son penchant pour les femmes y était sans doute pour quelque chose, songea-t-elle, mécontente, en le regardant étreindre sa partenaire et lui murmurer à l'oreille. Ce comportement en public était scandaleux, mais il demeurait ainsi fidèle à sa réputation de mauvais garçon.

Au même moment, comme s'il avait senti son regard peser sur lui, Moore tourna la tête dans sa direction.

Grace baissa vivement les yeux sur sa partition, soulagée d'être affublée d'un chapeau et d'un masque qui la rendaient méconnaissable. Le couple s'éloigna, et elle se mordilla la lèvre, irritée d'avoir sauvé la vie d'un homme qui la dilapidait en menant une existence de débauché.

La valse achevée, les danseurs gagnèrent les buffets, tandis que les musiciens rangeaient leurs instruments. Grace décida d'oublier Moore. Après tout, ce n'était pas son affaire s'il gâchait sa vie.

Elle glissa ses partitions dans son étui à violon doublé de velours qu'elle referma avec un claquement sec.

— Rendez-vous derrière les écuries, dit-elle à Teddy. On meurt de chaud ici. J'ai besoin de prendre l'air.

— La prochaine fois que nous jouerons pour un bal costumé, j'essaierai de te trouver un costume plus approprié.

— Je l'espère bien ! Apporte-moi un peu de viande froide si tu parviens à convaincre l'une des petites servantes de t'en donner une assiette, tu veux ?

Grace quitta la salle de bal, tandis que les musiciens faisaient les yeux doux aux jeunes domestiques qui s'occupaient du souper. En général, ils arrivaient toujours à obtenir quelques baisers et un repas gratuit. Elle évita le grand escalier et se dirigea vers le fond du couloir. Les musiciens, comme les domestiques, devaient emprunter les escaliers de service. Arrivée au rez-de-chaussée, elle sortit par une porte dérobée.

Elle se faufila parmi les attelages et les carrosses, saluant les cochers qui attendaient la fin des festivités pour ramener les invités chez eux. Une petite ruelle longeait les écuries. Elle y attendrait Teddy qui la raccompagnerait chez elle.

Elle posa ses affaires à côté du mur en brique pour se débarrasser de son costume étouffant. Lorsqu'elle ôta le chapeau, ses cheveux s'éparpillèrent sur ses épaules. Elle retira le masque et le pourpoint, soulagée de se retrouver en pantalons, bottes et chemise blanche.

Le printemps s'annonçait, mais la fraîcheur hivernale subsistait. Elle soupira de plaisir en sentant le vent sur sa peau échauffée. Malheureusement, ce dernier transportait aussi les odeurs déplaisantes de Londres. Même dans le luxueux quartier de Mayfair, on ne pouvait échapper aux relents de charbon et de détritus qui émanaient des rives de la Tamise.

Adossée au mur, elle ferma les yeux, se languissant de la campagne anglaise où elle avait grandi. Elle se remémora la brise douce de l'été, le bruit réconfortant de l'océan, le bourdonnement des abeilles qui butinaient parmi les roses parfumées. Mais tout cela n'était plus qu'un rêve, désormais. Impossible de revenir en arrière, et les femmes dont la réputation était ruinée ne pouvaient rentrer chez elles.

Étienne avait promis de lui faire découvrir le monde et il avait tenu parole. Son mari l'avait emmenée dans des endroits fascinants : elle avait découvert Paris, Salzbourg, Florence, Prague, Vienne… Toutes les plus belles villes européennes où il avait vendu ses tableaux à des mécènes admiratifs.

Pourtant, elle aurait tout donné pour un cottage douillet à la campagne, entouré d'un jardin rempli de roses. Mais cette vie paisible lui était interdite. Les maigres revenus d'une vendeuse d'oranges qui jouait aussi dans un orchestre ne suffisaient pas à payer le loyer de sa chambre et à la nourrir correctement.

— Un jour, j'aurai une petite maison à la campagne, se promit-elle en serrant les poings. Je la peindrai en crème, avec des volets bleus, et je planterai des rosiers.

— Puis-je suggérer du lierre et quelques géraniums ? Et même un marronnier ?

La question ironique la tira brutalement de sa rêverie. Ouvrant les yeux dans un sursaut, Grace découvrit Dylan Moore, debout à quelques mètres d'elle. Ses cheveux dénoués lui frôlaient les épaules, et sa cravate blanche tranchait sur sa tenue sombre.

— Cela vous arrive souvent de parler toute seule?

— Seulement quand personne ne m'espionne, rétorqua-t-elle.

Il s'approcha, l'air intrigué, presque avide.

— C'est à peine croyable. Voilà que je retrouve enfin la mystérieuse femme de ménage. Savez-vous que je vous ai cherchée partout? Le lendemain, je suis retourné au Palladium, mais vous étiez partie sans donner congé ni laisser d'adresse. Des mois durant, j'ai scruté les foules à la recherche de votre visage. J'ai observé les femmes qui récuraient les planchers dans les théâtres, dévisagé toutes les violonistes que je croisais. En vain.

— Pourquoi me cherchiez-vous? s'étonna-t-elle.

— Pour vous dire combien je vous détestais, bien sûr.

En dépit du ton désinvolte, Grace sentit qu'il disait la vérité.

— Pourquoi? Je vous ai sauvé la vie, non?

— C'est bien pour cette raison que je vous ai maudite. J'ai même tenté de me convaincre que vous n'étiez que le produit de mon imagination, et que vous étiez introuvable parce que vous n'existiez pas. Et pourtant, malgré tout, je continuais à espérer que vous étiez une femme de chair et de sang et que je vous retrouverais un jour. Au fil des ans, j'ai même cessé de vous en vouloir.

— Maintenant que le temps a passé, n'êtes-vous pas heureux d'avoir survécu?

— Seigneur, non! s'écria-t-il, si durement qu'elle en tressaillit. Bien sûr que non... ajouta-t-il en portant les mains à sa tête.

Il y avait une telle détresse dans sa voix que Grace éprouva un bref élan de compassion, mais elle se reprit aussitôt. Elle ne connaissait que trop les artistes ! Son mari avait abusé de sa compassion, et ces âmes tourmentées ne l'émouvaient plus.

— Mon pauvre ami, se moqua-t-elle, vous avez de l'argent, du succès, des relations, du talent et l'allure d'un séducteur. Comme la vie doit vous paraître ingrate...

Il releva la tête, rejetant ses cheveux en arrière.

— Je souffre, madame, renchérit-il d'une voix moqueuse. La vie est tellement épuisante,

— Si je me fie aux rumeurs, voilà qui n'est guère étonnant.

— On dirait que ma vie vous intéresse.

Dieu qu'il était exaspérant et prétentieux !

— Je sais que vous vivez comme si vous vouliez mourir, monsieur. Ironisez autant que vous voulez, mais pour ma part, je ne trouve là rien d'amusant. Si je me suis trompée à l'époque, et que la mort vous fascine toujours autant, que faites-vous à discuter avec moi ?

Elle était fatiguée d'essayer de raisonner avec des hommes odieux qui usaient et abusaient du chantage à l'affection.

— Ce n'est pas difficile de se supprimer, insista-t-elle. Qu'est-ce qui vous en empêche ?

— Vous ! Vous n'avez donc pas compris ? Tout cela est votre faute.

Le visage sombre, l'expression intense, il appuya les mains contre le mur, de part et d'autre des épaules de Grace. Quelque peu effrayée, la jeune femme se raidit et releva le menton. Les yeux de Moore ressemblaient à un ciel nocturne dépourvu d'étoiles.

— Vous ne pouvez me rendre responsable de votre vie et de votre mort, monsieur.

— Ah, non ?

Il se pencha vers elle, si près qu'elle sentit son souffle, et continua d'une voix rauque, presque étranglée :

— Le souvenir de votre visage, de votre voix, de vos yeux... Seigneur, ces yeux incroyables !... Et la musique qui vous entoure. Tout cela m'a hanté pendant cinq ans. Seul l'espoir de vous retrouver et d'entendre de nouveau cette musique qui est la vôtre m'a donné la force d'affronter chaque nouvelle journée.

Grace fouillait son regard, perplexe.

— Ma musique ? répéta-t-elle. De quelle musique parlez-vous donc ?

Il recula d'un pas. Alors qu'ils se contemplaient en silence, des éclats de voix leur parvinrent d'une rue voisine. Un carrosse s'éloigna dans un crissement de roues. Elle attendit, sans oser bouger, tandis que le vent printanier jouait avec ses cheveux.

Lorsqu'il leva la main pour écarter une mèche rebelle du front de la jeune femme, le visage de Moore refléta une tendresse que celle-ci ne lui connaissait pas.

— Vous êtes aussi belle que dans mon souvenir, murmura-t-il. Ravissante...

Prise au dépourvu, elle sentit jaillir en elle une étincelle qu'elle croyait éteinte depuis longtemps. Il avait suffi d'une caresse de Dylan Moore pour ranimer la flamme du désir physique.

Grace retint son souffle. Elle avait l'impression qu'une douce chaleur se répandait dans son corps après un hiver glacé. Les caresses d'un homme n'étaient qu'un si lointain souvenir...

Lorsqu'il lui effleura de nouveau le visage, elle faillit tourner la tête pour lui embrasser la main.

— Que voulez-vous de moi ? souffla-t-elle, troublée. Est-ce que vous essayez de me séduire ?

— Rien ne me ferait plus plaisir. Vous m'obsédez depuis si longtemps.

— Vous êtes un séducteur notoire. Vous connaissez tous les secrets pour piéger les femmes.

Elle essaya de détourner les yeux, sans y parvenir.

Il avait un regard ardent, une bouche sensuelle. Comment un inconnu pouvait-il détenir un tel pouvoir sur elle ? Elle aurait mieux fait de s'enfuir, elle le savait, mais elle était pétrifiée.

— C'est absurde, se moqua-t-elle d'une voix faible. Vous ne me connaissez même pas.

— Et pourtant, j'ai l'impression de tout savoir de vous, dit-il en lui caressant les tempes. Quand je vous regarde, j'entends une musique si belle.

Grace réprima un sourire. Pour un tel séducteur, il ne connaissait donc pas de flatteries plus subtiles ?

— Évidemment !

Le ton railleur de la jeune femme parut le piquer au vif. D'un mouvement du torse, il la coinça contre le mur. Le cœur battant, Grace frissonna. Elle n'avait pas peur, non, elle était juste curieuse, et impatiente. Elle ne s'étonnait plus que Dylan Moore ait séduit autant de femmes.

Quand il inclina la tête, elle ne se déroba pas, et au contact de ses lèvres une émotion intense la submergea.

Leurs langues s'effleurèrent. Il avait un goût délicieux, légèrement fumé. Grace se dressa sur la pointe des pieds et lui rendit son baiser avec l'ardeur d'une femme de petite vertu. Elle se sentait littéralement transformée. Depuis combien de temps n'avait-elle pas éprouvé l'envie foudroyante d'embrasser un homme et d'accueillir ses caresses ?

Avec le sentiment enivrant de renaître, elle noua les bras autour de son cou et se pressa contre lui.

Il étouffa un grognement. Sa main descendit le long du flanc de la jeune femme, enveloppa son sein gauche comme s'il voulait percevoir les battements de son cœur. Puis il la souleva, la plaquant contre ses hanches.

C'était de la folie…

À bout de souffle, Grace détourna la tête, relâcha son étreinte, mais il la retint prisonnière, la bouche posée contre ses cheveux. Elle ne pouvait ignorer qu'il avait envie d'elle, et elle eut honte d'avoir laissé un homme qu'elle connaissait à peine prendre autant de libertés avec elle. D'autant qu'il n'avait pas caché son animosité.

— Lâchez-moi! ordonna-t-elle, essayant de reprendre ses esprits.

Il la reposa sur le sol, mais ne s'écarta pas.

— J'ai entendu une musique dans ma tête quand je vous ai vue pour la première fois, expliqua-t-il, la gorge nouée. Lorsque je vous ai revue ce soir, dans la salle de bal, c'est grâce à cette musique que je vous ai reconnue. En dépit de votre masque et de votre chapeau, en dépit de la valse de Weber, j'ai su que c'était vous à cause de la mélodie dans ma tête.

— Vous êtes compositeur. Je présume que vous entendez tout le temps de la musique. Pourquoi est-ce si important?

Elle appuya les paumes contre son torse en une vaine tentative pour le repousser.

— C'est beaucoup plus important que vous ne l'imaginez.

— Lâchez-la! cria une voix derrière eux.

Grace aperçut Teddy qui les rejoignait en courant, toujours vêtu de son costume. Tandis qu'il brandissait son violoncelle, ses partitions lui échappèrent et s'éparpillèrent sur le sol.

L'irruption du jeune homme ne sembla pas troubler Moore.

— Loin de moi l'envie de me battre avec votre soupirant, ironisa-t-il. Surtout lorsqu'il porte une toge romaine.

Moore déposa un baiser sur ses lèvres, avant de s'écarter.

Teddy serrait les poings d'un air menaçant.

— Tu n'as rien, Grace ? s'enquit-il.

Il avait à peine dix-huit ans, mais il était prêt à la défendre contre un homme à la carrure imposante qui le dominait d'une tête.

— Tout va bien, Teddy, le rassura-t-elle en posant la main sur le bras du jeune homme. Il était sur le point de s'en aller.

— Je vous souhaite une bonne nuit, dit Moore en s'inclinant devant Grace.

Il fit quelques pas, se retourna, et ajouta :

— Tout à l'heure, vous avez parlé de responsabilité. Selon les Chinois, si l'on sauve un homme de la mort, on devient responsable de sa vie. Nous nous reverrons, Grace, je vous le jure.

Sa cape ondulant dans la brise, il s'éloigna à grands pas.

Décidément, le costume de Méphistophélès lui allait comme un gant, songea Grace. Lorsqu'elle avait sauvé la vie de Dylan Moore, elle avait agi pour la bonne cause, mais tandis qu'un frisson d'appréhension la parcourait, elle se demanda s'il était vrai que le chemin de l'enfer était pavé de bonnes intentions.

2

Ainsi, la mystérieuse inconnue existait bel et bien. Quel soulagement !

Dans son carrosse, Dylan laissa échapper un soupir apaisé. Au cours de ces cinq dernières années, il s'était parfois demandé s'il n'avait fait qu'imaginer la jeune femme croisée une nuit de désespoir au Palladium. Si elle n'avait été qu'une petite muse, mutine et taquine, perchée sur son épaule, qui lui aurait inspiré quelques notes fugaces et la fausse promesse d'une symphonie. Mais, non, la jeune femme était réelle.

Dès qu'il l'avait aperçue dans la salle de bal, la musique d'autrefois avait refait surface, aux confins de sa conscience, mais les notes énigmatiques et insaisissables continuaient de se dissoudre dans l'air à mesure qu'il les entendait. Impossible de les déchiffrer ou de les inscrire sur une partition. Elles étaient étouffées par le sifflement impitoyable qui lui transperçait le cerveau et par le fracas des attelages qui roulaient autour de Piccadilly Circus.

Heureusement, cette fois-ci, la musique ne serait pas définitivement perdue. Il avait eu la chance de croiser de nouveau le chemin de la muse qui lui inspirerait une nouvelle symphonie. Il en savait suffisamment sur elle pour la retrouver, et c'était pourquoi il l'avait laissée partir.

Grace... Une beauté rare, une femme ardente et passionnée... Lorsqu'il l'avait embrassée, elle avait compris qu'il la désirait, et n'avait pas cherché à cacher qu'elle prenait autant de plaisir que lui à leur baiser. Ainsi, sa jolie muse n'était pas une vierge effarouchée. Non, cette femme-là avait connu et apprécié les caresses d'un amant, devinait-il. S'il lui faisait l'amour, son corps de déesse lui inspirerait un chant merveilleux. Il n'avait pas l'intention de la laisser lui échapper une seconde fois.

La voiture s'arrêta devant un cercle de jeu réputé, dans le quartier de Soho. C'était un endroit que Dylan appréciait tout particulièrement parce que le son du piano, ainsi que le charivari des prostituées et de leurs clients prospères étouffaient les sons dans sa tête. Le patron était un homme assez honnête pour ne pas piper les dés, ni marquer les cartes ou couper les alcools avec de l'eau. Et surtout, le club ne fermait jamais. À 2 h 30 du matin, la soirée de Dylan Moore ne faisait que commencer.

La chance lui sourit. Deux bouteilles de cognac et six heures plus tard, il empocha trois cent dix-sept livres d'un air satisfait. Mais il savait qu'il risquait de perdre beaucoup plus la prochaine fois. Quelle importance ? Gagner ou perdre lui était indifférent. Pour lui, le jeu n'était qu'une distraction parmi d'autres qui lui évitait de devenir fou.

Neuf heures du matin avaient sonné quand Dylan regagna sa demeure de Portman Square. Bien qu'elle ne fût pas immense, il s'était amusé à la doter des installations les plus modernes. C'était là aussi un exutoire, car le seul bien matériel qui l'intéressât vraiment, c'était son piano.

Il était certes fatigué, mais il n'était pas rentré chez lui pour se coucher. De toute façon, il dormait toujours aussi mal, et à coup sûr les événements de la veille l'empêcheraient de trouver le sommeil. Il demanda à son cocher de l'attendre, car il avait seulement l'intention de prendre un bain rapide et de se changer avant de ressortir.

Osgoode, le majordome, lui ouvrit la porte d'entrée.

— Quelqu'un est passé pour vous voir, monsieur, dit-il tandis que Dylan pénétrait dans le vestibule au sol revêtu de carreaux noir et blanc.

— Quand cela ? demanda celui-ci d'un air distrait en lui tendant sa cape, son chapeau et ses gants.

— Elle s'est présentée il y a deux heures environ.

— Elle ?

Il s'étonna. Personne ne lui rendait jamais visite à une heure aussi indue. Il songea à plusieurs femmes qu'il fréquentait. Ce n'était sûrement pas l'une d'entre elles.

— Qui était-ce ?

— Une religieuse, monsieur. Une religieuse catholique.

Dylan éclata de rire.

— C'est ridicule, voyons ! Pourquoi une nonne viendrait-elle me trouver ? À 7 heures du matin, qui plus est ! Elle espère obtenir de l'argent pour ses bonnes œuvres en surprenant des malheureux au saut du lit ?

— Elle n'est pas venue demander de l'argent, monsieur, précisa le majordome. Elle vous a amené quelque chose.

— Des tracts religieux, je suppose, ironisa Dylan en gravissant les marches deux par deux.

Un peu essoufflé, Osgoode ne le lâcha pas d'une semelle.

— Pardonnez-moi, monsieur, mais c'est beaucoup plus sérieux. Je crois que vous devriez venir voir. Sans perdre une seconde.

Surpris, Dylan s'arrêta sur le palier du premier étage, la main sur la balustrade. Il jeta un coup d'œil à son domestique. Cette insistance était tout à fait inhabituelle de sa part.

— Vraiment? Voilà qui aiguise ma curiosité. Qu'est-ce que cette nonne m'a apporté?

— C'est assez difficile à décrire, monsieur, mais d'après elle, c'est un cadeau. Bien que cela vous ait toujours appartenu.

— Me voilà de plus en plus intrigué, Osgoode, déclara Moore en redescendant au rez-de-chaussée. Apportez-le-moi sur-le-champ.

— Bien, monsieur.

Le majordome se dirigea vers l'arrière de la maison, tandis que Dylan pénétrait dans le salon de musique. Il s'approcha du piano, releva le couvercle et contempla les touches en ivoire. Cela faisait si longtemps qu'il n'avait pas essayé de jouer. Avec une certaine appréhension, il joua quelques notes et reconnut la mélodie que lui inspirait la jeune femme mystérieuse.

Pourquoi entendait-il ces notes dès qu'il la regardait? Et pourquoi s'évaporaient-elles aussitôt, alors qu'il aurait dû entendre se développer toute une mélodie? Mais c'était presque un miracle : en cinq ans, seule la belle inconnue lui avait inspiré une musique digne de ce nom.

Une petite toux sèche interrompit ses pensées, mais Dylan ne leva pas les yeux du piano.

— Alors, quel est ce cadeau de la religieuse, Osgoode? demanda-t-il en rejouant les quelques notes.

Comme le majordome ne répondait pas, il se retourna, et découvrit une petite fille dans l'embrasure de la porte.

Elle devait avoir huit ou neuf ans. Elle était vêtue d'une affreuse robe à carreaux vert et bleu, avec une collerette sage et des chaussettes blanches, et elle tenait à deux mains un baluchon taillé dans une vilaine étoffe. L'enfant lui était parfaitement inconnue, et cependant, elle avait des cheveux aussi noirs que les siens et elle l'observait d'un regard sombre qui lui rappelait quelqu'un. Décontenancé, Dylan laissa échapper un juron digne d'un matelot.

— Je ne veux pas d'un père qui jure, répliqua la fillette en s'avançant dans la pièce.

Un *père* ? Il lâcha un nouveau juron.

L'enfant fronça les sourcils, visiblement agacée.

— Puisque vous êtes riche, est-ce que j'aurai une chambre à moi toute seule ?

Choisissant de ne pas répondre, Dylan contourna la gamine comme si elle souffrait d'une maladie contagieuse et rejoignit son majordome dans le vestibule.

— Osgoode, suivez-moi, je vous prie.

Le domestique ferma la porte du salon de musique, y enfermant l'enfant, et suivit son maître dans le grand salon.

— Oui, monsieur ?

Dylan entendit un grincement. La petite fille était en train de jeter un coup d'œil dans le vestibule. Il ferma d'un geste décidé la porte du salon pour échapper à son regard trop curieux.

— Qui diable est cette enfant ? tonna-t-il.

— Elle s'appelle Isabel, monsieur.

— Je me fiche de son nom. Je veux savoir ce qu'elle fait ici. Avez-vous perdu la tête, Osgoode ? Comment pouvez-vous laisser des religieuses inconnues déposer chez moi des enfants abandonnés ?

Osgoode baissa la tête, manifestement embarrassé.

— Sœur Agnès a dit qu'Isabel était votre fille, et qu'elle habiterait désormais avec vous. Elle parlait avec autorité, comme si tout cela avait été organisé de longue date.

— Mais je n'ai rien prévu de la sorte, voyons !

— J'ai tenté de la dissuader, sachant que vous m'auriez averti de l'arrivée d'Isabel, mais la religieuse m'a expliqué qu'elle avait fait le voyage depuis l'orphelinat Sainte-Catherine, à Metz, pour vous amener votre fille, et que son bateau repartait pour la France le jour même. Elle n'avait pas le temps d'attendre...

— Je m'en moque ! Ce n'est pas mon problème. Je n'ai jamais vu cette enfant de ma vie, ni même entendu parler d'elle. Le cas échéant, je vous aurais tenu au courant, Osgoode. Seigneur, qu'est-ce qui vous a pris ? N'importe quelle femme peut se déguiser en religieuse, attendre que je m'absente, puis déposer son enfant pour que je m'en occupe. Je ne serais pas le premier à qui ce genre de mésaventure arriverait.

— Isabel vous ressemble, monsieur.

— Et alors ?

— Pardonnez-moi, monsieur, s'excusa le majordome, l'air peiné, mais je ne savais pas quoi faire. Sœur Agnès a refusé d'emmener la petite, et elle n'a pas voulu attendre votre retour. Je ne pouvais pas abandonner l'enfant dans les rues de Londres, à la merci de vauriens et de bandits, n'est-ce pas, monsieur ? Pas votre fille.

— Ce n'est pas ma fille ! hurla Dylan. Cette religieuse a-t-elle apporté la preuve de ma paternité ?

Osgoode se racla la gorge, une manie qu'ont les majordomes qui s'apprêtent à donner à leurs maîtres des nouvelles que ceux-ci n'ont pas envie d'entendre.

— Elle a laissé une lettre, monsieur, dit-il en sortant un papier de sa poche. Je suppose qu'elle contient les preuves nécessaires.

Dylan brisa le sceau de cire et déplia le courrier. La lettre était signée par la mère supérieure de Sainte-Catherine, un couvent qui abritait un orphelinat, à Metz. La religieuse déclarait que l'enfant Isabel, née en 1824, était la fille d'une Française du nom de Vivienne Moreau qui avait succombé à la scarlatine six semaines auparavant. Sur son lit de mort, Mlle Moreau avait juré devant Marie, mère de Dieu, que le père de son enfant était Dylan Moore, le compositeur britannique. La jeune femme se confessant à Dieu, qu'elle s'apprêtait à rejoindre, la mère supérieure en avait déduit qu'elle n'avait pas menti.

— Évidemment, grommela Dylan, irrité par l'humour perfide de la religieuse.

Mlle Moreau avait aussi déclaré à la mère supérieure que Moore était un homme fortuné qui assumerait l'éducation de sa fille. Elle avait donné ses économies pour que sœur Agnès accompagne l'enfant à Londres. Et c'était tout. La religieuse ne fournissait aucune preuve tangible que l'enfant était bien le sien.

Dylan replia la lettre et la glissa dans sa poche. Puis il se mit à arpenter la pièce.

Vivienne Moreau… Ce nom ne lui disait rien. Que s'était-il passé neuf ans plus tôt ? Après avoir terminé ses études à l'université de Cambridge, il avait fait une tournée des capitales européennes comme pianiste pour faire connaître ses symphonies. Sa Troisième Symphonie avait connu un succès étourdissant, alors qu'il n'avait que vingt-trois ans. Jeune, séduisant et auréolé de gloire… Les plus belles femmes s'étaient jetées à son cou. À l'époque, il était trop insouciant pour songer à se protéger. Il aurait pu mettre une femme enceinte sans le savoir ; c'était même probablement arrivé plusieurs fois.

D'un autre côté, avait-il jamais rencontré cette Vivienne ? Pourquoi avait-elle attendu si longtemps pour révéler le nom du père de sa fille ? Cette histoire n'était peut-être qu'une fable inventée par une femme désespérée qui cherchait à garantir l'avenir de sa progéniture. Après tout, il était connu dans l'Europe entière. N'importe qui pouvait le désigner comme le père de son enfant dans l'espoir de lui soutirer de l'argent.

La mère supérieure n'avait fait aucune allusion à une rencontre, à un lieu ou à une date. Donc, puisqu'il ne disposait d'aucune preuve et qu'il ne se souvenait pas de la mère de la petite, il n'avait nullement l'intention d'endosser cette responsabilité. Il se débrouillerait pour la faire adopter par une famille à la campagne.

Sa décision prise, Dylan retourna dans le vestibule. Il se sentait lâchement soulagé. Dans quelques heures, cette histoire ne serait plus qu'un mauvais souvenir.

La double porte du salon de musique était grande ouverte, et la fillette était assise au piano. Elle jouait un morceau qu'il n'avait jamais entendu auparavant avec une dextérité rare pour son âge.

Interloqué, il s'arrêta dans l'embrasure de la porte pour l'écouter. Sa musicalité était évidente. En connaisseur, il admira la finesse d'exécution d'un morceau complexe à jouer. La maturité d'émotion dont faisait preuve la petite virtuose le toucha droit au cœur. Elle termina par une envolée de notes étourdissantes, avant de se tourner vers lui comme si elle attendait son verdict.

— Tu joues très bien pour une petite fille, observat-il, la gorge sèche.

— Je joue très bien même pour une adulte, rétorqua-t-elle, le menton levé en signe de défi.

Il esquissa un sourire. Décidément, cette gamine n'avait pas froid aux yeux.

— Tu parles aussi très bien ma langue.

— C'est normal, fit-elle en haussant les épaules. Maman a toujours pensé que je devais maîtriser la langue de mon père.

Il y eut un silence gêné. La petite semblait certaine qu'il était son père, alors que lui ne l'était pas. Un homme était-il jamais sûr de ce genre de choses ?

Il baissa les yeux. Le baluchon de laine grise gisait sur le tapis, grand ouvert. Il découvrit, surpris, qu'il ne contenait ni jouets ni vêtements, mais uniquement des partitions.

— Je ne connaissais pas le morceau que tu viens de jouer, reprit-il. Il est original et très beau. Qui l'a composé ?

L'enfant lui jeta un regard sombre et perçant qui le laissa bouche bée.

— Moi, répondit-elle.

Dans la haute société, une visite matinale signifiait qu'on ne se présentait pas avant 3 heures de l'après-midi. Dylan, quant à lui, n'avait pas pour habitude de respecter les règles de la bienséance, et il était trop pressé pour attendre.

Laissant l'enfant entre les mains d'Osgoode, il prit son bain, se changea, enfila un costume noir – sa couleur de prédilection – et quitta la maison. Il avait donné des instructions pour qu'on nourrisse la petite, et qu'on l'installe dans l'appartement du troisième étage qui avait été autrefois une nursery.

Il débarqua à Enderby, la propriété de Lord et de Lady Hammond, peu après 11 heures. Lady Hammond était chez elle, mais elle ne recevait pas, lui annonça le majordome avec un regard appuyé en direction de la pendule et un geste pour indiquer le plateau en argent où les visiteurs déposaient leur carte de visite. Dylan, qui n'avait pas l'intention d'en rester là, rétorqua qu'il patienterait.

Le majordome savait que le compositeur était un ami intime de Lady Hammond et de son frère, le duc de Tremore, qui le considéraient comme un membre de la famille. Aussi accepta-t-il de prendre la cape, le chapeau et les gants de Dylan.

Dès que l'on pénétrait dans le grand salon d'Enderby, on devinait qu'il avait été décoré pour plaire à une femme, et que le maître de maison s'y aventurait rarement, pour ne pas dire jamais. Sous les motifs décoratifs en stuc blanc qui ornaient le plafond, les tissus et les tapisseries fleuris oscillaient entre le rose et le céladon.

Viola vivait séparée de son mari depuis huit ans. Et si leur vie conjugale particulière avait enflammé les colonnes des journaux à scandale, ce n'était plus le cas. Plus personne aujourd'hui ne discutait cet état de fait. Cependant, le frère de Viola continuait à répéter à qui voulait l'entendre que la tête de Hammond méritait d'être embrochée sur une pique du Pont de Londres.

Dylan n'avait jamais avoué à Viola ni à Anthony qu'il connaissait bien le mari renégat. Craignait-il les moqueries du genre : « Qui se ressemble s'assemble » ? Au cours de ces dernières années, Hammond et lui avaient partagé les mêmes tables de jeu et de nombreuses bouteilles de cognac mais, d'un accord tacite, ni l'un ni l'autre n'évoquaient jamais Viola.

Dylan se pinça l'arête du nez entre le pouce et l'index. Le sifflement était particulièrement pénible ce matin-là ; il avait l'impression qu'une épée lui fouillait le crâne. Pourtant, avec le temps, il s'était habitué aux migraines. Il sortit une petite fiole bleue de sa poche, avala une gorgée de laudanum. Le médicament l'aiderait jusqu'à ce qu'il puisse dormir.

Hélas, le jour viendrait où l'opium ne servirait plus à rien, ni les autres dérivatifs qu'étaient les femmes, le cognac, le haschich ou les cercles de jeu. Un jour prochain, toutes ces activités dans lesquelles il se noyait pour oublier le bruit infernal ne suffiraient plus à le distraire. C'est alors qu'il sombrerait dans la folie.

À moins que la musique ne le sauve… Il n'avait rien composé depuis cinq ans. Pour contenter son public, il acceptait de temps à autre de publier quelque fond de tiroir. S'il parvenait de nouveau à travailler, sa vie retrouverait un sens. Grace détenait la clé de son avenir. Jusqu'à maintenant, il n'avait jamais cru aux muses, car il n'en avait jamais eu besoin. Désormais, cette femme lui était indispensable. Il avait besoin d'elle pour coucher sur le papier la musique qu'elle lui inspirait. L'ambitieux qu'il était rêvait de composer une symphonie ; cela dit une sonate ou un concerto lui conviendraient aussi. Au point où il en était, tout tenait du miracle.

Il repensa au morceau complexe qu'avait joué la petite Isabel. Même un pianiste chevronné l'aurait trouvé difficile. Si l'enfant n'avait pas menti et si elle en était vraiment l'auteur, elle était probablement sa fille.

Dylan se passa une main nerveuse dans les cheveux. Pourquoi essayait-il de fuir la réalité ? Même s'il ne se rappelait pas la mère, cette curieuse gamine était de lui. C'était une évidence. Autant regarder la vérité en face sans tergiverser. Il l'avait compris en l'entendant jouer, en croisant son regard sombre et intense quand elle lui répondait que c'était elle qui avait composé ce morceau. Il éprouva un élan de compassion à son égard. La pauvre ne méritait pas un père tel que lui, qui n'avait rien à lui apporter. Comment pourrait-il s'occuper d'elle, alors qu'il avait déjà de la peine à s'occuper de lui-même ?

Il ferait mieux de l'envoyer chez des cousins à la campagne jusqu'à ce qu'elle soit en âge d'aller à l'école. Elle ne pouvait habiter sous son toit. Il menait une vie agitée, dissolue, et il ne connaissait rien à l'éducation des petites filles.

— Dylan !

Il se leva tandis que Lady Hammond entra dans la pièce. Avec son teint de porcelaine, ses cheveux blonds et ses traits exquis, Viola était aussi raffinée que son intérieur. Une ravissante robe de couleur pêche mettait en valeur sa jolie silhouette. Elle vint vers lui, les mains tendues pour l'accueillir.

— Il est tout juste 11 heures, fit-elle en étouffant un bâillement. Il n'y a que toi pour venir à une heure aussi matinale. Et il n'y a que toi que j'accepte de recevoir, ajouta-t-elle en riant alors qu'il l'embrassait sur la joue.

— Pardonne mon impolitesse, mais je ne pouvais pas attendre. Tu étais bien l'une des dames patronnesses du bal de charité d'hier soir, n'est-ce pas ?

— Celui qu'on a donné au profit des hôpitaux londoniens ? Je n'y suis pas allée, car je ne me sentais pas bien, mais oui, en effet, je fais partie du comité qui l'a organisé.

Elle semblait surprise, car Dylan n'était pas du genre à se rendre à des soirées de charité. Si elle l'inscrivait toujours sur ses listes d'invités, c'était parce que sa notoriété incitait les amateurs de musique, ou de ragots, à venir dans l'espoir de le rencontrer, ce qui permettait de récolter plus de dons.

— J'y suis allé sur un coup de tête, avoua-t-il. Si je n'apparais pas de temps à autre dans ce genre de soirées, on prétend que je suis mort et enterré. Mais je suis ici parce que j'aimerais savoir qui est la violoniste.

Viola éclata de rire.

— Il n'y a que toi pour débarquer à une heure indue afin de t'enquérir de musiciens en prétendant que c'est urgent.

— Je m'intéresse à cette musicienne en particulier. Elle portait un déguisement de bandit de grand chemin et un masque.

— Une femme ?

— Elle s'appelle Grace. Où puis-je la trouver ?

— Mais je n'en sais rien ! s'écria Viola, amusée. Une violoniste déguisée en bandit. Comme c'est étrange ! A-t-elle si bien joué que tu la veux pour ton prochain concert, ou est-ce que tu veux juste en faire ta maîtresse ?

— Ni l'un ni l'autre, mentit-il. Ma chère amie, je suis sérieux. Il faut que tu m'aides. Tu n'imagines pas à quel point c'est important pour moi.

Viola ignorait tout de sa détresse, mais elle dut sentir que son désespoir était sincère, car elle cessa de rire.

— Je peux demander à Mlle Tate. Elle le sait sûrement.

Elle tira sur un cordon tressé qui pendait près d'un tableau bucolique. Quelques instants plus tard, un valet apparut.

— Stephens, trouvez Tate et demandez-lui de nous rejoindre.

La secrétaire particulière de Viola frappa à la porte cinq minutes plus tard. Elle écouta la requête de sa maîtresse, retourna à son bureau dont elle revint quelques instants plus tard avec la liste des musiciens engagés pour la soirée.

— Ils travaillent pour la Guilde des musiciens de la ville, madame, dit-elle en remettant la liste à Viola.

— Es-tu certain que tu ne t'es pas trompé de bal ? demanda cette dernière en parcourant la liste. Les musiciens étaient tous des hommes. Les quatre violonistes s'appellent Cecil Howard, Edward Finnes, William Fraser et James Broderick.

— Je l'ai vue, et je lui ai parlé, déclara Dylan.

Je l'ai même embrassée, songea-t-il, se rappelant instantanément son corps souple contre le sien, la douceur de sa peau, son ardeur à répondre à son baiser.

— Elle était déguisée en homme, mais je t'assure que c'est une femme. Une vraie. Il faut absolument que je la retrouve, insista-t-il en serrant les poings.

Dylan remarqua que son amie l'observait d'un air soucieux. Ces dernières années, son comportement était devenu si versatile et ses accès de colère si nombreux, que Viola avait tendance à s'inquiéter pour lui plus que nécessaire.

— Je vais bien, je t'assure. Je n'invente pas des femmes qui n'existent pas.

— Bien sûr que non ! s'exclama Viola en posant une main rassurante sur son épaule. Mais tu ne peux m'en vouloir d'être préoccupée par tes…

Elle hésita, cherchant ses mots.

— … excentricités ? proposa-t-il pour l'aider.

— Anthony et Daphné s'inquiètent aussi pour toi. Et Ian…

— Ian ? répéta Dylan, avant d'éclater de rire. Mon frère aîné est beaucoup trop occupé à faire la fête en Europe pour penser à moi. Il paraît qu'il se trouve à un congrès à Venise. Voilà un garçon qui a toujours fait le bonheur de ses parents. Il a été un enfant admirable de sagesse, un bon écolier, un étudiant modèle et le voilà devenu un diplomate de renom. Heureusement que j'étais là pour jouer les moutons noirs.

Il fourra la liste dans la poche de sa redingote, puis porta la main de Viola à ses lèvres. Son visage était redevenu sérieux.

— Merci, très chère amie. Je te dois une reconnaissance éternelle.

— Mais j'ai fait si peu…

— Sûrement pas, crois-moi.

Il s'inclina, puis se dirigea vers la porte. Jamais il ne lui avouerait la vérité, mais Viola l'avait aidé bien plus qu'elle ne l'imaginait.

3

Grace traversait le Pont de Londres sous une pluie battante, un lourd panier à la main. Ses vêtements lui collaient à la peau et elle frissonnait. La journée, elle vendait des oranges à l'angle de Ludgate Hill et du Old Bailey pour un penny pièce. Par un temps aussi froid et maussade, c'était un travail ingrat, et elle n'était pas mécontente que la journée s'achève enfin.

Malheureusement, le panier était encore à moitié plein, ce qui signifiait qu'elle n'aurait pas assez d'argent pour payer son loyer hebdomadaire à Mme Abbott. Grâce aux gains de la veille, elle avait remboursé une partie des trois semaines de retard qu'elle devait à sa logeuse, et elle avait promis de régler le solde vendredi, sans oublier une avance pour la semaine à venir. Mais pour l'heure, ce n'était qu'un vœu pieux puisqu'elle n'avait pas plus de six pences en poche.

Mme Abbott ne serait pas contente. Celle-ci la tolérait uniquement parce qu'elle avait payé pendant six mois rubis sur l'ongle, qu'elle était une locataire tranquille qui ne recevait pas de visiteurs et qui ne se plaignait jamais. Mais la bienveillance de sa logeuse prendrait fin vendredi soir. Il ne lui restait donc que deux jours de répit.

Depuis l'aube, l'angoisse rongeait Grace. Les passants ne lui avaient pas adressé un regard. Par un temps pareil, ils songeaient à s'abriter de la pluie plutôt qu'à acheter des oranges. Le manque de sommeil n'arrangeait pas son humeur. En effet, elle s'était couchée fort tard et avait à peine fermé l'œil de la nuit.

Elle tourna dans Saint-Thomas Street, serrant sa cape autour d'elle pour se protéger des rafales de pluie. La modeste mansarde de Crucifix Lane dans laquelle elle vivait était située non loin des quartiers les plus misérables de la ville, mais au moins la maison était-elle respectable, et sa chambre propre.

Elle frémit. Que lui arriverait-il si elle ne parvenait pas à payer ? Mme Abbott la mettrait à la porte, et elle n'aurait d'autre choix que de loger dans l'une de ces affreuses maisons où s'entassaient des femmes seules.

Il ne lui restait plus qu'un seul objet de valeur, son violon, mais il n'était pas question de le mettre au clou, car il lui permettait d'arrondir ses fins de mois en jouant ici ou là dans un orchestre. Malheureusement, les occasions étaient rares puisqu'elle n'était pas membre de la Guilde des musiciens.

Elle avait dépensé l'argent que lui avait donné son frère quand elle était rentrée, à l'automne dernier. Leurs parents étaient morts, et James avait été le seul de sa famille à accepter de la recevoir. Hélas, sa visite n'avait pas été un succès. Il lui avait demandé de quitter Stillmouth et de ne jamais y remettre les pieds. Pour se débarrasser d'elle au plus vite, il lui avait offert une petite somme d'argent.

Le panier pesait lourd à son bras, mais Grace hâta le pas. Elle voulait être rentrée avant le crépuscule, qui commençait à poindre. Elle ne voulait pas vendre son violon ni se retrouver dans une chambre sinistre. Quant à la prostitution, cette seule idée lui donnait la nausée. Il n'avait plus qu'une solution : écrire à James et le supplier de l'aider.

Ou devenir modèle.

Grace ne tirait aucune vanité de son physique. Elle savait qu'elle était belle, et elle l'acceptait, de même qu'elle acceptait toutes les autres réalités de sa vie. C'était à cause de cette beauté que le célèbre artiste peintre Étienne Clairval était tombé amoureux d'elle, que les amis et les élèves d'Étienne l'avaient souvent suppliée de poser pour eux. Il y avait sûrement des artistes en Angleterre qui seraient heureux de la peindre. Elle serait obligée de poser nue, bien sûr, car elle ne pouvait se contenter d'un repas chaud accompagné de quelques suggestions indécentes, le sort des modèles qui posaient habillés. Pour régler Mme Abbott, il lui fallait des livres sterling.

Elle n'avait jamais posé nue, excepté pour Étienne, et cette idée la mettait mal à l'aise, d'autant qu'elle savait qu'elle aurait à refuser des propositions qui n'avaient rien à voir avec l'art. Mais cela valait mieux que la prostitution.

Son ventre se mit à gargouiller. Elle avait faim. Un morceau de jambon, la veille, et une orange en guise de petit-déjeuner ne suffisaient pas pour tenir une journée entière. Elle appuya la main contre son estomac. Alors qu'elle effleurait ses côtes sous sa cape de laine, Grace songea qu'aucun artiste ne voudrait d'elle. Ils aimaient les femmes voluptueuses, aux formes généreuses, et elle était si mince.

Perdue dans ses pensées, elle avançait, les yeux rivés sur les pavés mouillés. Le lendemain, elle écrirait à James, mais il lui faudrait attendre plusieurs jours avant de recevoir l'argent, si tant est qu'il décide de lui en envoyer. Entre-temps, elle essaierait de poser, et, au pire, elle mettrait son violon en gage. Un court instant, les larmes lui brouillèrent la vue. Si toutes ces solutions débouchaient sur un échec, il ne lui resterait plus qu'à se prostituer.

Pour s'arracher à ces sombres ruminations, la jeune femme se laissa aller à rêver à son cottage à la campagne. Elle l'imaginait si bien, avec son toit de chaume et ses charmants volets bleus. Lorsque les dures réalités de la vie la prenaient ainsi à la gorge, cela lui redonnait du baume au cœur. Cela faisait si longtemps qu'elle n'avait pas eu de maison.

Étienne et elle avaient voyagé à travers toute l'Europe, au gré de l'inspiration de l'artiste. Au début, leur vie ressemblait à une belle aventure romantique, et les deux premières années avaient été les plus joyeuses de son existence. Elle ne savait pas quand exactement les choses avaient commencé à mal tourner, mais au cours de leur troisième année de vie commune, la face sombre du caractère de son mari était apparue au grand jour. Au fil des mois, il était devenu invivable, mais elle l'aimait trop pour envisager de le quitter. Elle comprenait à présent qu'elle n'aurait pas dû le supporter aussi longtemps.

Il était mort deux ans auparavant, et Grace avait du mal à se rappeler ce qui avait poussé une respectable jeune fille de dix-sept ans à humilier sa famille en s'enfuyant avec un Français qu'elle ne connaissait que depuis quelques jours. De son côté, Étienne avait prétendu avoir été conquis par la couleur de ses yeux. Contrairement à l'époque, elle ne trouvait plus rien de romantique à cela.

Lorsqu'elle arriva dans Crucifix Lane, il faisait nuit. Elle remarqua un luxueux carrosse garé dans la ruelle, mais elle était trop préoccupée pour s'en étonner. Elle hésita devant la porte d'entrée, redoutant de croiser sa logeuse, mais il faisait froid et elle était trempée. Elle ne pouvait se permettre de tomber malade. Avec un soupir résigné, elle tira sa clé de sa poche.

Une main lui toucha l'épaule. Effrayée, elle poussa un cri et lâcha la clé qui résonna sur les pavés. Elle fit volte-face, et découvrit Dylan Moore.

— Vous! s'écria-t-elle, à la fois ébahie et soulagée que ce ne fût pas quelque voleur prêt à lui dérober ses oranges. Qu'est-ce que vous faites là?

— Je suis venu vous voir, bien sûr. Pour quelle autre raison me trouverais-je à Bermondsey?

La pluie redoubla de violence. La veille, il avait assuré qu'ils se reverraient un jour. Un peu inquiète de le voir réapparaître aussi rapidement, elle serra l'anse de son panier.

— Comment m'avez-vous retrouvée?

— Votre ami Teddy est membre de la Guilde des musiciens, expliqua-t-il en se penchant pour ramasser la clé. Il ne voulait pas me donner votre adresse, mais quelques pièces de monnaie ont eu raison de ses réticences.

Grace n'en fut pas autrement étonnée, car Teddy était aussi pauvre qu'elle.

— Vous l'avez payé pour qu'il vous dise où j'habitais? Mais pourquoi?

— Cela vous ennuierait-il que nous poursuivions cette conversation dans un endroit chaud et sec? suggéra-t-il en lui tendant sa clé. J'ai une proposition à vous soumettre.

Une proposition venant d'un homme. Elle ne savait que trop ce que cela signifiait.

— Je veux seulement que vous m'écoutiez, insista-t-il en voyant son air ironique.

— Écouter? se moqua-t-elle. Est-ce une nouvelle façon de qualifier ces actes-là?

Il ne put s'empêcher de sourire.

— Je veux simplement vous parler, croyez-moi. Je vous dédommagerai pour votre temps. À vous regarder, on dirait que vous avez besoin d'argent, ajouta-t-il en jetant un coup d'œil à la vieille cape usée et au panier à oranges.

— Vous allez me payer pour vous écouter? reprit-elle, sceptique, en se remémorant leur baiser de la veille.

— Je vous en donne ma parole. Cinq livres constituent une coquette somme dans ce quartier, fit-il en regardant autour de lui.

Grace songea avec soulagement que sa prière avait été exaucée. Cinq livres lui permettraient de régler ses dettes et de s'acheter de quoi manger. Le vent froid transperçait ses vêtements et elle claquait des dents.

— Très bien, capitula-t-elle en poussant la porte.

Moore la suivit dans le vestibule. Elle commença à grimper l'escalier.

— Vous avez quinze minutes, pas une de plus, murmura-t-elle.

Quand il éclata de rire, elle lui plaqua la main sur la bouche pour le faire taire.

— Chut ! fit-elle en lançant un regard inquiet vers la porte de sa logeuse.

— J'ignore si quinze minutes valent cinq livres, chuchota-t-il contre sa paume, une lueur amusée dansant dans ses prunelles noires.

Consciente des lèvres douces et chaudes de Dylan, elle retira vivement sa main.

Alors qu'il tirait un portefeuille en cuir de sa poche, ils furent interrompus.

— Bonsoir, madame.

Grace fit une grimace en entendant la voix haut perchée. La petite logeuse maigre aux cheveux gris ficelés en chignon se tenait au fond du corridor.

Elle étudia Dylan d'un regard acéré. Visiblement, le portefeuille, les vêtements de prix, et les hautes bottes cirées n'avaient pas échappé à son examen. Pour une fois, elle ne protesta pas parce que l'eau de pluie dégoulinait sur son sol astiqué.

— Vous connaissez les règles, madame, dit-elle à l'adresse de Grace. Les hommes ne sont pas admis dans les chambres. Vous me devez de l'argent, alors je ne peux pas faire d'exception pour vous, n'est-ce pas ?

Mme Abbott jeta un regard rusé à Dylan. Aussitôt, il sortit un billet de cinq livres de son portefeuille.

— Je comprends votre souci, chère madame, dit-il en lui tendant l'argent. Mais je suppose que vous n'y voyez plus d'objections désormais.

Désemparée, Grace regarda la logeuse prendre le billet.

— Bien sûr que non, monsieur, répondit la vieille femme avec un sourire mielleux.

— Attendez ! s'écria Grace. Ce n'est pas ce que vous croyez. Cet homme n'est pas...

— Tout est arrangé, madame, poursuivit Dylan sans lui prêter attention. Les dettes sont réglées et le loyer payé pour la semaine. Vous pouvez garder la monnaie, si vous me donnez la permission d'aller et venir comme bon me semble. Nous nous comprenons, n'est-ce pas ?

Grace étouffa une protestation, tandis que Dylan Moore et Mme Abbott échangeaient un regard entendu.

— Bien sûr, monsieur. Aurez-vous besoin de quelque chose demain matin ? De l'eau chaude, peut-être, et un peu de thé. Prendrez-vous un petit-déjeuner ? Je peux vous monter des toasts, des œufs et du bacon aussi, si vous le désirez.

Dylan détailla la silhouette de Grace.

— Rien pour moi, mais vous pourriez lui apporter un petit-déjeuner complet. Ajoutez tout ce qu'elle désire. J'aime la voir heureuse, conclut-il avec un sourire.

— Je comprends, monsieur, répliqua Mme Abbott.

— Parfait. Et maintenant, laissez-nous.

La logeuse esquissa une révérence, tandis que les joues de Grace s'empourpraient.

— Comment osez-vous ! s'exclama-t-elle lorsqu'ils furent de nouveau seuls, en réprimant l'envie folle de lui écraser une orange sur la tête.

— Je l'ai payée pour gagner du temps, c'est tout. Pourquoi vous inquiétez-vous ?

— À présent, elle va s'imaginer qu'elle peut m'envoyer des hommes, se lamenta Grace, le cœur au bord des lèvres. À condition de toucher son pourcentage.

— Vous vous trompez.

— Vous lui avez donné trois livres de plus que ce que je lui dois pour aller et venir dans la maison à votre guise ! Vous n'en aviez pas le droit. J'ai besoin de ces trois livres.

Il eut un geste impatient de la main.

— Où est votre chambre ? Je ne vais pas rester planté là pendant que votre logeuse perverse écoute aux portes.

— Si elle est perverse, c'est votre faute. Maintenant, elle me prend pour une prostituée !

— Pas du tout. Elle pense que vous êtes une femme entretenue.

Grace eut un rire sans joie.

— Il y a une différence ?

— Oui. Les femmes entretenues coûtent plus cher et elles se consacrent à un seul homme. Puisque je suis devenu votre protecteur, votre logeuse n'enverra personne chez vous, pour quelque temps du moins. Donnez-moi votre clé.

Grace songea qu'il avait peut-être raison. À contre-cœur, elle posa la clé dans la main tendue de Dylan.

— Dernier étage, indiqua-t-elle. Et vous n'êtes pas mon protecteur. Vous ne le serez jamais, du reste.

Sans un mot, il gravit les marches jusqu'à la petite chambre sous les toits. Lorsqu'ils furent à l'intérieur, il poussa le verrou.

— Enfin seuls, lâcha-t-il avec un sourire.

Elle posa son panier sur l'unique chaise branlante de la pièce, sans le quitter des yeux. Puis elle accrocha sa cape à une patère.

De son côté, il déboutonna sa cape trempée qu'il drapa sur le panier tout en promenant le regard sur les poutres, la table et la petite commode vermoulues, le lit étroit avec son matelas mince bourré de paille.

Après s'être débarrassé de ses gants et de sa redingote, il dénoua sa cravate et dégrafa son col de chemise, sous le regard ébahi de Grace.

— Vous présumez que j'ai accepté votre proposition malhonnête, alors que vous ne me l'avez même pas faite! s'écria-t-elle, furieuse et effrayée. Sachez que je n'ai aucune intention de l'accepter, monsieur. Sortez d'ici tout de suite!

— Je ne présume rien du tout. Une cravate et un col de chemise amidonné deviennent diablement inconfortables quand ils sont trempés. J'ai payé pour passer quelques instants avec vous et je tiens à mon confort.

Il défit deux autres boutons de sa chemise et ajusta son gilet.

— Nous pouvons peut-être nous asseoir.

— J'en doute! Il n'y a que le lit de disponible.

Il haussa les épaules.

— Restez debout si cela vous chante, mais moi, je n'ai pas dormi depuis deux jours, aussi vais-je m'asseoir.

Tendue et sur ses gardes, elle le regarda s'allonger sur le lit. Son inquiétude devait se lire sur son visage, car il reprit d'une voix douce :

— Grace, je vous ai donné ma parole.

— Je vous écoute, répliqua-t-elle en s'appuyant contre le battant.

Elle sentait le verrou s'enfoncer dans son dos, et songea qu'elle pouvait toujours s'enfuir si les choses tournaient mal.

C'est alors que, se redressant sur un coude, il lui posa une question aussi inattendue qu'absurde :

— Que diriez-vous de devenir gouvernante?

4

Grace le fixa d'un air ahuri.

— Gouvernante ? répéta-t-elle.

— Oui. J'ai besoin d'une gouvernante pour ma fille. Vous semblez étonnée, nota-t-il, narquois. Vous vous attendiez à un autre genre de proposition, n'est-ce pas ?

— Si tel était le cas, vous seriez mal placé pour me le reprocher, non ? Vous avez vraiment une fille ? ajouta-t-elle, méfiante.

— Oui. Isabel a huit ans.

Tout cela semblait tellement ridicule que la jeune femme ne put qu'éclater de rire.

— Je suis une parfaite inconnue, mais vous êtes prêt à me confier votre enfant ?

— Vous m'avez sauvé la vie autrefois, le moins que je puisse faire est de vous aider à mon tour. Je vois bien que vous avez des difficultés. J'ai pris des renseignements sur vous auprès des musiciens, et ils m'ont chanté vos louanges.

— Mais qu'est-ce qui vous dit que je suis qualifiée pour être gouvernante ?

— Vous connaissez le solfège et vous jouez du violon, j'en déduis donc que vous avez eu des professeurs de musique dans votre enfance. Vous m'avez vu diriger un orchestre à Salzbourg, ce qui prouve que vous avez voyagé. Je devine à votre façon de bouger et de vous exprimer que vous êtes bien née. Je ne serais pas étonné que vous ayez eu une gouvernante autrefois. Si j'en juge par votre accent, vous êtes originaire de Cornouailles. La vie n'a pas toujours été cruelle avec vous, j'imagine. À une époque, vous n'étiez ni femme de ménage ni vendeuse d'oranges.

Grace l'avait écouté faire son portrait en silence. Tout était vrai, et une telle perspicacité, venant de cet homme en particulier, était fort troublante, pour ne pas dire déconcertante.

— J'ignorais qu'on me devinait aussi aisément.

— Je suis observateur, c'est tout.

— Surtout lorsqu'il s'agit des femmes, je ne l'ignore pas. D'ordinaire, est-ce que ce n'est pas la mère qui choisit la gouvernante de son enfant ? ajouta-t-elle.

— La mère d'Isabel est morte.

— Vous pourriez sûrement trouver quelqu'un parmi vos connaissances, ou vous adresser à une agence. Pourquoi m'offrir ce poste ?

— Parce que je le veux.

— Et je suppose qu'à vos yeux, c'est une raison suffisante.

Il esquissa le sourire satisfait et gourmand du séducteur impénitent.

Grace connaissait la vie. Elle avait été l'épouse d'un homme au tempérament passionné. L'amour physique entre un homme et une femme n'avait aucun secret pour elle, pourtant, sans qu'elle sache pourquoi, le sourire de Dylan Moore la fit rougir. Seigneur ! Elle qui n'avait pas rougi depuis des années !

— Une gouvernante, mon œil, murmura-t-elle. Je n'y crois pas une seconde.

Il s'étendit sur le lit de tout son long, croisa les mains derrière la nuque pour la contempler à son aise. Avec ses cheveux en bataille, la barbe naissante qui lui ombrait les joues, son regard énigmatique et son sourire dévastateur, il ressemblait à l'hédoniste que décrivaient à l'envi les journaux à scandale. Il le savait, et s'en moquait royalement.

— Grace...

Il prononça son prénom d'une voix de velours, douce et profonde, comme s'il le savourait. Elle rougit davantage, et sa tension se mua en un désir aussi brûlant qu'inattendu. Comme la veille.

— Je suis une femme vertueuse, protesta-t-elle, la gorge nouée.

— Je n'ai jamais prétendu le contraire, dit-il sans ciller.

Grace inspira profondément.

— Si j'acceptais votre offre, quel serait mon salaire?

À son grand soulagement, il cessa de sourire et s'assit au bord du lit.

— Avant d'en discuter, je dois vous dire qu'il y a une condition. En plus de vous occuper d'Isabel, j'aimerais que vous m'accordiez autre chose.

Elle esquissa une moue cynique.

— Je m'en doutais.

— J'aurai le droit de vous renvoyer quand cela me chante, mais vous, vous n'aurez pas la liberté de me donner votre congé.

— Mais c'est insensé, répliqua-t-elle, offusquée. C'est de l'esclavage!

Il se contenta de balayer de nouveau la pièce du regard. Grace eut honte. Difficile de cacher qu'elle menait une existence misérable, qu'elle était acculée et qu'elle risquait le pire. Les deux robes rapiécées qu'elle possédait en plus de celle qu'elle portait pendaient aux patères, et le tas de charbon près de la cheminée était plus que modeste. La couverture sur son lit était rêche, et le matelas miteux. Pas besoin d'être grand clerc pour deviner qu'elle n'avait pas les moyens de payer son loyer.

Sans le dire vraiment, il lui faisait comprendre qu'elle n'avait d'autre choix que d'accepter sa proposition. Mais il n'était pas question qu'elle se soumette à son bon vouloir sans broncher.

— Je refuse d'accepter une offre pareille si elle n'est pas limitée dans le temps.

— Très bien. Je vous demande un an de votre vie. À la fin des douze mois, je vous remettrai le salaire que je vous dois dans sa totalité. Vous ne serez pas payée dans l'intervalle, parce que je ne veux pas que vous me quittiez au bout de deux mois, après avoir empoché quelques malheureuses livres sterling.

— Pourquoi ? Est-ce si difficile de trouver des gouvernantes de nos jours ? ironisa-t-elle.

— Disons que j'aime que les choses se passent comme je l'entends quand c'est moi qui paie.

Soudain, Grace en avait assez de tourner autour du pot. Elle s'approcha de la petite lampe à huile et l'alluma d'une main tremblante. La journée avait été épuisante. Elle rêvait de s'allonger et de sombrer dans un sommeil sans rêves. Si les intentions de Dylan Moore étaient honorables, elle n'avait rien à perdre. Dans le cas contraire, elle écrirait à son frère.

— Pour quels services allez-vous payer ?

— Pour ceux d'une gouvernante. J'avoue que je suis venu ici en pensant vous faire une autre proposition, mais, hélas, vous n'êtes visiblement pas ouverte à l'idée de devenir ma maîtresse, fit-il avec un sourire enjôleur. Je préfère cependant vous avertir que je compte bien faire mon possible pour que vous changiez d'avis. Dans l'intervalle, je vous propose un emploi de gouvernante.

— J'apprécie votre honnêteté, mais que se passera-t-il si je persiste à ne pas me laisser convaincre ?

Il la considéra un instant, les yeux mi-clos.

— N'ayez crainte, dit-il finalement, je n'irai pas contre votre volonté.

Elle se rappela leur baiser de la veille, et songea, chagrinée, qu'elle n'avait pas fait montre d'une exceptionnelle volonté.

— Pourquoi moi ? insista-t-elle, troublée. Un homme tel que vous n'a aucun mal à trouver une maîtresse.

— Vous n'êtes pas n'importe qui, ma chère. Vous m'inspirez. Comme je vous l'ai dit hier soir, dès que je vous vois, j'entends une mélodie.

— C'étaient des paroles en l'air !

— Détrompez-vous, Grace. C'est la pure vérité.

Elle se sentit soudain si mal à l'aise qu'elle ferma les yeux. Elle se revit sur une colline de Cornouailles, sa chevelure malmenée par le vent marin, écoutant un autre homme qui lui tenait les mêmes propos. Mais cet homme-là avait les yeux bleus, et il était installé devant un chevalet, un pinceau à la main.

Ma muse... Ainsi l'avait surnommée Étienne Clairval, l'un des plus grands peintres de son époque, qui avait cru possible de tirer son inspiration d'une jeune provinciale anglaise de bonne famille, dont il n'avait pas hésité à briser le cœur lorsqu'il avait échoué.

— Inutile d'arborer l'expression du condamné qu'on mène à l'échafaud, lança Dylan, caustique.

Grace rouvrit les yeux. Le souvenir d'Étienne s'évanouit, vaincu par la présence impérieuse de l'homme insolent, et ô combien vivant, qui se trouvait en face d'elle.

— Pourquoi le célèbre Dylan Moore a-t-il besoin d'une muse ?

— Pourquoi l'idée d'en être une vous déplaît-elle à ce point ? rétorqua-t-il du tac au tac.

Grace était incapable de le lui expliquer. Elle avait le sentiment que l'histoire se répétait. Comment était-ce possible ? Elle ne ressemblait en rien à l'image que l'on se faisait de la maîtresse d'un artiste. Elle était sérieuse, pragmatique, d'une grande droiture morale. Elle n'avait vraiment rien de fascinant. Comme c'était étrange que non pas un, mais deux hommes de génie aient vu en elle la source où puiser l'inspiration pour créer leurs œuvres. Elle qui se sentait tellement ordinaire.

Les muses n'existaient pas. Tout cela n'était que pure invention. Elle secoua la tête, presque désolée pour lui.

— Cela ne marche pas, vous savez.

Une ombre douloureuse passa fugitivement sur le visage de Dylan.

— Mais si. Il le faut.

Elle poussa un soupir résigné. Il n'était qu'un artiste en panne d'inspiration qui croyait avoir trouvé un moyen facile pour se tirer de ce mauvais pas. Même si ce qu'il lui proposait était inespéré, le risque était trop grand. Elle avait trop souffert ; elle ne voulait plus rien avoir affaire avec les artistes.

— Je vous remercie pour votre offre, monsieur Moore, dit-elle en carrant les épaules, mais je me vois contrainte de refuser. Je ne peux vous donner ce que vous attendez de moi. Vous m'avez promis cinq livres si je vous écoutais. J'aimerais que vous me les remettiez, s'il vous plaît. Et que vous partiez.

Elle s'attendait qu'il refuse de la payer, qu'il boude ou insiste, tempête et exige des explications, mais il ne fit rien de tout cela. Non. Il se contenta de demeurer assis et de la scruter en silence.

Grace patienta, et les secondes s'égrenèrent. Interminables. La pluie tambourinait contre les carreaux. Leurs vêtements humides dégageaient une odeur de laine mouillée.

— Je vous prie de vous en aller, monsieur, dit-elle enfin, ne supportant plus le silence pesant.

— Des volets bleus aux fenêtres, et des roses, de magnifiques roses qui embaument, murmura-t-il sans la quitter des yeux..

Ses paroles lui firent l'effet d'un coup de poing à l'estomac. Comment osait-il, le goujat !

— Un cottage à la campagne avec un jardin, poursuivit-il sans merci. Si c'est ce que vous désirez, Grace, je peux vous l'offrir.

Évidemment, songea-t-elle avec amertume. Le diable offrait toujours ce qui vous tenait le plus à cœur pour vous tenter.

— Il se trouve que je possède une maison de ce genre. Les volets ne sont pas bleus, mais nous pouvons les faire repeindre. Et je crois me souvenir qu'il y a des rosiers dans le jardin.

Elle porta la main à sa tempe, là où une douleur sourde commençait à poindre. Elle avait déjà déshonoré sa famille une fois par le passé. Si elle habitait sous le toit du célèbre Dylan Moore, même en tant que gouvernante, les gens ne manqueraient pas de colporter les pires ragots. D'un autre côté, elle n'avait plus de réputation à sauver. Les membres de sa famille ne l'avaient-ils pas déjà rejetée ? Ce serait absurde, stupide, de refuser une offre pareille.

— Ne me dites pas que le cottage est en Cornouailles, répliqua-t-elle en s'efforçant d'adopter un ton léger.

— Non, il se trouve sur ma propriété dans le Devonshire. Si vous travaillez pour moi pendant douze mois, la maison sera à vous. Mais les conditions restent inchangées. Vous ne pourrez pas partir sans mon accord, et vous ne serez pas payée avant que l'année ne soit écoulée. Le moment venu, je vous remettrai le titre de propriété du cottage, ainsi que l'argent.

— Combien ?

— Que diriez-vous de mille livres ?

— Mille livres ? Pour un an de salaire de gouvernante ? Vous devez être… ?

— … fou ?

Il se leva d'un bond avec la grâce animale d'un prédateur. Comme il s'approchait d'elle, Grace recula d'un pas et son pied heurta la porte.

— Je ne suis pas fou. Du moins, pas encore, précisa-t-il en s'arrêtant à quelques centimètres d'elle. Je vous désire et je ne m'en cache pas. J'espère bien réussir à vous convaincre de devenir ma maîtresse pour aussi longtemps que nous en aurons tous deux envie. Si cela arrive, je vous offrirai des cadeaux bien plus luxueux qu'un simple cottage et mille livres, croyez-moi. Dites-vous bien que je ne ferais jamais une offre aussi généreuse à une autre femme que vous pour n'être que gouvernante.

— Pourquoi moi ? s'écria-t-elle, exaspérée, et sa question ne s'adressait pas seulement à lui, mais aussi à Étienne qui n'avait jamais été capable de lui répondre.

— Je l'ignore, murmura-t-il d'une voix rauque. Je ne peux pas l'expliquer.

Grace le contourna, et se tint le plus loin possible de lui pour réfléchir. Comment accepter ? Comment refuser ? Elle était prise au piège.

Elle lui jeta un coup d'œil. Avec sa chemise de lin blanc et son gilet hors de prix, Dylan Moore paraissait tellement déplacé dans cette mansarde misérable. Et pourtant, il avait besoin d'elle. Il avait beau être riche, célèbre et talentueux, c'est sur elle qu'il comptait pour le sauver du désespoir. Mais quand il comprendrait qu'il espérait vainement, il se mettrait à la détester, et elle en souffrirait. Pourtant, Moore lui offrait une chance unique d'éviter la déchéance, et elle allait la saisir.

— J'accepte.

— Affaire conclue, dit-il en reboutonnant sa chemise.

Il récupéra sa cravate, remonta son col amidonné et glissa la soie humide autour de son cou.

— Quel genre d'éducation souhaitez-vous donner à votre fille ? s'enquit-elle, alors qu'il se tournait vers le miroir accroché au mur pour nouer sa cravate. Je peux lui apprendre le violon, mais je ne suis pas douée au piano...

Il éclata de rire, puis enfila sa redingote en lui décochant un regard amusé.

— Vous comprendrez pourquoi je ris quand vous la verrez. Isabel joue remarquablement du piano. Et elle est meilleur compositeur que je ne l'étais à son âge. Mais des cours de violon ne lui feraient pas de mal. À moins qu'elle ne pratique déjà cet instrument, ajouta-t-il en fronçant les sourcils. Cela ne m'étonnerait pas d'elle.

— Vous ne savez pas si votre propre fille sait jouer du violon ? s'étonna Grace.

— Non. Je vous laisse juge de ce qu'elle devra apprendre. Vous savez mieux que moi ce qui convient à une petite fille de huit ans.

Il sortit une carte de visite de sa poche qu'il posa sur les oranges avec le billet de cinq livres.

— J'espère que vous pouvez commencer à travailler dès demain. Je vous attends à 11 heures.

— C'est tellement absurde ! ne put-elle s'empêcher de déclarer. Être payée comme une maîtresse pour un travail de gouvernante.

— Mais la vie est absurde, non ?

Il se drapa dans sa cape et ouvrit la porte.

— Et si j'étais une mauvaise gouvernante ? lança-t-elle.

— Aucune importance.

— Ainsi, ce n'est qu'un prétexte pour que je vienne habiter sous votre toit. Tout cela n'a rien à voir avec elle, n'est-ce pas ?

Il s'arrêta dans l'embrasure de la porte et se retourna.

— Vous avez tout compris.

Après son départ, Grace demeura immobile, tiraillée entre des émotions contradictoires. Elle était soulagée d'avoir trouvé un emploi et un endroit où habiter, mais cette promesse d'un cottage et de mille livres au bout de douze mois lui semblait trop belle pour être vraie.

Elle ne s'inquiétait pas à l'idée d'être gouvernante. Ayant été l'aînée de sept enfants, elle en savait assez sur l'éducation pour s'occuper d'une fillette de huit ans. C'était son employeur qui l'inquiétait. Dylan Moore était obsédé par la musique et souffrait d'un grave manque d'inspiration. Il était autoritaire, arrogant et versatile. Elle le voyait encore, nonchalamment allongé sur ce lit, la dévorant des yeux. C'était un séducteur ténébreux auquel les femmes résistaient difficilement.

J'entends une mélodie dès que je vous vois.

Il en était persuadé, et elle savait ce que cela signifiait pour un artiste. Faust avait vendu son âme au diable pour réaliser son souhait le plus précieux. En acceptant la proposition de Dylan Moore, Grace se demanda si elle ne venait pas de commettre la même erreur.

Lorsque la voiture de Dylan arriva à Portman Square, les trombes d'eau avaient cédé la place à une bruine légère. Une fois dans la maison, il tendit sa cape trempée à Osgoode en l'informant que la gouvernante de sa fille se présenterait le lendemain matin à 11 heures. Puis il demanda qu'on lui apporte une bouteille de cognac dans sa chambre et s'enquit d'Isabel.

— L'une des femmes de chambre l'a mise au lit il y a deux heures, monsieur.

— Parfait.

Dylan grimpa l'escalier en sifflotant. Il était certes le père de la fillette, mais il était soulagé de ne pas avoir à l'éduquer. La plupart des parents qu'il fréquentait n'élevaient pas leurs enfants. Ils les confiaient à des tuteurs, des nurses, des gouvernantes, puis les envoyaient à l'école, comme il en avait l'intention. Après la mort de sa mère, il n'avait vu son père que cinq minutes par jour. Lorsqu'il avait été pensionnaire à Harrow, il ne l'avait plus vu que quelques heures deux fois par an.

Devenu père malgré lui, il n'avait pas l'intention de déroger à la règle.

Lorsqu'il arriva à l'étage, Phelps, son valet, l'attendait sur le seuil de la chambre. À la vue des vêtements trempés et des cheveux mouillés de son maître, son visage se décomposa.

Dylan ignora la remarque de Phelps selon laquelle il devrait emporter un chapeau et un parapluie lorsqu'il sortait par un temps pareil. Le domestique l'aida à se dévêtir et, comme il n'était que 10 heures du soir, il lui proposa différentes tenues de soirée.

— Il fait trop mauvais pour sortir ce soir, déclara Dylan. Je vais rester à la maison.

Il enfila une paire de pantalons cosaque en soie et sa robe de chambre d'intérieur préférée, un épais vêtement brodé de dragons rouges. Alors qu'il quittait sa chambre, il croisa le valet de pied qui lui apportait son cognac. Il attrapa la bouteille sur le plateau et gagna le salon de musique.

Il s'assit au piano et regarda la partition qui comportait une dizaine de notes. Grâce à la jeune femme, d'autres notes suivraient bientôt. Mais d'où lui venait cette certitude ?

Dylan prit une lampée de cognac et posa la main sur les touches du piano. Il joua quelques notes les yeux fermés, se concentrant sur la jeune femme et essayant d'oublier les bruits parasites.

— Pourquoi jouez-vous sans cesse les mêmes notes ?

Isabel était allongée sur la chaise longue recouverte de velours qui se trouvait dans un coin de la pièce. Sa chemise de nuit blanche luisait dans la pénombre. Elle se redressa, et la lumière de la lampe révéla la sucette entre ses lèvres. Dylan ignorait qu'il y eût des sucreries dans la maison.

— Je croyais que tu étais couchée, lança-t-il, les sourcils froncés.

Elle le regarda droit dans les yeux, pas le moins du monde intimidée.

— Votre valet m'a réveillée, expliqua-t-elle, la joue gonflée par la sucette. Comment voulez-vous que je dorme s'il se plaint que vous avez les cheveux mouillés devant ma porte ?

— Et comment se fait-il que tu dormes à mon étage ? La nursery se trouve au troisième.

— J'ai changé de chambre. Il n'y a pas de meubles au troisième.

— Les domestiques auraient dû en transférer d'une autre pièce.

— Je leur ai dit que c'était inutile. Je n'aime pas la nursery. Il fait trop chaud là-haut.

Dylan réprima un sourire. Elle mentait comme une arracheuse de dents. Mais un père digne de ce nom se devait d'être sévère, non ?

— Il ne fait pas chaud ce soir. Il fait même plutôt frais.

— Peut-être, mais ce ne sera plus le cas dans quelques mois. Ce serait stupide de m'installer là-haut, puis d'être obligée de déménager, vous ne croyez pas ?

Si Isabel avait réussi à convaincre les domestiques de la laisser dormir dans une chambre qui ne lui était pas destinée, elle serait capable de bien pire à l'avenir, suspecta Dylan. Grace allait avoir du fil à retordre.

— J'ai engagé une gouvernante.

La petite fille fit une grimace.

— Quelle horreur ! Je préférerais un majordome.

— Seules les princesses ont des majordomes à leur service. Les autres petites filles ont des nurses et des gouvernantes.

— Je sais, et c'est vraiment dommage. J'aurais préféré être une princesse. Comme ça, j'aurais pu donner des ordres à tout le monde. Même à vous, ajouta-t-elle en brandissant sa sucette. Donnez-moi une chambre convenable, sinon je vous fais enfermer dans la Tour de Londres, déclama-t-elle sur un ton majestueux.

Il sourit.

— Les gouvernantes sont des femmes affreuses, poursuivit-elle en reprenant sa voix normale. Elles sont laides et ennuyeuses. Elles vous obligent à faire des additions, et elles s'énervent quand vous ne reprisez pas vos chaussettes.

— Celle-ci est différente.

— Est-elle jolie?

Jolie? L'adjectif ne convenait pas vraiment à la femme qui avait hanté ses rêves pendant cinq ans.

— Je suppose, fit-il en prenant une gorgée de cognac.

— C'est votre maîtresse?

Il avala de travers et se mit à tousser.

— Pour l'amour du Ciel, comment es-tu au courant de ce genre de choses? Enfin, peu importe, s'empressa-t-il d'ajouter. Je pense que tu devrais monter te coucher, maintenant.

— Vous pouvez me raconter, insista la petite en ramenant les genoux sous son menton, ce qui dévoila ses orteils.

D'où lui venait le regard sceptique et entendu avec lequel elle le dévisageait tout en léchant sa sucette? se demanda-t-il, mal à l'aise. À vrai dire, il préférait ne pas le savoir…

— Elle n'est pas ma maîtresse, et à l'avenir nous éviterons ce genre de sujet. Au lit, à présent.

Elle se leva mais, au lieu de se diriger vers la porte, elle s'approcha de lui.

— Je ne suis pas fatiguée. Puis-je jouer avec vous? On pourrait jouer à quatre mains.

Il secoua la tête.

— Je garderai la mesure, promis, papa.

Dylan eut le cœur serré. Papa… Il n'aimait pas ce mot qui impliquait une affection qu'elle ne pouvait ressentir à son égard. Et une responsabilité dont il ne voulait pas. Il ferait mieux de lui dire de l'appeler autrement.

Elle joua quelques notes au hasard.

— Que pensez-vous de cette mélodie que je viens d'inventer ? Je crois que c'est une sérénade, non ?

— Peut-être.

— Vous avez une propriété à la campagne, n'est-ce pas ? continua-t-elle en jouant d'autres arpèges. Avec des vergers, des poiriers et des pommiers. Dans le Devonshire. Je le sais, parce que j'ai lu des articles sur vous. J'ai tout lu sur vous.

Dylan resta interdit. Les commérages qu'on colportait à son sujet dans la presse ne convenaient certainement pas aux oreilles d'une enfant. Désemparé, il détourna le regard et contempla les petites mains agiles qui couraient sur le clavier, improvisant une jolie sérénade.

— Est-ce que nous pourrons y aller un jour, papa ? Je n'ai jamais été à la campagne.

— Isabel…

— J'aimerais bien avoir un poney.

Une note plaintive s'était glissée dans sa voix. Elle leva vers lui de grands yeux tristes.

Sans réfléchir, il se pencha et lui déposa un baiser sur la tempe, un geste qu'il avait l'habitude de faire avec des femmes qui exigeaient des choses ennuyeuses à accorder.

— Je dois travailler, et toi, tu dois dormir. Nous parlerons de poneys une autre fois.

La fillette s'éloigna à regret.

— Si je n'aime pas ma gouvernante, est-ce que je peux la renvoyer ?

— Non.

Elle s'immobilisa sur le seuil.

— Est-ce que vous la renverrez pour moi ?

— Non.

70

— C'est bien votre maîtresse, lâcha-t-elle avec une expression bien trop mûre pour une fillette de huit ans. J'en étais sûre.

Sur ces mots, elle tourna les talons. Dylan était attristé qu'elle pense une chose pareille, mais il n'y trouvait rien à redire. Après tout, s'il obtenait ce qu'il désirait, ce ne serait que la pure vérité.

C'était déconcertant d'entendre une petite fille discuter de telles choses. Mais que savait-il des petites filles ? Rien, justement. C'est pourquoi Isabel irait à l'école dès l'année prochaine. Si elle n'avait eu autant de talent, il l'aurait envoyée sans attendre chez des cousins, mais il ne pouvait laisser un tel don musical en friche. Sa fille était digne d'entrer dans un conservatoire de musique en Allemagne ou en Italie.

J'ai tout lu sur vous.

À cette pensée, il éprouva un léger désarroi, ouvrit la fenêtre et respira une bouffée d'air frais. Enfin, il n'allait pas s'excuser d'être tel qu'il était, non ?

Durant les mois à venir, Grace s'occuperait d'Isabel, tout en étant assurée d'un avenir paisible, et lui aurait la jeune femme auprès de lui. Il termina son cognac en se félicitant d'avoir trouvé une solution qui convenait à tous.

5

Le lendemain matin, Grace se présenta chez Dylan Moore, dans l'un des quartiers chics de Londres. Elle ne savait trop à quoi s'attendre mais, connaissant son nouvel employeur, elle avait déjà décidé que rien ne pourrait la surprendre. Elle se trompait.

— Êtes-vous la maîtresse de mon père ?

La question impertinente résonna tel un coup de cymbales dans le vestibule au sol de marbre blanc et noir, interrompant le majordome qui s'apprêtait à présenter Grace aux domestiques réunis autour d'elle. Un lourd silence tomba. La jeune femme leva la tête et vit l'enfant dressée sur la pointe des pieds, qui se penchait par-dessus la balustrade du premier étage. Les présentations étaient inutiles.

Isabel avait le même regard ténébreux que son père, la même mâchoire volontaire, et tout comme lui, elle n'avait visiblement pas froid aux yeux. Ses cheveux sombres se découpaient avec la netteté d'une ombre chinoise sur le dôme peint en bleu et blanc qui s'arrondissait au-dessus d'elle.

Grace ne se laissait pas déconcerter facilement, pourtant la remarque choquante de la fillette la prit de court. Elle se tourna vers Osgoode, qui l'observait d'un air impassible. Serrés les uns contre les autres, les femmes de chambre et les valets semblaient fort embarrassés. Se posaient-ils la même question qu'Isabel à son sujet ? Elle comprit qu'il ne servirait à rien de nier ; on la jugerait sur ses actes.

— Osgoode ? fit-elle en arquant un sourcil.

— Monsieur aimerait vous voir cet après-midi à 16 heures, dit-il.

Puis il ordonna à un valet de monter la valise de Grace, et quitta le vestibule, suivi par l'intendante, Mme Ellis, et les autres domestiques. Grace demeura seule avec sa nouvelle élève.

— Je suis Mme Clairval, dit-elle à l'enfant qui l'étudiait d'un air méfiant. Tu dois être Mlle Moore. Mais peut-être que je me trompe, ajouta-t-elle après une pause. Le père d'Isabel m'avait dit que sa fille était une demoiselle, or les demoiselles ne posent pas de questions indiscrètes.

La fillette se décida à descendre.

— Les seules questions qui ne sont pas indiscrètes sont celles qui concernent la météo, l'état des routes ou la santé des gens. Mais ce sont les questions indiscrètes qui aident à comprendre les choses, conclut-elle en s'arrêtant au pied de l'escalier.

Grace s'efforça de réprimer un sourire. Cette enfant était décidément précoce, et d'une grande sagacité.

— Est-ce que vous allez me répondre ? reprit Isabel en se plantant devant elle, la tête légèrement inclinée en arrière pour mieux la dévisager.

— Certainement pas. Les gens bien éduqués ne répondent pas à ce genre de questions.

— Mon père y a répondu. Il a démenti, mais je ne suis pas sûre de le croire.

— Mets-tu souvent sa parole en doute ?

— Les adultes mentent, lâcha Isabel avec un haussement d'épaules fataliste. Je dois d'abord découvrir si mon père est comme les autres.

Une lueur de tristesse traversa son regard, et Grace comprit qu'en dépit de ses paroles cyniques et de son comportement effronté, elle éprouvait quelque appréhension quant à sa nouvelle gouvernante.

— Moi, je ne mens pas.

— Nous verrons, répliqua Isabel d'un air sceptique. De toute façon, si vous êtes sa maîtresse, je le saurai tôt ou tard.

— Ce n'est pas là un sujet de conversation approprié, jeune fille, et je suis certaine que tu le sais déjà. Du reste, la vie privée de ton père ne te regarde pas.

Une ombre passa sur le visage de l'enfant qui serra les poings.

— Vous avez tort ! s'écria-t-elle avec une telle véhémence que Grace sursauta. Elle me regarde ! Je ne veux pas que ça recommence.

C'était donc cela, songea Grace. Des maîtresses qui allaient et venaient. Elle éprouva un élan de compassion pour la petite qui avait un débauché en guise de père, plus de mère, et une éducation qui laissait à désirer.

— Cela n'arrivera pas à cause de moi, déclara Grace avec fermeté en regardant Isabel droit dans les yeux.

Celle-ci fit la moue en croisant les bras.

— J'aimerais voir la nursery, reprit Grace. Cela t'ennuierait de me la montrer ?

— Autant que vous le sachiez, je n'ai pas envie d'avoir une gouvernante.

— Hélas, que tu le veuilles ou non, c'est pourtant chose faite, répliqua Grace d'un ton enjoué.

La gamine tourna les talons et commença à gravir l'escalier.

— Ça ne durera pas longtemps. Vous ne resterez pas. Elles ne restent jamais.

— Combien de gouvernantes as-tu déjà eues ? s'enquit Grace qui n'avait de toute façon pas l'intention de rester plus d'une année.

L'enfant s'arrêta sur les marches pour compter sur ses doigts, puis la gratifia d'un sourire narquois qui n'était pas sans rappeler celui de son père.

— Vous êtes la treizième, lança-t-elle. Quelle chance pour vous !

Grace ressentit une pointe d'inquiétude. Seigneur, dans quel guêpier s'était-elle fourrée ?

Le sommeil était un bien précieux et capricieux pour Dylan Moore. Il avait souvent besoin d'aide pour y parvenir. La veille, bien qu'il eût passé deux jours sans dormir et vidé une bouteille de cognac, la quiétude d'esprit propice au repos avait continué à le fuir. À l'aube, épuisé, il s'était résigné à fumer une pipe de haschich et à prendre quelques gouttes de laudanum.

Quelques heures plus tard, il en paya le prix à son réveil. Quelle raison saugrenue poussa Phelps à tirer brusquement les rideaux ? Quand il ouvrit les yeux, l'éclat du soleil lui transperça le cerveau telles des aiguilles empoisonnées. Pour une fois, l'Angleterre connaissait une journée ensoleillée.

Dylan se retourna sur le ventre.

— Qu'est-ce qui te prend ? grommela-t-il en enfouissant sa tête sous l'oreiller. Referme ces rideaux tout de suite !

— Bonjour, monsieur, le salua son valet avec cette agaçante amabilité de ceux qui ne s'autorisent jamais aucun excès. Prendrez-vous votre petit-déjeuner ?

La langue de Dylan semblait avoir doublé de volume. Il était déshydraté, et l'idée de manger lui souleva le cœur.

— Non, siffla-t-il, les dents serrées. Si je respire une odeur de nourriture, je te flanque à la porte et j'engage un nouveau valet à ta place. Et maintenant, fiche-moi la paix.

— Pardonnez-moi, monsieur, mais il est 15 h 15 et vous avez un rendez-vous à 16 heures. J'ai pensé que vous aimeriez prendre un bain et vous raser. Tout est prêt.

En ce moment précis, Dylan n'avait qu'une idée en tête : dormir. Le sommeil était son unique refuge. Il se pelotonna sous les couvertures. En vain. Sa compagne familière était revenue le torturer. Le sifflement envahissait de nouveau son cerveau. Il attrapa un autre oreiller, le plaqua contre son oreille, mais rien n'y fit : le crissement désaccordé persistait.

— Dois-je faire dire à Mme Clairval que vous reportez votre rendez-vous, monsieur ?

Dylan se demanda de qui son valet voulait parler. Dans son état, même la plus belle femme du monde ne suffirait pas à le sortir de sa torpeur.

— Qui ?

— La gouvernante de Mlle Isabel. Vous avez dit à Osgoode hier soir qu'elle se présenterait ce matin et que vous vouliez la voir à 16 heures pour lui expliquer en quoi consisterait son travail.

Ainsi, elle s'appelait Clairval. Il n'avait pas pensé qu'elle pût être mariée. Il n'y avait qu'un lit à une place dans sa misérable mansarde. Elle était probablement veuve ou séparée de son mari. Quoi qu'il en soit, c'était une femme d'expérience, ce qui lui convenait parfaitement.

Dans son demi-sommeil, Dylan se la remémora. Grace… Ce prénom lui allait à merveille. Il imagina son corps mince entre ses bras, la douceur de ses seins. Alors que le désir s'éveillait en lui, le sifflement dans son cerveau s'atténua. Il songea aux lèvres délicates et tendres, à leur baiser enfiévré. Il avait été étonné de susciter en elle un élan de désir aussi foudroyant, et la surprise n'en avait été que plus délicieuse.

Il était convaincu qu'aucun homme ne l'avait touchée depuis longtemps, et il voulait être celui qui mettrait un terme à cette longue abstinence. Il se laissa aller à une rêverie érotique. Si Grace s'était trouvée à ses côtés en cet instant, il aurait exploré les endroits secrets de son corps, ceux qui lui procuraient le plaisir le plus intense, il s'y serait attardé longuement avant de la pénétrer, et les seuls sons qu'il aurait alors perçus auraient été ceux de sa jouissance.

— Je peux lui dire que vous êtes souffrant, monsieur, suggéra Phelps depuis la pièce voisine, gâchant la vision sensuelle la plus divine que Dylan eût jamais connue.

Il se jura que, bientôt, tout cela deviendrait réalité.

Quelques minutes plus tard, il repoussa les couvertures et se leva. Aussitôt, il eut l'impression que son cerveau éclatait. Il chancela et porta les mains à sa tête.

Phelps revint dans la chambre, une serviette sur le bras.

— Un peu de thé à la menthe, monsieur? demanda-t-il, l'air inquiet. Cela semble vous soulager.

— Je déteste le thé, Phelps, marmonna Dylan. Cela fait treize ans que tu es à mon service, tu devrais le savoir.

— Une tisane à la camomille, alors? Ou du café?

La camomille était une punition encore plus sévère que le thé.

— Fais monter du café. Je le prendrai dans mon bain. Qu'on prévienne Mme Clairval de m'attendre dans le salon de musique.

Nu comme un ver, il traversa la chambre, le dressing, et pénétra dans une pièce où l'attendait une grande baignoire fumante.

Après un bain et plusieurs tasses de café, Dylan se sentit quelque peu revigoré. L'horloge sonnait 16 heures lorsqu'il traversa le vestibule en direction du salon de musique où Grace patientait. Il s'attarda dans l'embrasure de la porte pour l'observer.

Elle se tenait debout près du piano et étudiait la partition. Puis elle se pencha et joua les quelques notes de la mélodie qu'elle lui avait inspirée à son insu. Quelle serait sa réaction s'il le lui avouait?

C'était la première fois qu'il la voyait en plein jour. Le soleil soulignait l'éclat de son teint sans défaut et rehaussait la blondeur de ses cheveux qu'elle avait simplement tressés et attachés en chignon sur la nuque, sans y ajouter ces accessoires à la mode, plumes ou rubans, fausses bouclettes ou ridicules morceaux de fruits. Il imagina cette magnifique chevelure glissant entre ses doigts, masse fluide d'or liquide, aussi douce que de la soie.

Une fois de plus, Dylan s'abandonna à de délicieuses pensées. Il eut plus de mal à les chasser, maintenant que la jeune femme se tenait devant lui.

Il entra dans la pièce. Grace perçut le mouvement du coin de l'œil et tourna la tête. Ses yeux étaient encore plus verts et transparents que dans son souvenir. Elle portait une robe marron de coupe modeste, rapiécée et trop grande pour elle, l'une des deux qu'il avait vues accrochées à une patère dans sa mansarde. À la voir, il ne faisait aucun doute qu'elle avait du mal à joindre les deux bouts.

— Vous qui prétendiez n'être pas douée pour le piano, vous savez jouer, remarqua-t-il.

— Pardonnez-moi, je n'aurais pas dû. Je sais que l'instrument d'un compositeur est sacré. Je ne voulais pas être impolie.

— Ne vous en veuillez pas, je n'ai pas de tels caprices. Si vous désirez jouer, vous trouverez des partitions dans l'armoire.

Il lui indiqua une armoire en acajou dans un coin de la pièce, mais elle secoua la tête.

— Je préfère ne pas vous torturer avec mes maladresses au piano. J'ai toujours préféré le violon.

— Laissez-le dans cette pièce, ainsi vous pourrez vous exercer à l'occasion. Nous pourrons peut-être même jouer ensemble.

Elle ne parut guère enthousiaste.

— Vous avez demandé à me voir pour parler de mes fonctions, je crois, dit-elle de ce ton guindé et ferme qu'on attendait d'une gouvernante.

— En effet, répondit Dylan, et il s'assit sur le banc devant le piano.

Il lui désigna la place à ses côtés. Elle hésita un instant, avant de s'exécuter.

— À quel genre de jeux jouent les gouvernantes ? poursuivit-il.

— Je croyais que vous souhaitiez parler d'Isabel, répliqua-t-elle en lui décochant un regard réprobateur.

— Évidemment, fit-il, feignant la surprise. De quoi d'autre pourrions-nous discuter ? Avez-vous l'intention d'insérer des moments de détente dans vos journées ?

— En ce qui concerne Isabel, certainement.

Il éclata de rire, et elle détourna le regard en rougissant.

— Je suis heureux de l'apprendre. Le jeu est important.

— Votre fille me semble très intelligente.

— Elle est bien trop futée pour son âge, déclara-t-il en appuyant au hasard sur les touches du piano.

Il ferma les yeux et se concentra sur Grace dans l'espoir que des bribes de mélodie naissent dans son esprit.

Il savourait sa présence, si proche et si intense, respirait son délicat parfum fruité qui lui rappelait le Devonshire et sa propriété à la campagne.

— Isabel est très douée pour le piano, observat-elle. Avez-vous été son professeur ?

— Non.

Dylan ne se rappelait pas avoir respiré ce parfum la veille, ni lors de leur rencontre dans la ruelle. Il lui jeta un regard de biais sans cesser de jouer.

— J'aime votre parfum, lâcha-t-il, son avant-bras à quelques centimètres de la poitrine de la jeune femme. Pourquoi est-ce que vous ne le portez pas tout le temps ?

— Ce n'est pas du parfum, mais du savon.

— Je fais fabriquer du savon à la poire sur ma propriété. Mon frère en produit aussi.

— C'est ce que m'a appris votre femme de chambre, dit-elle en s'efforçant de ne pas se laisser troubler par sa proximité ou l'intimité du sujet. Monsieur Moore, si vous ne désirez pas parler de votre fille, je vais vous laisser travailler.

Elle fit mine de se lever.

— Si vous bougez, Grace, dit-il d'un ton plaisant, je vous renvoie.

— C'est du chantage ! s'écria-t-elle, outrée, en se rasseyant.

— Disons plutôt que j'use de mon influence.

Elle se mordilla la lèvre, nerveuse.

— S'il vous plaît… Je préférerais ne pas discuter avec vous de choses aussi intimes que ma toilette.

Dieu qu'il aimait le son de sa voix ! En dépit de ses efforts, elle n'arrivait pas à se montrer sévère. Le savait-elle ? Sa voix était trop mélodieuse, fluide et primesautière, tel un ruisseau au printemps.

— Très bien. De quoi voulez-vous parler ?

— La nursery est vide, et Isabel m'a appris que sa chambre se trouvait au deuxième étage. Une petite fille doit dormir dans la nursery. Me permettez-vous de l'y installer ? Sa nurse y dormira aussi, bien entendu.

— Faites comme bon vous semble, mais elle n'a pas de nurse. Vous allez devoir en engager une.

— Bien. Puis-je aussi acheter du mobilier pour la nursery ?

— Qu'est-ce qu'il vous faut?

Il l'écouta débiter la liste de tout ce dont avait besoin une petite fille – une bibliothèque, une table pour prendre le thé, un tableau noir, des jeux, des puzzles, des cartes de géographie… À mesure qu'elle parlait, le sifflement dans sa tête s'apaisait.

— Isabel possède très peu de vêtements. Elle n'a que deux robes de jour, et une tenue pour le dimanche. Il faudrait que je l'emmène chez une couturière. M'y autorisez-vous?

— Bien sûr. Demandez à Osgoode de vous arranger tout cela. Meublez la nursery comme cela vous chante. Il y a des magasins dans Bond Street où je possède un compte. Et qu'en est-il de vous? Votre chambre vous plaît-elle?

— Elle est ravissante.

— Si vous avez besoin de quoi que ce soit, adressez-vous à Osgoode ou à Mme Ellis.

— Merci. J'aimerais établir un plan d'études pour Isabel, enchaîna-t-elle, visiblement peu désireuse de s'attarder sur elle-même. Mais pour cela, il me faut savoir ce qu'elle a appris jusqu'à maintenant.

— Je l'ignore. Demandez-le-lui.

— C'est déjà fait.

— Et alors?

— Elle n'a pas voulu discuter des connaissances déjà acquises, en revanche, elle m'a fait savoir clairement ce qu'elle souhaitait faire à l'avenir. Elle ne veut pas apprendre les mathématiques, elle refuse d'aller à la chasse aux papillons ou d'étudier l'allemand. Quant aux autres talents que doit posséder une jeune fille de la bonne société, disons qu'elle ne se montre pas très enthousiaste. Elle veut jouer du piano et composer de la musique. C'est tout.

— A-t-elle joué pour vous?

— Oh, oui. Une sonate, deux concertos et une sérénade. Elle dit qu'elle a commencé à travailler à une symphonie.

Dylan éprouva un pincement au cœur de fierté, ce qui lui parut curieux vu qu'il connaissait à peine l'enfant.

— Elle est très talentueuse, n'est-ce pas?

— Certes, mais je pense que son plus grand talent est d'obtenir ce qu'elle veut. Elle ressemble beaucoup à son père, apparemment, ajouta-t-elle, ironique.

Il éclata de rire, et, de manière inattendue, elle l'imita.

— C'est la première fois que je vous vois sourire, observa-t-il, enchanté.

Sans réfléchir, il tendit la main et lui caressa la joue. Aussitôt, le sourire de Grace s'évanouit. Dylan s'égara dans les profondeurs de son extraordinaire regard qui lui évoquait le renouveau printanier. Si seulement lui aussi pouvait renaître…

Ses doigts étaient calleux d'avoir tant joué du piano, mais la peau de Grace lui semblait si douce. Il lui effleura les lèvres du pouce. Tandis qu'il s'enivrait de son délicieux parfum, le bruit pénible dans son cerveau s'atténua jusqu'à disparaître complètement. Durant quelques instants bénits, il n'entendit plus qu'un merveilleux silence.

Il retint son souffle, les yeux clos. Demeura parfaitement immobile. Cela faisait si longtemps qu'il avait été privé de silence qu'il avait oublié ce que l'on ressentait. Il avait l'impression d'être au paradis.

Elle ouvrit la bouche pour parler.

— Chut… Pas encore. Ne gâchez pas cela, murmura-t-il.

Il sentait le souffle de Grace contre sa main. Il avait envie de tirer une mélodie de la jeune femme et de la transcrire sur le papier. Il voulait la goûter, se perdre en elle, savourer cette paix qui viendrait ensuite.

Puis, sournois, l'odieux sifflement revint. Afin de le tenir à distance, il inclina doucement la tête de Grace pour l'embrasser. Le bruit s'intensifia, mais dès qu'il effleura la bouche de la jeune femme, il l'oublia. Seigneur, comme elle était délicieuse...

— Non.

Il ouvrit les yeux. Grace s'écarta de lui et se leva.

— Grace, revenez, souffla-t-il, désemparé.

Elle secoua la tête, pivota sur ses talons, et quitta la pièce. Il eut la bonne grâce de ne pas la rappeler.

Dans son sillage ne demeurèrent qu'un parfum fruité et quelque chose d'impalpable. Spontanément, il se mit à marteler le clavier en une série de notes rapides et dures, non pas celles qu'il entendait toujours auprès de Grace, mais la tonalité austère d'un C mineur. Il réalisa soudain qu'il venait de créer l'ouverture du premier mouvement d'une symphonie. Le thème masculin. La mélodie que Grace lui avait inspirée cinq ans auparavant en serait le thème féminin.

Bien sûr, songea-t-il en se précipitant vers son bureau pour s'emparer d'une partition, d'une plume et d'un encrier. Il retourna s'asseoir au piano et commença à improviser autour de la mélodie.

Cela lui semblait tellement évident, à présent. Le masculin et le féminin... Il s'en servirait comme fil d'Ariane pour créer une symphonie qui évoquerait une histoire d'amour.

Tout en travaillant, Dylan ne pouvait s'empêcher de penser à Grace, à sa peau, à son corps, au goût de ses lèvres. Elle l'obsédait, et il ne doutait plus qu'elle fût sa muse.

Lorsqu'il reposa enfin sa plume, quelques heures plus tard, il était épuisé. Des feuilles couvertes de notes jonchaient le piano. Il tenait la structure de base du premier mouvement, la preuve tangible qu'il était encore capable de composer. Mais il aurait volontiers rendu ce cadeau aux dieux pour savourer à nouveau la présence de Grace, son baiser et le silence.

6

La liste de Grace s'allongeait. À l'étage de la nursery, il y avait cinq pièces vides à meubler. Elle regarda autour d'elle et rajouta deux armoires de son écriture précise.

— Je ne comprends pas pourquoi je dois dormir ici, marmonna Isabel avec une moue boudeuse.

Elle était irritée que sa gouvernante et son père trouvent indispensable qu'une petite fille de huit ans dorme dans sa nursery.

Grace appuya le papier contre le mur pour y inscrire l'achat d'un tableau noir et de craies.

— Dis-toi que tu as la plus vaste suite de la maison.

— C'est vrai, admit la fillette, quelque peu rassérénée. Mais si j'avais des frères et sœurs, je serais obligée de partager. Avez-vous pensé à rajouter des feuilles de partitions sur votre liste ?

— Ton père m'a donné carte blanche. Les partitions sont importantes, en effet.

— Elles sont même essentielles.

Grace arqua un sourcil amusé. Isabel était si précoce, intellectuellement, qu'il fallait mettre en place un programme éducatif plus poussé que celui des enfants de son âge, afin d'éviter à tout prix qu'elle ne s'ennuie pendant les leçons. Or Grace tenait absolument à ce que la petite virtuose n'ait pas que la musique comme unique centre d'intérêt. Elle nota qu'il fallait acheter de la peinture à l'eau, un boulier et un service à thé pour poupées.

— Pourquoi avons-nous besoin d'une épuisette ? demanda Isabel en se dressant sur la pointe des pieds pour étudier la liste.

— J'ai pensé que nous pourrions aller à Hyde Park capturer des insectes dans les mares afin de les examiner au microscope.

— Pourquoi ferions-nous une telle chose ? dit la fillette, effarée.

Visiblement, Isabel n'était pas une adepte de la biologie. Grace décida de changer de tactique.

— Il faut se rendre au parc pour prendre l'air.

— J'y vais depuis que je suis petite. Les parcs se ressemblent tous, déclara Isabel d'un air étrangement attristé. Je préférerais aller chez papa, à la campagne. Molly m'a dit qu'il y avait des poneys là-bas.

— Molly ?

— C'est l'une des femmes de chambre. La propriété s'appelle Nightingale's Gate et il y a plein de vergers avec des poiriers et des pruniers. La maison donne sur la mer. Je n'ai jamais vu la mer, excepté lorsqu'on a traversé la Manche.

— C'est merveilleux, fit Grace avec un soupir. J'ai grandi à Land's End.

— C'est l'extrême pointe de l'Angleterre, n'est-ce pas ?

— Oui. Et de la maison de mes parents, on voyait la mer.

Une bouffée de nostalgie submergea soudain la jeune femme, qui s'empressa de la refouler.

— Avons-nous oublié quelque chose ? demanda-t-elle en tendant la liste à sa jeune élève.

Isabel la parcourut attentivement.

— Je ne crois pas. Il y a beaucoup de choses à acheter, n'est-ce pas ? On va passer des jours et des jours à faire des courses.

— Je ne comprends pas pourquoi ces pièces sont vides. Je sais que tu as eu plusieurs gouvernantes, alors pourquoi la nursery n'est-elle pas meublée ? Es-tu allée à l'école entre-temps ?

— Non. J'ai toujours eu des gouvernantes, jusqu'à ce que j'aille chez les sœurs, bien sûr.

— Tu as été chez des religieuses ? s'étonna Grace. Ta famille est catholique ?

— Je crois que maman l'était, mais elle n'allait jamais à la messe. Papa est anglais, alors je ne pense pas qu'il le soit. À mon avis, ajouta-t-elle en fronçant les sourcils, il ne croit en rien, non ?

À moins que l'hédonisme ne soit devenu une religion, la petite devait avoir raison, songea Grace.

— Puisque tu as eu des gouvernantes, pourquoi ces pièces ne sont-elles pas aménagées ?

Isabel ouvrit de grands yeux étonnés.

— Vous n'êtes pas au courant ? Je suis arrivée il y a trois jours. Je suis née en France, à Metz. Quand ma mère est morte de la scarlatine, il y a trois mois, on m'a confiée au couvent. Sœur Agnès m'a amenée ici pour vivre avec mon père, et je préfère ça. Mais je ne crois pas qu'il s'y attendait.

Grace était abasourdie. Le père et la fille ne se connaissaient pas. Voilà qui expliquait les réactions étranges de Dylan qui ignorait tout du passé de sa propre enfant.

— Ainsi, tu n'as fait la connaissance de ton père qu'il y a trois jours ? Il ne m'a rien dit de tout cela.

— Je ne l'avais jamais rencontré, mais je sais plein de choses sur lui grâce aux journaux. Saviez-vous qu'il avait gagné une prostituée en jouant aux cartes ? Elle a été sa maîtresse avant vous.

— Isabel !

— Il fume aussi du haschich. Je l'ai vu l'autre jour. Il a une pipe en verre bleu dans sa chambre.

Comment une enfant était-elle seulement capable de reconnaître du haschich ? se demanda Grace, déconcertée. Que pouvait-elle lui répondre ? Elle songea à sa propre gouvernante et se demanda comment Mme Filbert aurait réagi en pareille circonstance, mais la pauvre femme n'avait jamais été confrontée à une enfant telle qu'Isabel ni à un homme tel que Dylan Moore.

— Ça suffit, Isabel.

— Cela vous ennuie ? s'enquit la fillette, l'air faussement innocent.

Grace préféra mentir, sachant qu'elle cherchait à la provoquer.

— Non, mais toi, cela devrait t'ennuyer. Je croyais que tu ne voulais pas que ton père ait des maîtresses, et pourtant, tu en parles très ouvertement. En outre, je t'ai déjà dit qu'une demoiselle évite ce genre de conversation. Lorsque tu sortiras dans le monde, les gens te tourneront le dos si tu tiens des propos aussi outranciers, ce qui me ferait de la peine.

— Papa tient des propos outranciers, et personne ne lui tourne le dos.

C'était vrai, mais Grace n'avait pas l'intention de se laisser embobiner. Elle se tourna vers le mur, ajouta des rideaux et des tapis à sa liste.

— Ton père est un artiste et les artistes sont… différents.

— Moi aussi, je suis une artiste !

— Peut-être, mais tu es une fille. C'est terrible d'être rejetée par la société lorsqu'on est une fille, poursuivit-elle, la gorge nouée, en lui faisant de nouveau face. Moi aussi, j'ai lu les articles sur ton père. J'en sais autant que toi sur sa réputation. Mais cela ne nous concerne ni l'une ni l'autre.

Isabel l'observa quelques instants, songeuse.

— Pourquoi êtes-vous venue ici ?

— J'ai besoin de travailler.

— Parce que vous êtes pauvre. Je le vois à vos robes qui sont affreuses.

— Merci, fit Grace avec un sourire crispé.

La petite se mordilla la lèvre en se dandinant d'un pied sur l'autre.

— Je me suis montrée grossière, dit-elle finalement. Pardonnez-moi.

— J'accepte tes excuses, Isabel.

L'enfant lui jeta un regard étonné.

— Vous êtes beaucoup trop gentille, vous savez. Une gouvernante ne devrait pas être aussi gentille.

— Tu crois que tu vas me mener par le bout du nez, n'est-ce pas?

— Oui.

Et sans crier gare, Isabel lui décocha un sourire taquin et enjôleur qui rappelait tellement celui de son père que Grace en sursauta.

— Abandonne cette idée, dit-elle en riant. Comme je lis dans tes pensées, tu n'as aucune chance.

— Je ne vous comprends pas. Vous n'êtes pas du tout comme mes autres gouvernantes, avoua la fillette en fronçant les sourcils.

— Et toi, tu n'es pas comme les enfants que j'ai rencontrés jusqu'à présent. Tu ressembles beaucoup à ton père.

— C'est vrai? demanda Isabel, visiblement enchantée.

— Oui. Comment était ta mère?

La petite fille se détourna avec un haussement d'épaules.

— Je ne la voyais presque jamais. De temps en temps, elle me faisait un cadeau. L'après-midi, quand elle ne dormait pas, elle m'emmenait faire une promenade en calèche.

Le regard d'Isabel s'évada par la fenêtre, comme si sa mère ne méritait même pas qu'on parle d'elle, mais Grace ne fut pas dupe: la fillette n'avait perdu sa mère que trois mois auparavant.

— Elle doit te manquer.

— Non, répliqua sèchement Isabel. Je me souviens à peine à quoi elle ressemblait. Je ne la voyais jamais. Pourquoi me manquerait-elle ?

La véhémence de sa réponse trahissait son chagrin. Sa mère lui manquait. Cruellement.

— Si nous allions jeter un coup d'œil aux autres pièces afin de voir ce qu'il faut acheter pour les meubler, proposa Grace.

Alors qu'elles se dirigeaient vers la porte, un valet de pied apparut et lui tendit une lettre.

— Un mot pour vous, madame. De la part de monsieur, précisa le jeune homme au visage semé de taches de rousseur. Il m'a prié d'attendre votre réponse.

Grace brisa le sceau de cire qui fermait la missive.

— Qu'est-ce qu'il écrit ? s'enquit Isabel, curieuse.

— Une petite fille ne pose pas de questions sur la correspondance privée, lui rappela Grace d'une voix douce en levant légèrement la lettre pour la soustraire à son regard.

Elle déchiffra les quelques lignes griffonnées à la hâte. On aurait dit qu'une araignée ivre morte était tombée dans l'encrier.

Grace,
J'ai besoin de vous cet après-midi. Soyez assez aimable pour me retrouver à 16 heures dans le salon de musique.
                                                              Moore

Apparemment, il voulait que leur entretien de la veille devienne quotidien, et bien que cela ne l'étonnât pas, elle n'en était pas ravie pour autant. Il y avait trop de fantômes, songea-t-elle. Et trop d'attentes.

Sans parler des pièges de la séduction.

«Chut. Ne gâchez pas cela», avait dit Moore alors qu'il lui caressait le visage. Que diable entendait-il par là? Que risquait-elle de gâcher? On aurait dit que tout ce qu'il voulait, c'était rester tranquillement assise près d'elle, comme s'ils écoutaient de la musique. Et puis, il l'avait embrassée.

Elle porta la main à sa joue, et une onde de chaleur l'envahit. Pourquoi cet homme produisait-il un tel effet sur elle? Elle en avait rencontré d'autres, aussi brillants et célèbres que lui. Était-ce sa créativité torturée qui la captivait ainsi? Telle la phalène irrésistiblement attirée par la lumière, elle ne pouvait nier la fascination qu'il exerçait sur elle, mais elle devait prendre garde à ne pas se brûler les ailes.

— Pourquoi vous frottez-vous la joue? demanda Isabel.

Grace sursauta et son visage s'empourpra.

— Pardon?

— Vous n'avez pas de bouton sur le visage et vous n'avez pas été mordue par une araignée.

— Heureusement! s'exclama Grace.

Dylan Moore était incontrôlable, un homme dangereux et sans scrupules. N'avait-elle donc pas appris sa leçon? Les artistes ne se souciaient que de leur art. Rien d'autre ne comptait à leurs yeux! Même s'il avait ranimé en elle la flamme du désir, elle ne voulait plus d'un homme comme lui dans sa vie. Plus jamais!

Quand il l'avait embrassée, on aurait dit qu'il n'avait jamais caressé de peau plus douce, ni goûté de lèvres plus délicieuses, mais tout cela n'était qu'illusion. Il pouvait la traiter comme si elle était unique, la seule femme sur terre, elle en connaissait assez sur Dylan Moore pour savoir qu'à tout moment une autre femme deviendrait l'unique à son tour.

Grace aplatit la lettre de Moore contre le mur et rédigea sa réponse.

Monsieur,
Veuillez excuser cette réponse peu élégante au crayon, mais je n'ai ni papier ni encre à portée de main. J'ai organisé l'emploi du temps d'Isabel avec la maisonnée. De 15 heures à 17 heures, je lui donne un cours d'allemand. Elle dîne à 17 heures. Après quoi nous jouons toutes les deux jusqu'à ce qu'elle se couche, à 20 heures. Je crains par conséquent de ne pouvoir vous rencontrer dans l'après-midi. Auriez-vous l'amabilité de reporter notre rendez-vous à demain matin ? Que diriez-vous de 9 heures ?

Madame Clairval

Elle plia la lettre, la rendit au valet, et chassa son employeur de son esprit.

— Est-ce que nous pourrons aussi jouer ? s'enquit Isabel.

— Bien sûr.

— Formidable ! Qu'est-ce qu'on va faire ?

— Je pensais que nous pourrions jouer à cache-cache, à colin-maillard, au badminton...

— Ce sont des jeux de petites filles ! l'interrompit Isabel avec une grimace de mépris.

Grace pinça les lèvres pour ne pas sourire.

— À quoi préférerais-tu jouer ?

— Au backgammon et aux échecs.

Isabel était probablement plus douée pour ces jeux-là que la plupart des adultes.

— Nous y jouerons aussi, promit Grace. À présent, parlons de la décoration de ta chambre.

Elle fit mine de se diriger vers la plus grande des pièces, mais la petite resta plantée devant elle, les bras croisés.

— J'aime ma chambre au deuxième.

— Elle est très jolie, en effet, mais puisqu'elle ne se trouve pas dans la nursery, elle ne convient pas.

Isabel protesta avec véhémence, prétendant qu'elle était assez grande pour avoir une vraie chambre et qu'elle n'en bougerait pas. Avant que Grace ait pu lui rappeler que son père avait donné des instructions à ce sujet, le jeune valet refit son apparition.

Il portait un plateau en argent sur lequel était posés une lettre de Moore, des feuilles de papier blanc, un encrier et une plume d'oie.

Grace,
Aucun gentleman digne de ce nom ne se lève à une heure aussi indue que 9 heures du matin, et certainement pas à Londres en pleine saison, ce dont vous êtes consciente, j'en suis certain. Quant aux horaires concernant le repas du soir et le coucher de ma fille, cela relève du domaine d'une nurse. Je vous avais donné, du reste, toute liberté pour en engager une. Par conséquent, je m'attends à vous trouver dans le salon de musique à 16 heures.

Moore

La réponse de Grace fut immédiate, et d'une politesse scrupuleuse.

Monsieur,
Je suis sûre que vous tenez à ce que j'engage une nurse qualifiée. Mes recherches prendront au moins quelques jours. Je propose que nous reportions notre rendez-vous à lundi.

Dès que le valet fut reparti avec la missive, Isabel recommença à plaider sa cause.

— Je comprends tes objections, Isabel, mais la coutume veut que les petites filles dorment dans leur nursery jusqu'à l'âge de quatorze ans. Tu en as huit.

Aussi, tu dormiras ici. Ton père m'a demandé d'engager une nurse…

Isabel laissa échapper un gémissement.

— Lorsque je l'aurai trouvée, poursuivit Grace, elle dormira aussi ici. Jusqu'à tes quatorze ans, la nursery est le seul endroit qui convienne. Ton père est d'accord avec moi.

Mais Isabel n'en démordit pas : elle voulait avoir une chambre de jeune fille et elle se moquait des convenances.

Son père aussi, visiblement.

Je ne tolérerai pas qu'on repousse ce rendez-vous, Grace, car j'ai besoin de vous voir. J'ai quatre femmes de chambre à mon service. Choisissez-en une qui s'occupera d'Isabel en attendant l'arrivée de la nurse. Je vous verrai à 16 heures.

Grace glissa la lettre dans sa poche. Le valet se tenait dans l'embrasure de la porte, attendant sa réponse.

— Dites à M. Moore que je le rencontrerai à l'heure prévue.

Le jeune homme parut soulagé.

Grace reporta son attention sur Isabel et la décoration de la chambre, tentant de chasser Dylan Moore de ses pensées, mais toute la journée elle fut hantée par le souvenir de sa main sur sa joue. Il était hors de question qu'elle accepte qu'il se comporte ainsi de nouveau.

Lorsqu'elle pénétra dans le salon de musique, cet après-midi-là, Moore s'y trouvait déjà. Il se leva du banc, devant le piano, et secoua la tête, l'air contrarié.

— Grace, cette robe est affreuse. Mettez-la à la poubelle, je vous en prie.

Elle portait une robe grise en lainage fin, dont le col blanc et les poignets étaient jaunis et usés.

— Vous avez raison, concéda-t-elle, mais elle ne m'a coûté que quelques pence.

— Je le crois volontiers. Demain matin, à la première heure, je veux que vous alliez chez la couturière et que vous vous achetiez quelques jolies robes. À mes frais.

Elle se dandina d'un pied sur l'autre, songeant qu'elle ne voulait pas être jolie pour lui. C'était trop risqué.

— Ce ne serait pas convenable que vous m'achetiez des vêtements.

— Comment pouvez-vous vous soucier de ce genre de détails alors que vivez sans chaperon sous le toit d'un célibataire à la réputation sulfureuse? s'étonna-t-il.

Elle n'était pas à court d'arguments.

— Votre fille est déjà persuadée que je suis votre maîtresse. Que pensera-t-elle si je vous permets de m'offrir des vêtements?

— Que vous êtes raisonnable. Choisissez des tenues correctes, Grace. C'est un ordre. Je ne veux pas que la gouvernante de mon enfant ressemble à une servante vêtue d'une serpillière.

— Vos amis ne croiront pas une seconde que je suis la gouvernante de votre fille.

— Je l'espère bien! ironisa-t-il. Je ne permettrais jamais à ma maîtresse de se promener affublée d'une robe pareille, ajouta-t-il avec une lueur amusée dans le regard. Pensez à ma réputation, Grace. Les gens seraient horrifiés que je me montre aussi mesquin avec ma maîtresse.

— Bon, très bien! lança-t-elle, exaspérée. J'irai acheter de nouvelles tenues, mais j'insiste pour que vous déduisiez les factures de mon salaire.

— Êtes-vous toujours aussi prude?

— Êtes-vous toujours à ce point indifférent aux convenances ?

— Oui. Je suis le mouton noir de la famille, au grand dam de mon frère. Les conventions m'indisposent. Au fait, puisque c'est moi qui paie, n'achetez rien qui ressemble de près ou de loin à ce que vous avez sur le dos, fit-il. Il n'y a que vous qui puissiez porter une robe aussi hideuse tout en étant belle à damner un saint.

Elle rougit.

— Est-ce que vous faites toujours des compliments aux femmes ?

— Oui.

— Pourquoi ?

— Parce qu'en général, ça marche, avoua-t-il d'un air penaud.

Grace éclata de rire.

— N'avez-vous pas honte ?

— Non, puisque j'ai réussi à vous faire sourire.

— Je me demande si vous avez jamais honte de quoi que ce soit.

Ce fut à son tour de rire.

— Rarement, admit-il en lui faisant signe de s'asseoir sur le banc du piano.

Elle feignit de ne pas remarquer son geste, et préféra choisir une chaise. Cela lui semblait moins risqué. Si elle gardait ses distances, il ne pourrait pas l'embrasser, et la troubler comme la veille.

Sans un mot, il s'assit sur le banc du piano, qu'il déplaça légèrement pour lui faire face.

— Depuis notre rencontre, j'ai au moins découvert que vous n'étiez pas vaniteuse.

— Détrompez-vous. J'ai mes petites vanités comme tout le monde.

— J'aimerais les connaître.

— Pas question.

— Vraiment ?

Il avait une voix si enjôleuse que la jeune femme éprouva un frisson de plaisir.

— Elles ne méritent qu'on s'y arrête, je vous assure.

— Si je découvre vos faiblesses, je les exploiterai sans scrupules.

Avant qu'elle pût répondre, il se tourna vers le piano et se mit à jouer quelques arpèges. Elle observa en connaisseuse les longs doigts puissants qui se déplaçaient sur les touches, semblant presque les caresser.

Pour commencer, il joua les notes les unes après les autres, dans l'ordre. Puis, après quelques minutes, il changea de tactique. Sa main droite remonta le clavier, tandis que l'autre descendait. Il accéléra le tempo. Ensuite, ses mains se mirent à jouer en parallèle, ajoutant des dièses et des bémols qui altéraient d'un demi-ton la note de musique devant laquelle ils étaient placés. Fascinée, Grace le regarda modifier les gammes, la vitesse, la tonalité chromatique. Le temps était suspendu. La musique leur emplissait le cœur et l'esprit. Elle finit par ne plus écouter les notes, mais se contenta d'admirer la perfection de l'exécution. Elle reconnaissait quelques mélodies, mais beaucoup lui étaient inconnues. Les avait-il inventées ?

Quand la main gauche de Dylan s'immobilisa et que sa main droite reprit des gammes plus classiques, elle comprit qu'il en avait presque terminé. Alors qu'il jouait la gamme de do, il se tourna pour la regarder. Avec un sourire taquin, il se mit à répéter un do-si-do lancinant.

— Prétentieux ! lança-t-elle en riant. Les gammes classiques sont trop ennuyeuses pour vous ?

— Je fais mes gammes tous les jours, parce qu'il le faut, mais je les ai toujours détestées, même enfant. Alors j'ai trouvé le moyen de les rendre moins pénibles.

— J'imagine que vos pauvres professeurs de musique s'arrachaient les cheveux.

— Même pas. Ils avaient déjà quitté la pièce et rédigé leur lettre de démission.

— Dans ce cas, vous devriez vous faire du souci. Isabel vous ressemble tellement que je risque de faire comme eux.

— Ah, mais vous n'en avez pas le droit. Vous vous rappelez?

Aussitôt, Grace se tendit.

— Cela doit-il m'inquiéter? dit-elle en s'efforçant de paraître enjouée.

— Oui, car je suis beaucoup plus difficile à satisfaire que ma fille.

Grace n'en doutait pas, mais elle préféra rester sur un terrain plus neutre.

— J'ai laissé Isabel entre les mains de votre femme de chambre Molly, ainsi que vous me l'avez demandé. Demain, j'irai voir différentes agences, et je commencerai à recevoir des nurses dès que possible.

— Parfait.

Grace fronça les sourcils.

— Vous ne semblez pas vous intéresser outre mesure à l'éducation de votre enfant.

— Vraiment? fit-il en jouant quelques notes au hasard. C'est peut-être parce que je ne suis pas habitué à ce rôle.

Cela confirmait les dires d'Isabel. Elle en conclut qu'il ne s'était jamais intéressé à la petite fille et que sa présence sous son toit devait le décontenancer.

— Je vois.

— La mère d'Isabel est morte, reprit Dylan d'un ton agacé. La petite est apparue à ma porte alors que je n'en avais même jamais entendu parler. Ç'a été un choc.

— Et maintenant?

— Je suis... un peu perplexe. Je ne sais trop que faire d'elle.

— Je comprends. N'importe quel homme à votre place ressentirait la même chose. Mais pourquoi la mère d'Isabel ne vous a-t-elle pas averti à la naissance?

— Si vous attendez que je vous dise ce que je pense d'elle, je crains de vous décevoir. Je ne me souviens même pas d'elle.

— Pas du tout?

Il haussa les épaules.

— C'était il y a longtemps. J'étais un chien fou, à l'époque.

— Si j'en crois la rumeur, vous n'avez guère changé, remarqua-t-elle avec flegme.

Il sourit.

— Erreur. J'ai fait d'immenses progrès. Désormais, j'apprécie les desserts qu'offre la vie.

Lorsqu'il lui souriait, elle avait parfois l'illusion que ses sourires n'étaient destinés qu'à elle seule. Elle se sentait de nouveau comme la jeune fille d'autrefois, aventureuse et passionnée, qui rêvait d'autre chose que d'une vie paisible à la campagne auprès d'un mari ordinaire. Qui croyait qu'il existait un univers exaltant au-delà de son petit monde étriqué, et pensait qu'un homme pouvait en être la clé.

Voilà pourquoi le ténébreux Dylan Moore était dangereux. Captivée par son regard de braise, ensorcelée par son sourire ravageur, une femme croyait sans peine que la vie avec lui ne serait qu'une partie de plaisir.

Grace se sermonna. Elle n'était plus cette jeune fille d'autrefois, naïve et vulnérable. Désormais, elle était une femme, aguerrie par l'amour et l'aventure, mais aussi par les dures réalités de l'existence. Elle avait appris sa leçon. La vie n'était pas tendre avec ceux qui enfreignaient les règles et violaient les tabous.

— Les desserts ne me tentent pas, dit-elle.

— Non?

Il se leva et vint poser les mains sur le dossier de sa chaise. Un frémissement la parcourut quand il se pencha vers elle pour lui murmurer à l'oreille :

— Et qu'est-ce qui vous tente, Grace ?

— Des plats simples. Le porridge, le bœuf au chou. Ce genre de choses.

— Voilà des paroles sensées dignes d'une gouvernante sérieuse, observa-t-il, son souffle caressant l'oreille de la jeune femme. Mais je n'en crois pas un mot. Vous ressentez la même chose que moi quand il s'agit des nourritures terrestres.

Elle lui lança un regard par-dessus son épaule.

— Certainement pas.

— Si ce n'était pas le cas, vous n'embrasseriez pas comme vous le faites, comme si c'était votre premier et dernier baiser.

— Vous m'avez mal jugée, monsieur. Contrairement à vous, je ne cède pas à n'importe quelle pulsion, à n'importe quelle envie qui me passe pas la tête. C'est ce qu'on appelle exercer de la retenue. Vous devriez en prendre de la graine.

Son discours si affreusement moralisateur parut amuser Dylan.

— Ma petite puritaine à moi, murmura-t-il. Vous parlez de retenue. Qu'en avez-vous fait l'autre nuit quand vous m'avez embrassé si passionnément ?

— Je ne vous ai pas embrassé ! rectifia-t-elle. C'est vous qui aviez commencé.

— Ainsi, c'est votre retenue qui vous a poussée à m'enlacer et à répondre à mon baiser.

— Je n'ai rien fait de tel ! s'énerva-t-elle.

— Mais si. Soyez assez honnête pour l'admettre.

— Je ne vous connaissais même pas ! s'écria-t-elle, horrifiée au souvenir de ce qu'elle avait fait. Je ne voulais pas… C'est-à-dire, je ne pensais pas… J'ai eu une faiblesse passagère, concéda-t-elle. Je n'étais pas en état de réfléchir.

— Grace, vous me flattez. Je ne pensais pas que mes baisers vous troublaient au point de vous empêcher de réfléchir.

— Ce n'est pas ce que j'ai dit.

— Pardonnez-moi, mais c'est ce que j'ai cru comprendre. D'ailleurs, vous pensez trop…

Il lui effleura la joue de ses lèvres, et elle s'écarta.

— Lorsque vous êtes dans les parages, il vaut mieux garder l'esprit clair, lança-t-elle.

Dylan s'agenouilla près de la chaise. Il prit le menton de Grace entre ses doigts pour l'obliger à le regarder.

— Pourquoi ? s'enquit-il en se rapprochant d'elle.

Elle frémit, sentant ses bonnes résolutions voler en éclats. Puis, soudain, elle se ressaisit.

— Je vous en prie, comportez-vous en gentleman avec moi.

Il sourit, lui caressa la joue, le cou, laissa sa main glisser derrière sa nuque.

— Dérober un baiser à une belle femme n'est pas digne d'un gentleman ? Seigneur, je suis damné à jamais !

— Vous m'aviez donné votre parole, lui rappela-t-elle en se redressant d'un bond. Je vous demande de la respecter.

— L'ai-je rompue ? Comment ?

— Vous ne vous comportez pas bien avec moi.

Il croisa les bras et inclina la tête de côté, feignant la perplexité.

— Ai-je raté le moment où vous avez protesté ?

— Vous ne m'en avez pas laissé l'occasion !

— Vous l'aviez, seulement vous avez choisi de la laisser passer.

— J'attends de vous une attitude irréprochable, articula-t-elle, luttant pour garder le contrôle de la situation.

— Je fais de mon mieux, mais quand vous êtes près de moi, je perds la tête. Et avouez que vous ressentez la même chose

— Ce que je ressens ne vous regarde pas! s'écriat-elle. Je ne vis pas comme vous, passant d'une sensation à une autre, à la recherche exclusive du plaisir. À vos yeux, je ne suis que la dernière d'une interminable liste qui est loin d'être achevée.

— C'est donc de cela qu'il est question? De fierté féminine?

— Non. Je ne peux pas vous donner ce que vous attendez de moi. Vous voulez davantage que mon corps, davantage que ma présence. Vous voulez quelque chose que personne ne peut vous apporter, même pas moi.

— Et qui est?

— La capacité de créer encore et toujours.

Il ne fit pas un geste, mais quelque chose dans son expression lui souffla qu'elle avait fait mouche. Et qu'il en souffrait. Un long moment, il demeura là, immobile, puis il se détourna soudain en étouffant un juron.

— Combien de fois devrais-je vous répéter que vous êtes ma muse? demanda-t-il en arpentant la pièce. Que j'entends une musique quand je suis avec vous?

— Les muses n'existent pas. La musique est en vous. Vous n'avez pas besoin de moi.

— Vous en savez donc tellement sur l'art pour être aussi péremptoire?

— J'en sais plus que vous ne le pensez.

Elle songea à Étienne. Quelques années auparavant, son mari avait passé une semaine sans dormir, s'acharnant nuit et jour à recouvrir les murs de leur appartement, à Vienne, de couches de peinture noire parce qu'il avait perdu l'inspiration.

Un frisson lui glaça l'échine.

— L'inspiration créatrice ne peut venir de moi. Ni d'aucune autre femme, d'ailleurs.

Il rit et lui fit face.

— C'est ce que vous pensez? Que je recherche les femmes uniquement pour créer une œuvre musicale?

— C'est possible.

— Vous me connaissez mal. J'aime les femmes parce qu'elles me distraient et me procurent du plaisir. Mais vous, vous êtes différente. Vous êtes...

Il fourragea nerveusement dans ses cheveux.

— Je ne sais pas comment l'expliquer.

— Si je suis à ce point différente, ne me traitez pas comme les autres.

— Comment dois-je vous traiter? Et ne me suggérez surtout pas de vous considérer comme n'importe quel autre membre de mon personnel.

Grace lui offrit la seule réponse qui lui vint à l'esprit :

— Ne pourrions-nous être amis, tout simplement?

7

— Amis ? répéta Dylan, comme s'il n'avait jamais entendu proposition plus saugrenue de sa vie.

Il ne voulait pas être l'ami de Grace. Il voulait la tenir dans ses bras, la sentir sous lui, la couvrir de baisers et la caresser jusqu'à ce qu'elle demande grâce.

Il voulait être son amant. L'amitié n'était qu'un succédané pathétique, une émotion insipide qui ne pouvait inspirer à un musicien qu'un malheureux divertissement, alors que lui était en train de composer une symphonie. Crénom ! Il écrivait l'histoire d'une passion, non pas une mélodie pour agrémenter un dîner. Malheureusement, de son côté, son aimée ne semblait pas très coopérative.

— Est-ce que des amants ne peuvent être aussi amis ? plaida-t-il.

— Je parlais d'une amitié platonique.

— Un homme ne peut se contenter d'une amitié avec une femme, répliqua-t-il sans prendre de gants. L'exercice lui semble futile, pour ne pas dire intolérable, s'il n'a pas l'espoir d'autre chose.

— Je ne suis pas d'accord. Une femme et un homme peuvent être amis parce que chacun apprécie la compagnie de l'autre, qu'ils aiment discuter de tout et de rien, ou de sujets qui les intéressent. Cette entente est l'un des ferments d'une société civilisée.

— Je saisis le concept, merci, répliqua-t-il d'un ton ironique. Vous voulez que nous restions de simples connaissances. Pardonnez-moi, mais cette perspective ne m'enchante guère. D'une part, discuter de tout et de rien me semble rarement intéressant, d'autre part, je ne vois pas comment une muse qui ne serait qu'une amie pourrait m'inspirer. Et enfin, je ne suis pas digne de ce genre d'amitié, car j'essaierais de vous voler un baiser à la moindre occasion.

Elle ne releva pas.

— Vous n'avez jamais eu une femme comme amie ?

— Non.

Il marqua une pause, puis rectifia :

— Pour être sincère, il existe deux femmes dans ma vie avec qui j'entretiens une amitié du genre de celle que vous décrivez. L'une est la duchesse de Tremore, l'épouse de mon meilleur ami. L'autre est la sœur de Tremore, Lady Hammond, dont le mari est aussi l'un de mes amis. Je ne peux avoir qu'une amitié platonique avec elles. Il y a certaines règles qui se doivent d'être respectées.

— J'ignorais que vous respectiez des règles, fit Grace, incrédule.

— Un homme ne couche pas avec la femme de ses amis. C'est une convention à laquelle même moi, je me soumets.

— Peut-être pourriez-vous en ajouter une autre, à savoir que la gouvernante de votre fille ne sera jamais rien d'autre qu'une amie pour vous. Est-ce si difficile à accepter ?

Dylan détailla lentement le corps de la jeune femme.

— Impossible.

— Dommage, car c'est tout ce que je peux vous offrir.

Elle semblait si sûre d'elle qu'il eut envie de la prendre dans ses bras pour l'obliger à reconnaître qu'elle mentait. Il se rappelait de manière si précise sa réaction passionnée lorsqu'il l'avait embrassée dans la ruelle. Elle le désirait autant qu'il la désirait, lui, et elle ne parlait d'amitié que parce que ce désir l'effrayait. Décidément, les femmes avaient le don de rendre les choses simples compliquées. Mais, quoiqu'il détestât le reconnaître, cela faisait partie de leur charme.

Il lui baisa la main.

— Très bien. Alors, nous serons amis. Acceptez au moins de dîner avec moi ce soir.

— Ce n'est pas une bonne idée.

— Pourquoi ? Les amis dînent ensemble, non ?

— Bien sûr, mais...

— Lorsqu'on partage un repas, on discute de tout et de rien, non ?

— En effet, mais...

— C'est ce qui s'appelle appartenir à une société civilisée, n'est-ce pas ?

Grace fronça les sourcils, sachant qu'il venait de la piéger. Il prit son visage entre ses mains et lui déposa un chaste baiser sur le front.

— Parfait, fit-il comme si elle avait accepté son invitation. Je vous attends ce soir à 20 heures au salon.

— Et si je ne venais pas ? cria-t-elle alors qu'il quittait la pièce. Est-ce que vous viendriez me tirer de ma chambre pour me traîner au rez-de-chaussée ?

Il éclata de rire.

— Non. Je vous apporterais le repas et nous ferions un pique-nique sur votre lit. À la réflexion, je préférerais cela de beaucoup.

Il quitta le salon de musique, songeant qu'aucune femme ne lui avait jamais inspiré un tel sentiment d'exaltation. Commencer par être ami était une expérience nouvelle pour lui. Elle lui avait lancé un défi en déclarant qu'elle ne pourrait jamais lui offrir autre chose. Et Dylan adorait autant les défis que les expériences inédites. En outre, ne disait-on pas qu'il ne fallait jamais dire jamais ?

Grace était dépassée par les événements. Elle se contemplait dans le miroir de sa chambre en se demandant ce qui l'avait poussée à rechercher un compromis avec Dylan Moore en lui proposant de devenir son amie. Autant vouloir amadouer un fauve ! Elle pourrait s'entendre avec lui quelque temps, mais il finirait par la dévorer.

Elle chercha à se rassurer en se rappelant que, quoi qu'il tente, il suffisait de dire non. Le problème, c'était que lorsque Dylan l'embrassait, la touchait, elle n'en était plus capable, et ce diable d'homme en était parfaitement conscient. Cette nuit-là, dans la ruelle, il avait deviné à quel point elle était seule, et désormais, il exploitait cette faiblesse. Pire encore, elle le laissait faire, fascinée par ce jeu de la séduction dont elle avait oublié à quel point il pouvait être grisant.

En grandissant, elle avait refusé tellement de choses. Elle avait été une jeune fille sage, raisonnable et respectable. Puis elle avait rencontré Étienne. Il lui avait tourné la tête, bannissant le mot « non » de son vocabulaire. En contrepartie, elle avait découvert l'aventure, la joie, et un désespoir si profond qu'il lui avait brisé le cœur. C'était tellement plus simple et rassurant d'être sage.

Grace regarda la pendule sur la cheminée. Huit heures passées de dix minutes. Si elle tardait trop, il risquait de mettre sa menace à exécution. Elle ajusta une mèche de cheveux qui s'était échappée de son chignon, lissa sa jupe de lainage rouge foncé, puis enfila sa seule paire de gants de soirée. Elle se répétait telle une litanie qu'il ne s'agissait que d'un dîner avec un ami. Si Dylan se montrait trop pressant, elle l'accuserait de ne pas tenir sa parole, et elle quitterait la pièce.

Elle le rejoignit au salon. Il portait une élégante tenue de soirée noire, mais il n'avait pas attaché ses cheveux, ce qui lui donnait l'allure d'un bandit de grand chemin du siècle dernier. C'était peut-être de l'affectation de sa part, mais c'était diablement efficace. Le contraste entre l'élégance vestimentaire, et l'insolence de la coiffure était saisissant. Aucune femme n'aurait pu y résister.

— Pardonnez-moi d'être en retard, dit-elle en priant pour ne pas paraître trop nerveuse.

— Ne vous excusez pas. L'essentiel est que vous soyez venue.

— Vous aviez un doute ? fit-elle avec un rire crispé.

Aussitôt, elle s'en voulut. Seigneur, que lui arrivait-il ? Il n'allait pas la violer sur la table de la salle à manger tout de même ! Encore que... Avec lui, on ne pouvait jamais être sûr de rien.

— Étant donné ce dont vous m'avez menacée, je pouvais difficilement ne pas venir, reprit-elle.

— Même si vous êtes là pour de mauvaises raisons, je suis comblé. Mais je dois avouer que le pique-nique avait ma préférence.

Une image traversa l'esprit de Grace : tous les deux nus, sur le lit, autour d'un panier de victuailles. Elle frissonna.

— Nous y allons ? s'enquit-il.

Sa voix de velours était comme une caresse. « Oui », eut-elle envie de répondre. Elle se mordit la lèvre.

Il lui offrit son bras.

— Oh, fit-elle, retombant brutalement sur terre, vous parlez du dîner.

Il esquissa un sourire narquois, le diable d'homme !

— En effet. J'ai même demandé qu'on dresse la table dans la salle à manger.

Pourquoi n'avait-elle donc pas pris son éventail ? se tança-t-elle, les joues en feu. Elle en aurait eu grand besoin, pourtant. Tandis qu'elle lui prenait le bras, elle perçut les muscles durs sous l'étoffe, et son imagination se remit à battre la campagne.

Dylan Moore, elle en était convaincue, était capable de convaincre une femme de le suivre au bout du monde, au paradis ou en enfer. Pourquoi, alors qu'elle connaissait à présent la vie, ce genre de voyage continuait-il à l'attirer ?

Désireuse de ne pas se laisser entraîner sur un terrain aussi glissant, elle choisit le plus anodin des sujets de conversation : le temps.

Bien qu'il eût déjà déclaré qu'il détestait la banalité des propos de salon, Dylan ne s'offusqua pas et répondit, avec le plus grand sérieux, que la douceur du mois d'avril serait la bienvenue après les froidures de mars.

— En dépit des fortes pluies, on m'a dit que les routes étaient correctes.

Il affichait une expression grave, mais les rides au coin de ses yeux trahissaient son amusement.

Grâce feignit de ne pas le remarquer.

— Ainsi, la saison se présente bien, observa-t-elle tandis qu'ils pénétraient dans la salle à manger où les attendaient Osgoode et deux valets.

La pièce était de taille relativement modeste – vu le statut social de Dylan –, car on ne pouvait y tenir qu'à dix convives. Le plafond était bas, ce qui ajoutait à son côté intime. Comme dans le reste de la maison, on y respirait le luxe et le confort. Un épais tapis turc bleu et or étouffait le bruit des pas. Le plafond était orné de moulures blanches tandis que les murs étaient d'une douce teinte ivoire. La cheminée était de marbre blanc.

Il n'y avait que deux tableaux, des paysages de Gainsborough, et des miroirs avaient été placés derrière les appliques pour refléter la lumière. Il n'y avait pas de lampes à gaz, juste la douce lueur des bougies. Tout était conçu pour que les invités se sentent à l'aise, et cependant la jeune femme ne parvenait pas à se détendre.

Un valet lui tint sa chaise. Lorsqu'elle eut pris place, Dylan s'installa à sa gauche, au bout de la table, puis se pencha vers elle, comme s'ils se trouvaient à un dîner élégant et qu'il fût sur le point de lui apprendre, en confidence, une nouvelle intéressante.

— Savez-vous que les maîtresses de maison ont trouvé une solution au problème du port de l'épée lors des bals?

Elle inspira profondément. Elle lui était reconnaissante d'accepter de se plier à son désir de n'avoir que des conversations anodines.

— Vraiment?

— Oui. Il a été décidé de demander aux militaires de se débarrasser de leur épée s'ils avaient l'intention de danser. En cas de refus, plus aucune maîtresse de maison ne l'inviterait.

— Ces dames doivent être soulagées de savoir qu'elles ne risquent plus d'être transpercées par le sabre de quelque lieutenant lors d'un quadrille.

À peine ces paroles prononcées, elle s'aperçut qu'il y avait matière à sous-entendu, aussi se détourna-t-elle en réprimant un rire.

— Je pourrais ajouter quelque chose de très coquin, murmura-t-il.

— N'en faites rien.

Elle déplia sa serviette et la porta à ses lèvres afin d'étouffer son fou rire.

— Pas un mot.

Par chance, il lui obéit. Elle attendit quelques secondes avant de se risquer à le regarder en face.

— Je suis heureuse que ces dames aient enfin pris une décision, observa-t-elle en posant la serviette sur ses genoux.

— C'était d'une importance vitale. Surtout pour préserver leur vertu, ajouta-t-il après une pause.

Elle lui jeta un regard de reproche, puis tourna son attention vers le valet qui attendait à sa droite. Lorsque ce dernier déposa devant elle une assiette creuse, la jeune femme se surprit à en fixer le contenu d'un air perplexe. Du porridge? Les sourcils froncés, elle regarda le valet, mais celui-ci demeura impassible. Elle vérifia d'un coup d'œil qu'elle ne rêvait pas. En effet, ce n'était pas du potage, mais bien du porridge qu'on servait d'ordinaire au petit-déjeuner.

Le valet posa une assiette de vichyssoise devant Dylan, qui gardait la tête baissée, essayant de masquer son sourire. Soudain, ses propres paroles lui revinrent en mémoire; elle avait dit qu'elle n'aimait que les plats simples, comme le porridge, le bœuf bouilli et les choux.

Un rire joyeux monta en elle telle une bulle de champagne.

— Vous êtes impossible! s'exclama-t-elle. Me taquiner ainsi, vraiment!

Dylan afficha un air incrédule, et si parfaitement innocent, qu'elle éclata de rire.

— Grace, comment pouvez-vous imaginer une chose pareille? la réprimanda-t-il. Je voulais juste vous faire plaisir.

— J'imagine que les plats qui m'attendent sont plutôt roboratifs. Du bœuf bouilli et des choux peut-être?

— C'est l'un de vos plats favoris, non?

— En effet. Et vous, que prenez-vous?

— Du homard, mais je suis sûr que ce crustacé vous déplairait. Vous n'aimez guère ces nourritures trop raffinées. Encore que j'aie entendu dire que la cuisinière avait préparé deux homards. Elle sait que j'adore ce plat.

— Deux homards pour un seul homme ? Quelle extravagance !

— N'est-ce pas ? Je crois que Mme March m'a aussi préparé une selle d'agneau, un filet de bœuf et des asperges. Pour terminer, je lui ai demandé mes deux desserts préférés, une tarte au citron et un soufflé au chocolat. Mais les desserts ne vous intéressent pas, bien sûr.

— Je crois que mes goûts gastronomiques sont en train d'évoluer, avoua-t-elle. Vous avez fini par me convaincre.

— Vraiment ? s'exclama Dylan. Mme Clairval a changé d'avis, ajouta-t-il à l'attention d'Osgoode.

Visiblement, le majordome était dans la connivence. Il fit un signe au valet qui revint quelques minutes plus tard avec une assiette de vichyssoise.

— Savez-vous ce qu'il y a de pire chez vous ? fit-elle en s'emparant de sa cuillère.

— Quel merveilleux sujet de conversation entre amis ! Je vous écoute.

— Vous êtes une fripouille, et je devrais vous détester, mais je n'y parviens pas. Vous ne cessez de me déconcerter.

— Merci, dit-il, avant d'incliner la tête de côté d'un air de doute. Du moins, je crois.

— C'est un compliment équivoque, je sais, admit-elle en souriant, mais c'est la vérité. J'aimerais vous en vouloir, mais je n'y arrive pas.

— Pourquoi voudriez-vous me détester ?

— Parce que je le devrais.

— Vous faites toujours ce que vous devriez faire ?

— Oui, mentit-elle.

— Dans ce cas, Grace, vous passez à côté de quantité de choses que la vie a à vous offrir.

— Peut-être, murmura-t-elle, se gardant de préciser que la vie lui avait surtout apporté des malheurs.

J'ai lu ce matin dans le *Times* que la population britannique frôle les quatorze millions de personnes, ajouta-t-elle, revenant sur un terrain sans danger.

Dylan leva les yeux au ciel.

— Grace, épargnez-moi des sujets aussi ennuyeux, je vous en prie. Parlons de choses intéressantes. De politique, par exemple.

Elle sourit, décidée à jouer le jeu.

— On s'attend à ce que la réforme électorale soit votée ce printemps par la Chambre des Lords, paraît-il.

Au cours du repas, chacun s'amusa à épater l'autre en cherchant la nouvelle la plus ennuyeuse possible. Au dessert, ils convinrent que Dylan avait remporté la palme avec cette histoire selon laquelle Lord Ashe se serait évanoui en apprenant que sa cousine épousait un homme qui travaillait dans le commerce. Tous deux s'exclamèrent que c'était une nouvelle choquante.

C'est alors que le valet apporta la tarte au citron et le soufflé au chocolat.

— Êtes-vous certaine de ne pas préférer un pudding ? demanda Dylan en la voyant hésiter.

— Non, répliqua-t-elle en lui donnant un petit coup de pied sous la table. Je crois que je vais même prendre un peu des deux.

— Des deux ? répéta-t-il, feignant d'être outré. Mais enfin, Grace, un simple pudding est tellement plus facile à digérer.

— Je suis une personne sensée, dit-elle tandis qu'on lui apportait deux assiettes à dessert. Puisque je n'arrive pas à me décider, le mieux est de goûter les deux.

— Mes mauvaises manières semblent déteindre sur vous, commenta-t-il.

En homme habitué au luxe, il avala rapidement les deux desserts, tandis que Grace préféra les savourer. Elle prit une bouchée de soufflé au chocolat, qu'elle fit suivre d'un morceau de tarte. Elle ne se rappelait pas la dernière fois qu'elle avait goûté quelque chose d'aussi délicieux. La seule douceur à laquelle elle avait eu droit ces derniers mois était un peu de sucre pour son thé, et encore, elle avait dû y renoncer depuis quelque temps déjà.

Dylan la contemplait, fasciné. Elle reposa sa fourchette avec un soupir satisfait.

— Il reste un morceau, remarqua-t-il.

— Je déclare forfait, avoua-t-elle. Je risque d'être malade.

Osgoode et le valet retirèrent les assiettes à dessert, et apportèrent du fromage et des fruits. Le major-dome lui proposa un assortiment d'alcools et elle choisit un sherry. Osgoode servit ensuite à Dylan un verre de cognac. Après quoi, les domestiques se retirèrent.

— À présent que le dîner est terminé, je pense que nous pouvons cesser de parler de choses triviales et passer aux choses sérieuses.

Grace lui jeta un regard soupçonneux.

— Pourquoi ai-je le sentiment que vous avez une idée derrière la tête ?

— Parce que c'est le cas. Je veux parler de vous. Je veux savoir comment une jeune fille de bonne famille de Cornouailles, qui m'a écouté diriger un orchestre à Salzbourg, est devenue femme de ménage et vendeuse d'oranges. Que diable vous est-il arrivé, Grace ?

Si seulement elle connaissait la réponse à cette question… Le corps rigide, elle le regarda d'un air impuissant.

— Il m'est arrivé pas mal de choses dont je préfère ne pas parler. Avec qui que ce soit. Mon passé est un sujet douloureux, alors soyez gentil de ne pas l'évoquer.

— Très bien. Dans ce cas, nous allons nous divertir. Qu'aimeriez-vous faire ?

— Pourquoi est-ce que vous ne joueriez pas du piano pour moi ?

— Je préférerais vous entendre jouer du violon.

— Devant un musicien comme vous ? Jamais !

— On dirait que vous n'avez jamais joué pour moi.

— Je ne l'ai fait qu'une seule fois, et parce que je n'avais rien trouvé de mieux.

— Pour m'empêcher de faire une bêtise, vous voulez dire ?

Il baissa les yeux sur son verre.

— Vous aviez raison, vous savez, ajouta-t-il d'une voix si basse que Grace dut se pencher pour l'entendre. Je n'ai pas recommencé, et pourtant, j'ai été tenté. J'ai réfléchi à la manière, à l'endroit, à la date. Un jour, j'ai même chargé mon revolver.

Sans lever les yeux, il fit tourner l'alcool dans son verre.

— Mais je n'ai pas réussi à lever le canon jusqu'à ma tempe. J'entendais votre voix qui me disait que rien ne justifie jamais un tel choix.

Il avala une gorgée de cognac, avant de changer abruptement de sujet.

— Sur quelle musique vous exercez-vous au violon ?

Elle lui sourit.

— Mozart.

— Mozart ! s'écria-t-il, l'air effaré. Ce malheureux qui n'a jamais rien composé de valable ?

— J'aime aussi Beethoven, ajouta-t-elle en feignant de paraître désolée, mais il est plus difficile à jouer.

— De pire en pire ! Où est passée votre loyauté ? Vous qui êtes censée être ma muse !

— J'avoue que je n'aime pas jouer votre musique.

— Quoi ?

— Vos morceaux sont terriblement difficiles ! se défendit-elle. Ils sont si complexes qu'ils épuisent le musicien. Vous êtes encore plus compliqué que Beethoven. Savez-vous que votre *Concerto pour vio-*

116

lon n° 10 est un vrai défi ? Je suis incapable de le jouer correctement.

— On dirait une étudiante, Grace. Un soliste ne doit écouter que son cœur. C'est la seule façon correcte de jouer.

— Ainsi, selon vous, il suffit qu'un musicien soit à l'écoute de ses émotions ? Alors pourquoi est-ce si difficile de travailler avec vous ? ajouta-t-elle, ravie de pouvoir le taquiner à son tour.

— Nous n'avons jamais travaillé ensemble, si je ne m'abuse, répliqua-t-il en prenant quelques grains de raisin dans la corbeille de fruits. Je m'en souviendrais. Et vous sauriez que je ne suis pas difficile. Qui colporte de pareils mensonges ?

— Tout le monde ! Les musiciens qui ont travaillé avec vous dans un orchestre se plaignent de ce que vous êtes impossible à satisfaire.

— Vous savez aussi bien que moi qu'un soliste n'a rien de commun avec un musicien d'orchestre. Ceux-là se plaignent sans arrêt.

— Ce n'est pas vrai.

— Oh que si ! Où avez-vous joué dans un orchestre, Grace ? ajouta-t-il tandis qu'elle attrapait une grappe de raisin d'un air indigné. Pas en Angleterre.

— Non, mais à Vienne et à Salzbourg. À Paris aussi. Sur le Continent, on y accepte plus facilement les femmes. En Angleterre, la Guilde des musiciens nous complique la vie.

— Je sais, et je trouve ces restrictions absurdes. Pour ma part, je n'hésiterais pas à vous prendre dans mon orchestre.

— On ne vous y autoriserait pas. Les autres musiciens feraient tout un tas d'histoires. À moins de les tromper en me déguisant en garçon avec une fausse moustache et des cheveux courts.

L'idée de Grace essayant de dissimuler sa féminité lui parut si saugrenue qu'il éclata de rire.

— Ils vous démasqueraient en deux secondes. Je vous ai vue en costume de bandit de grand chemin, rappelez-vous. On n'y croit pas une minute. Quant à couper vos cheveux, ce serait un crime. Je vous interdis même d'y penser.

— Merci pour le compliment, mais je n'ai pas besoin de votre permission.

— Vous cherchez encore à me remettre à ma place, n'est-ce pas, Grace ?

— J'essaie… Mais je ne crois pas que ça marche.

— Mais si, je vous assure. Hélas ! ce n'est pas moi que vous adorez, mais Mozart…

— Vous êtes injuste ! protesta-t-elle. J'aime bien votre musique. Vraiment. Je voulais seulement dire que…

— Vous l'aimez bien, c'est tout ?

Il fit mine d'être vexé, mais elle devina à son regard espiègle qu'il la taquinait encore.

— C'est affreux d'inspirer un sentiment aussi fade et insipide ! Vous voyez comme vous me remettez à ma place sans même vous en rendre compte, Grace.

— C'est ridicule ! s'écria-t-elle en riant. Qu'attendez-vous d'une muse ? Qu'elle reste assise à vos côtés toute la journée et vous dise que vous êtes merveilleux ?

— J'aimerais bien, avoua-t-il en riant à son tour.

— Et vous croyez que ce genre de flatteries vous inspirerait ? Cela ne servirait qu'à vous rendre prétentieux et paresseux, et vous ne composeriez plus rien de valable.

— Si vous jouez un morceau pour moi, je vous dirai que vous êtes merveilleuse, déclara-t-il, renversant les rôles.

— J'ai déjà joué pour vous.

— Il y a cinq ans.

— Et lors du bal de charité, il y a quelques jours.

— Vous étiez huit musiciens. Je veux vous entendre jouer seule.

Elle fit une grimace.

— Je n'ai rien d'une virtuose.

— Laissez-moi en juger par moi-même, riposta-t-il, avant de se lever et de lui tendre la main. Jouez mon *Concerto pour violon* n° 10.

Affolée, elle s'aperçut qu'il était sérieux.

— Oh, non ! Pas question.

— Pourquoi pas ? Des amis jouent souvent l'un pour l'autre.

Elle se mordilla la lèvre, cherchant désespérément à se dérober.

— Je ne peux pas jouer un concerto pour violon sans orchestre pour m'accompagner.

— Je vais vous accompagner au piano.

Grace sentit la panique l'envahir. Elle ne voulait pas jouer devant lui. Il s'agissait du célèbre compositeur Dylan Moore, et non d'une maîtresse de maison qui souhaitait divertir ses invités. On ne l'avait jamais choisie pour être soliste. Du reste, elle n'en avait jamais eu envie.

— Non, merci, je préfère de beaucoup vous écouter.

Il secoua la tête sans sourire, la main toujours tendue.

— Ce n'est pas une audition, Grace.

— Je n'ai jamais été soliste. Quand j'ai joué pour vous, c'était uniquement pour vous empêcher de... Vous savez ce que je veux dire. Je ne pensais pas à la musique. J'ai pris mon violon et j'ai joué, c'est tout.

— Eh bien, recommencez !

Elle n'en avait aucune envie. L'idée l'angoissait. La musique de Moore était belle et complexe, et elle savait qu'elle n'était pas assez talentueuse pour la mettre en valeur.

— Je ne me moquerai pas de vous et je ne me montrerai pas critique, si c'est ce que vous craignez, promit-il.

119

Il lui prit la main et l'obligea à se lever. À contrecœur, elle le suivit jusqu'au salon de musique. Quelques minutes plus tard, un valet lui apporta son violon. Elle faillit lui demander d'aller chercher ses partitions, mais les solistes étaient censés se passer de partitions.

Elle prit l'instrument, s'approcha du piano.

— Vous n'allez pas aimer, l'avertit-elle.

— Aucune importance. C'est vous la soliste. Et maintenant, jouez !

Il commença, et elle obtempéra. Il lui facilita la tâche, respectant le concerto qu'il avait écrit sans improviser, lui laissant en revanche la liberté de faire ce qu'elle voulait avec le violon. Elle joua de manière très concentrée, craignant d'oublier un passage. Elle ajouta quelques variations de solistes renommés. Si elle avait été une virtuose, elle aurait inventé des notes, mais il l'impressionnait trop pour qu'elle s'y risque.

Lorsqu'elle acheva le morceau, elle poussa un soupir de soulagement. Puisqu'il lui avait promis de ne pas se moquer d'elle ni de la critiquer, elle en conclut que tout ce qu'il lui dirait serait gentil, sans intérêt, et hypocrite.

— Grace, pourquoi une telle réticence ? Vous jouez admirablement, mais davantage de confiance en vous ne vous nuirait pas.

— Merci, murmura-t-elle, embarrassée, mais vous avez remarqué que j'ai emprunté les idées des autres.

— Vous avez aussi improvisé.

— Pour me faciliter la tâche !

— Rejouez le premier mouvement.

Elle lui obéit. Soudain, il arrêta de jouer.

— Là ! Vous avez improvisé sur la version de Paganini. Vous avez ajouté un petit trille au milieu, alors que d'habitude on ne les joue qu'à la fin. C'est une très belle idée. J'adore…

— Vous n'êtes pas obligé de me mentir, fit-elle, méfiante.

— Je ne dis que la stricte vérité. Vous avez ajouté une dizaine d'innovations qui étaient toutes valables.

Il se leva et s'approcha d'elle. Elle détourna les yeux, redoutant de lire dans son regard qu'il n'était pas sincère.

— Si vous aviez davantage confiance en vous, vous pourriez inventer vos propres cadences.

— Vous le pensez vraiment ?

— Oui. Je ne vous fais pas des compliments pour vous attirer dans mon lit.

Elle eut envie de rire, mais la lueur dans le regard de Dylan l'en empêcha. Le silence entre eux s'éternisa, tandis que la tension se faisait palpable. Grace était comme clouée au sol, captivée par l'intensité de ses yeux si sombres.

La pendule sonna minuit.

— Il se fait tard, murmura-t-il, rompant le charme.

— Oui, souffla-t-elle. Je devrais monter.

Il s'inclina devant elle.

— Bonne nuit, Grace.

— Bonne nuit.

Il l'accompagna jusqu'à la porte qu'il lui tint ouverte.

— Vous vous êtes trompé, dit-elle. Je crois que vous avez l'étoffe d'un véritable ami, y compris pour une femme.

Il lui prit la main, y déposa un baiser et la gratifia d'un sourire de biais.

— Seriez-vous en train de me dire que vous avez confiance en moi ?

Elle lui retourna son sourire.

— Pas une seconde.

Tandis qu'elle regagnait sa chambre, elle réalisa qu'elle se trouvait dans une situation encore plus délicate qu'auparavant. En lui proposant d'être amis, elle avait cru trouver un compromis acceptable. Elle était dans cette maison pour un an, et la raison exigeait qu'elle garde ses distances avec lui. Hélas, elle n'avait guère envie d'être raisonnable.

Elle avait l'impression d'être entraînée dans un tourbillon étrange et fascinant, où une liaison passagère et un amour véritable n'étaient pas si différents, où l'on pouvait jouer avec le feu sans se brûler.

Son intuition ne l'avait pas trompée : avec cet homme-là, elle était en danger.

8

Le lendemain, Grace découvrit que Dylan Moore n'était pas le seul à avoir du mal à respecter les règles. Sa fille avait hérité de ce défaut. Après une longue journée passée à courir les magasins, Grace comprit pourquoi Isabel en était à sa treizième gouvernante.

— La discussion est close, Isabel, répéta-t-elle en ôtant ses gants tandis que les valets qui les avaient accompagnées empilaient les cartons et les boîtes dans l'entrée Tu as déjà suffisamment de jouets. Tu n'as pas besoin d'animaux exotiques venus d'Argentine. Quand tu seras à la campagne, tu joueras avec les animaux de la ferme. En attendant, nous irons au zoo.

— Mais mes autres gouvernantes m'ont permis d'en avoir !

— Tant mieux pour elles.

À en juger par l'expression de la fillette, Grace comprit qu'elle était descendue d'un cran dans son estime. Elle tendit sa cape, son chapeau et ses gants à la femme de chambre.

— Osgoode, reprit-elle à l'adresse du majordome, les meubles que j'ai choisis seront livrés cette semaine. Vous pourrez veiller à ce qu'ils soient placés dans la nursery ?

— J'ai déjà dit que je ne voulais pas dormir là-haut ! s'insurgea Isabel.

Choisissant d'ignorer ce caprice d'une élève qu'elle devinait épuisée et affamée, Grace s'empara d'un paquet sur la pile posée sur le sol.

— Soyez gentil de faire monter le reste dans la chambre d'Isabel, demanda-t-elle à Osgoode.

Le majordome obtempéra, tandis que la petite éclatait en sanglots furieux. Ses cris résonnaient dans le hall. Exaspérée, Grace se dirigea vers le salon de musique. Elle en avait assez. Isabel lui emboîta le pas, ses pleurs redoublant d'intensité à l'idée de voir son père.

Un valet ouvrit le battant, et Grace pénétra dans la pièce, l'enfant en larmes sur les talons.

Dylan avait quitté le piano, et s'approchait déjà de la porte. Il s'immobilisa, et Isabel courut se jeter dans ses bras.

— Papa, je la déteste ! Elle est méchante. Aidez-moi, je vous en prie !

Ignorant l'enfant en colère qui s'agrippait à son père, Grace déposa le paquet sur la chaise longue.

— Bonjour, monsieur, le salua-t-elle d'un ton suave en sortant du sac des rubans et du matériel à broder. Avec quoi préfères-tu commencer, Isabel ? Veux-tu apprendre à broder ou à coudre de la dentelle sur un bonnet ?

La fillette poussa un hurlement. Dylan lança à Grace un regard songeur, puis il força sa fille à le libérer. Il la déposa sur le banc du piano, face à Grace.

— Cesse de pleurer, Isabel, ordonna-t-il. Tout de suite !

Les sanglots cessèrent, mais la petite continua à hoqueter. Les joues encore humide de larmes, elle croisa les bras et fixa sa gouvernante d'un regard furibond. Nullement impressionnée, Grace remit le ruban dans le sac.

— Madame Clairval, je crois que vous me devez quelques explications.

— Certainement, monsieur. Isabel refuse de dormir dans la nursery. Elle ne veut pas non plus apprendre les mathématiques, l'allemand ou la broderie, pas plus qu'elle ne souhaite lire ou se promener dans Hyde Park. Elle refuse de prendre un bain, de manger ses repas à l'heure ou de se lever le matin. Elle a essayé, en vain, de me chercher querelle toute la journée, c'est pourquoi elle est furieuse. En deux mots, monsieur, votre fille pique une colère.

— C'est pas vrai ! s'écria Isabel.

Dylan poussa un soupir et se passa la main dans les cheveux, conscient que Grace le mettait face à ses responsabilités de père.

— Je ne veux pas apprendre à faire de la broderie ou des bonnets, expliqua Isabel en s'adressant à lui. C'est inutile. Je me fiche de l'allemand ou des mathématiques. Je veux juste composer ma musique, jouer et m'amuser.

De manière inattendue, Dylan lui sourit.

— Je vous conseille de ne pas l'encourager, lâcha Grace d'un air agacé.

— Elle me ressemble tellement, vous ne trouvez pas ?

Pour l'heure, Grace ne voyait là pas de quoi être fier.

— Isabel a besoin d'une éducation digne d'une jeune fille du monde. La musique n'est pas tout dans la vie.

Aussitôt, le sourire de Dylan disparut. Grace avait touché un nerf.

— Pour certains d'entre nous, c'est pourtant le cas.

Devinant que le soutien de son père lui était acquis, Isabel le tira par la manche.

— J'ai passé une journée affreuse, papa. Ce matin, elle m'a fait réciter les tables de multiplication. Des centaines de fois ! Puis on est allé faire des courses, et elle a été méchante. Elle ne m'a pas laissé acheter ce que je voulais. Pas même un petit quelque chose de rien du tout.

— Une petite fille ne porte pas de l'écarlate, intervint Grace. Et tu n'as pas besoin d'un lézard, Isabel.

— Elle a demandé à la couturière de mettre de la dentelle sur mes robes, persista l'enfant d'un air dégoûté.

— Tu n'aimes pas la dentelle ? s'étonna Dylan, ce qui lui valut une exclamation exaspérée de sa fille.

— Elle prétend que ça la gratte, expliqua Grace.

— Ensuite, poursuivit la fillette, j'ai eu faim, mais elle n'a pas voulu me donner à manger.

— Comme je te l'ai déjà dit, Isabel, tu n'aurais pas eu faim si tu avais pris ton repas avant de sortir.

Isabel s'adossa au clavier, appuyant les coudes sur quelques touches qui émirent un son métallique.

— Vous voyez bien, papa ! Elle est méchante et avare, et elle veut m'affamer. Elle est exactement comme les religieuses.

Dylan dévisagea Grace d'un air amusé.

— Elle n'a rien d'une religieuse, mais parfois, elle fait semblant.

Grace ne trouva pas la remarque drôle. Elle jeta un regard acéré à Dylan, qui signifiait plus clairement que des mots qu'il ne l'aidait pas.

— Papa, vous auriez dû voir les nurses qu'elle a interrogées à l'agence aujourd'hui. J'ai eu la peur de ma vie à l'idée que l'une d'entre elles me borde le soir dans mon lit. Heureusement qu'elle n'a engagé personne. Je lui ai dit que sinon je m'enfuirais.

— Ce ne serait pas une bonne idée, Isabel, fit remarquer Grace. Si tu t'enfuyais, ton père serait obligé d'envoyer l'un des policiers de Peel pour te ramener à la maison, et ces hommes-là sont beaucoup plus effrayants qu'une pauvre nurse.

— Pourquoi dois-je apprendre à broder ? ronchonna Isabel. Ça ne sert à rien. Je suis sûre que je vais détester ça.

Elles avaient passé la journée à se chamailler à ce propos. Dieu que cette enfant était butée, songea Grace.

— Tu n'as même pas essayé. Comment peux-tu détester quelque chose que tu ne connais pas ?

— J'ai détesté la couture. La broderie, c'est pareil. Je vous en supplie, papa, implora-t-elle en joignant les mains. Je ne veux pas faire du point de croix et lire des poèmes stupides, et j'ai vraiment, vraiment faim… Mme March a préparé des cornets au caramel, mais elle lui a interdit de m'en donner. Je n'ai pas eu le droit d'acheter les robes que j'aimais, et je n'ai pas pu jouer du piano de la journée.

— On ne peut pas jouer du piano en mangeant des sucreries, rétorqua Grace. À moins que ce ne soit l'éducation que vous désirez lui donner, monsieur.

Dylan se tourna vers sa fille qui affichait un air de martyre.

— Je comprends mieux que personne ta passion pour la musique, Isabel, mais Mme Clairval a raison. Il y a des choses qu'une jeune fille doit apprendre. Le piano ne suffit pas. Le matin, tu feras des mathématiques, de la géographie, de l'allemand et de la broderie. En un mot, tout ce que Mme Clairval jugera approprié. L'après-midi, tu pourras jouer du piano jusqu'à l'heure du dîner.

Isabel ouvrit la bouche pour protester.

— Ça suffit ! coupa-t-il d'un ton sans réplique. Tu dormiras aussi dans la nursery et tu obéiras à ta gouvernante. Dans le cas contraire, je l'autorise à te punir. Est-ce clair ?

En guise de réponse, Isabel se mordilla la lèvre et laissa quelques larmes rouler sur ses joues. Elle semblait profondément malheureuse.

— On dirait que tu as une poussière dans l'œil, reprit son père, pas dupe. Veux-tu mon mouchoir ?

Une autre enfant aurait été furieuse de constater que sa stratégie avait échoué, mais Isabel, plus rusée, décida tout simplement de changer de stratégie.

— J'ai faim, papa, se lamenta-t-elle. Je n'ai pas mangé avant de sortir parce qu'il y avait des petits pois dans le hachis parmentier et que je les déteste. Il faut attendre encore deux heures avant le dîner. Je ne pourrais pas grignoter un petit quelque chose ?

— Dieu du Ciel, marmonna Grace en pressant les doigts contre ses tempes. Elle n'abandonne jamais, n'est-ce pas ?

— Je vous avais bien dit qu'elle me ressemblait, fit Dylan, enchanté. Moi aussi, je déteste les petits pois. Tu vas obéir à Mme Clairval, Isabel ? ajouta-t-il à l'intention de sa fille. D'accord ?

Il y eut un long silence.

— Oui, murmura-t-elle d'une toute petite voix.

— Je veux ta promesse.

Elle laissa échapper un soupir théâtral.

— D'accord, c'est promis. Est-ce qu'on peut manger quelque chose maintenant ? lança-t-elle, pleine d'espoir.

— Il ne faut pas l'habituer à grignoter entre les repas, l'avertit Grace. Si elle mange maintenant, elle n'aura plus faim pour le dîner.

— C'est possible, mais à son âge je me rappelle comme le temps me semblait long jusqu'au dîner. Et après avoir passé la journée à courir les magasins et à tenter de donner des ordres à ma gouvernante, moi aussi, j'aurais besoin de reprendre des forces.

Dylan glissa le bras autour de la taille de sa fille et la souleva dans les airs. Isabel poussa un cri de bonheur, et enlaça le cou de son père.

— Où allons-nous, papa ?

— Là où est la nourriture, bien sûr.

Grace leur emboîta le pas, soulagée que Dylan l'ait soutenue, et heureuse qu'il consacre un peu de temps à sa fille. Celle-ci en avait tellement besoin. Tant pis pour le dîner gâché !

Arrivé à la porte de la cuisine, Dylan s'immobilisa, passa rapidement la tête dans l'embrasure, puis se redressa.

— C'est l'occasion rêvée, murmura-t-il avec un air de conspirateur. Mme March est seule avec les cornets. Je vais la distraire pendant que tu prends l'assiette. Tu t'enfuiras par l'office, et je te rejoindrai.

Il posa sa fille sur le sol, lissa sa redingote, puis pénétra d'un air nonchalant dans la cuisine. Isabel se débarrassa de ses chaussures, et glissa un coup d'œil dans la pièce.

Grace écouta Dylan charmer Mme March en la complimentant sur ses talents de cuisinière. Il se débrouilla pour l'attirer près des fourneaux, loin de l'assiette de friandises. Isabel en profita pour entrer dans la cuisine à pas de loup, et chiper l'assiette. Amusée par le manège du père et de la fille, Grace ne put s'empêcher de sourire.

Sans un bruit, la fillette se réfugia dans l'office. Dylan demeura encore quelques minutes avec Mme March qui lui expliquait comment choisir les groseilles. Puis il s'inclina, et, tandis que la cuisinière retournait à la table de marbre où l'attendait une boule de pâte, Dylan fit signe à Grace de le suivre.

Elle ramassa les chaussures d'Isabel et se faufila dans la cuisine. Hélas, elle se montra moins discrète que son élève, et Mme March l'interpella.

— Madame Clairval, vous auriez un moment pour que nous discutions des repas de Mlle Isabel ?

Affichant un air innocent, Grace cacha les petites chaussures derrière son dos. Mme March voulait savoir qui devait établir les menus de la petite, et précisa qu'elle lui avait préparé une tourte au poisson et quelques cornets au caramel en dessert.

— C'est parfait, assura Grace.

Elle s'efforçait de ne pas rire, et priait pour que la cuisinière ne s'aperçoive pas que son dessert s'était volatilisé.

— Si cela vous paraît plus facile de vous charger vous-même du choix des menus de Mlle Isabel, je vous laisse volontiers le faire, reprit-elle. À présent, pardonnez-moi, mais je dois y aller.

Grace s'arrêta dans l'embrasure de la porte qui menait à l'office.

— Mme March ?

— Oui.

— Évitez juste les petits pois. Elle les déteste.

La cuisinière parut surprise qu'on puisse se soucier des goûts d'une enfant en matière de repas. Grace décida qu'elle n'avait pas le temps de lui expliquer que certaines batailles ne valaient pas la peine d'être menées. Elle traversa l'office, qui était vide, et regagna le rez-de-chaussée.

Lorsqu'elle arriva dans le salon de musique, elle découvrit que le père et la fille ensemble, cela signifiait deux fois plus de problèmes. Ils étaient dans un état…

Il était très difficile de manger proprement des cornets au caramel, car ils avaient une fâcheuse tendance à s'émietter dès la première bouchée, et l'on se couvrait les doigts de crème fouettée. Mais, apparemment, ni Dylan ni Isabel ne s'étaient souciés de manger proprement, si bien que leurs vêtements étaient pleins de miettes et de morceaux de sucre. Il y avait une trace de crème sur le revers de la manche de Dylan, ainsi que sur la robe et le visage d'Isabel. Celle-ci en avait même dans les cheveux.

— Mon Dieu ! s'exclama Grace, avant d'éclater de rire. Si Mme Ellis était là. Je frémis à l'idée de ce qu'elle dirait.

— Tu vois, Isabel, murmura Dylan, je t'avais bien dit qu'elle n'était pas comme les religieuses. Elle n'est pas assez méchante pour ça.

— Je crois que vous avez raison, papa. Je lui ai déjà dit qu'elle était trop gentille pour être une gouvernante.

— Dois-je comprendre que tu m'as pardonné, Isabel ? Monsieur Moore, ajouta Grace, je ne vous félicite pas : vous avez appris à votre fille à voler.

— Oh, mais je savais déjà comment faire ! répliqua Isabel.

Décidée à ne pas gâcher la bonne humeur ambiante, Grace leva les mains au ciel.

— Vous êtes impossibles, tous les deux !

— Ainsi parle une vraie gouvernante, déclara Dylan en mordant dans un cornet qui explosa en une pluie de miettes et de sucre sur la table en acajou.

Leur gourmandise était contagieuse, et Grace commençait à avoir faim, elle aussi. Elle avait pourtant pris deux parts de hachis parmentier, au déjeuner. Maintenant qu'elle vivait dans une maison où la nourriture ne manquait pas, elle avait l'impression d'être insatiable.

— Servez-vous, proposa soudain Dylan. Ce ne sont pas quelques sucreries qui vont vous couper l'appétit.

— Non, merci, répondit-elle, pour ne pas perdre la face.

Elle vint s'asseoir à la table, évitant de regarder le délicieux dessert.

— Lorsque vous étiez petite, vous n'avez jamais volé des bonbons à la cuisinière, madame Clairval ? demanda Isabel.

— Seigneur, jamais ! Je n'aurais pas osé.

Dylan l'observait d'un air sceptique.

— C'est la vérité, insista Grace. C'est peut-être idiot, mais c'est ainsi.

— Puisque je possède cette maison et tout ce qu'elle contient, y compris les pâtisseries, ce n'est pas exactement du vol, déclara Dylan en se léchant les doigts. Pas vrai ? ajouta-t-il en regardant sa fille.

— Sûr ! répliqua-t-elle, la bouche pleine.

— Ne dis pas « sûr », je t'en prie, Isabel, et ne parle pas la bouche pleine, la réprimanda Grace. Vous n'auriez pas pu demander à Mme March de vous les donner, tout simplement ?

— Mais cela n'aurait pas été drôle, contra Dylan. C'est bien mieux de les lui subtiliser sous le nez.

Isabel hocha la tête d'un air entendu.

— Si on les lui avait demandés, ce n'aurait pas été du tout pareil.

— Certes, mais je te conseille de ne pas le faire tous les jours, Isabel, sinon Mme March ne te préparera plus de douceurs.

— De toute façon, elle ne m'attrapera jamais !

Isabel glissa le dernier morceau de pâtisserie dans sa bouche, avant de s'approcher du piano.

— Dès qu'elle remarquera leur disparition, elle saura que c'est toi la coupable, puisque tu es la seule enfant de cette maison. Enfin, rectifia Grace en regardant Dylan, peut-être pas.

Avec un sourire, il se mit à se lécher les doigts, l'un après l'autre. Le geste en soi était plutôt innocent, mais son regard espiègle, et la façon lente et délibérée dont il procédait lui soufflaient qu'il ne pensait pas à quelque chose d'innocent.

Grace détourna les yeux.

— Papa ? Est-ce que je peux jouer sur votre piano ? Il est tellement mieux que le piano droit dans la nursery.

— Je dois travailler, dit-il en consultant la pendule. Tu pourras revenir après le dîner, avant d'aller te coucher, si Mme Clairval n'a rien prévu pour toi.

— C'est une bonne idée, approuva Grace. À présent, si tu montais prendre ton bain, Isabel ? Tu es couverte de miettes et de crème.

— Un bain à 3 heures de l'après-midi ? s'exclama la fillette, ravie, car cela sortait de l'ordinaire.

— Va prévenir Molly que je t'ai demandé de le prendre maintenant, plutôt qu'après le dîner. Ainsi, tu auras deux heures pour jouer du piano.

Isabel ne se le fit pas dire deux fois. Elle se rua vers la porte, puis s'arrêta net.

— Ce serait mieux pour tous les deux si j'avais moi aussi un Broadway, lança-t-elle à son père.

— Je ne crois, fit Dylan en lui indiquant la porte du doigt.

— Papa, je pensais que *vous* au moins vous comprendriez à quel point c'est important de travailler avec un bon instrument.

Elle poussa un profond soupir, puis s'éclipsa.

— Apparemment, je suis tombé de mon piédestal, commenta Dylan.

— Jamais. Vous êtes son père. Elle vous adore.

— Uniquement parce que je lui ai donné quelques sucreries.

— Non. Les petites filles adorent toujours leur père. Quant à moi, après une journée passée avec elle, je suis éreintée.

— C'était sûrement son intention.

— Bien sûr. Elle essaie de me pousser à bout dans l'espoir que je lui cède parce que ce sera plus facile que de me battre sans cesse avec elle.

— Ce n'est pas une stratégie très efficace, visiblement. Leçons d'allemand et de mathématiques, interdiction de grignoter entre les repas. Vous êtes une excellente gouvernante, car vous ressemblez un peu à un général d'armée.

Grace se redressa sur sa chaise, indignée.

— Vous exagérez !

— Heureusement que je ne suis pas sous vos ordres, continua-t-il. Vous ne me laisseriez rien passer.

— Comparée aux gouvernantes que j'ai eues à son âge, je suis une bonne pâte. Mme Filbert, elle, était un véritable général. Elle était très stricte et prônait l'autodiscipline.

— Ah, voilà qui explique pourquoi vous regardez ce dessert avec envie, mais que vous ne le prenez pas.

— Je ne le regardais pas, se défendit-elle.

— Ah, pardon, fit-il gravement. Au fait, je ne crois pas que vous ayez dit la vérité concernant votre cuisinière. Aucun enfant ne peut se vanter de n'avoir jamais dérobé une friandise à la cuisine.

— Moi si. J'étais une petite fille très sage.

— Vraiment ? fit-il, fixant sa bouche pulpeuse. Vous ne faisiez jamais de vilaines choses ?

— Non, répliqua-t-elle, bien décidée à ne pas se laisser troubler par la question insidieuse.

— Jamais ?

« Pas jusqu'au scandale qui a ruiné ma réputation et déshonoré ma famille », aurait-elle pu répondre.

— Jamais, dit-elle à la place.

— Pourquoi ?

Il avait posé la question d'un air si sérieux, qu'elle battit des paupières, déconcertée.

— Que voulez-vous dire ? demanda-t-elle.

— La question est pourtant simple. Pourquoi étiez-vous sage en permanence ?

— Je… je l'ignore, avoua-t-elle, perplexe, car elle n'y avait jamais réfléchi.

Il poussa l'assiette vers elle.

— Non, je n'en prendrai pas. J'essaie de montrer l'exemple à *votre* fille.

— Je sais, mais elle n'est pas là, non ?

Avec un sourire, il prit le dernier cornet sur l'assiette et l'approcha des lèvres de Grace. Elle huma l'odeur de gingembre et sentit son estomac se crisper.

— Allons, insista-t-il d'une voix douce. Je ne vous dénoncerai pas.

La gorge sèche, elle demeura immobile. Il se comportait comme un garnement espiègle, dérobant des sucreries à sa propre cuisinière en faisant semblant que c'était interdit. Mais le plus ridicule, c'était qu'elle avait l'impression d'être Ève en personne, tentée par la pomme au jardin d'Éden.

— Vous avez dû être très vilain lorsque vous étiez enfant, lança-t-elle d'un air accusateur.

— Très. Quand je ne volais pas des pâtisseries, je passais mon temps…

Il brisa le cornet en deux et en pressa la moitié contre les lèvres de Grace.

— … à essayer de convaincre la charmante Michaela Gordon de me laisser regarder sous ses jupes.

— Qui était Michaela Gordon ? murmura-t-elle, alors que la crème fouettée imprégnait ses lèvres.

— Une très jolie rousse. La fille du pasteur.

— Vous tentiez de regarder sous les jupes de la fille d'un pasteur ? s'offusqua-t-elle, tout en léchant la crème onctueuse.

Il insista et elle prit ce qui restait de la pâtisserie. Dylan éclata de rire. Elle sourit.

Soudain, Dylan redevint sérieux et appuya deux doigts contre les lèvres de Grace.

Seigneur… Alors qu'elle le regardait, le désir déferla en elle telle une vague brûlante. Son cœur battait à grands coups sourds. Une lourdeur délicieuse pesait entre ses cuisses. Elle ferma les yeux, certaine qu'il avait dû répéter ce même geste des dizaines de fois avec d'autres femmes. Tout était si facile pour un homme comme Dylan Moore. Les séducteurs de sa trempe étaient dangereux, car ils dévastaient les cœurs tel un feu de forêt, ne laissant après leur passage qu'une terre calcinée.

Elle se ressaisit, s'écarta, et il laissa retomber sa main. Dans son regard sombre, elle décela quelque chose qui ressemblait à de la tendresse.

— Vous avez de la crème sur le visage, dit-il, confirmant ses soupçons.

Il sortit un mouchoir de sa poche et le lui tendit.

Il était un artiste comme Étienne, mais ses doigts n'étaient pas longs et effilés comme ceux de son défunt mari. Non, Dylan avait de grandes mains, avec des paumes larges et des doigts rugueux. Des mains qui savaient être puissantes quand il jouait du piano et tendres quand il caressait une femme.

— Vous avez des mains merveilleuses, lâcha-t-elle sans réfléchir.

Elle se serait giflée.

— Merci.

Il y eut quelques secondes de silence.

— Grace ?

— Oui, fit-elle, les yeux baissés.

— Nous sommes amis désormais, n'est-ce pas ?

Elle leva la tête, se força à croiser son regard.

— Oui.

— Flûte alors, lança-t-il d'un air faussement désolé, le regard taquin.

9

Si l'ouverture était brillante, la suite ne valait rien. Furieux, Dylan ratura d'un geste rageur ce qu'il venait d'écrire. Alors que les harmonies auraient dû rendre le thème féminin plus riche et sensuel, elles l'appauvrissaient.

Exaspéré, il lâcha sa plume sur les partitions couvertes de ratures et de taches d'encre – pitoyable résultat d'un long après-midi de travail. Jamais il ne pourrait appeler un torchon pareil de la musique ! Il avait envie de tout déchirer.

Il attrapa la bouteille de cognac. Les yeux fixés sur la partition, il en avala une longue gorgée en songeant à sa muse. Cela faisait trois semaines que Grace habitait sous son toit. Après le premier après-midi passé en sa compagnie, l'inspiration l'avait porté toute une semaine, lui permettant de composer l'ouverture et le thème masculin. Après l'épisode des cornets au caramel, il s'était attaqué au deuxième mouvement, cherchant à composer son thème féminin autour de la mélodie lancinante qui l'obsédait depuis leur rencontre au Palladium.

Ces quinze derniers jours, il avait passé des heures assis à son piano. En vain. Il était épuisé et en colère. Le thème féminin continuait à lui échapper. Il s'était trituré le cerveau pour trouver quelques maigres idées, mais elles ne lui semblaient même pas intéressantes.

Il jeta un coup d'œil à la pendule, et se rendit compte qu'il avait travaillé neuf heures d'affilée. Il regarda autour de lui. Un domestique avait dû venir tirer les rideaux et allumer les lampes. Il était presque 11 heures, heure à laquelle il sortait d'ordinaire pour s'amuser.

En dépit des soucis que lui causait sa symphonie, sa soif de divertissements demeurait intacte. Il continuait à passer du temps dans des soirées, à son club ou à des tables de jeu. Ces quinze derniers jours, il avait été dans quelques maisons closes où il s'était amusé avec des courtisanes, mais sans jamais monter avec elles dans une chambre. Pourquoi ? Parce qu'aucune d'entre elles n'était Grace.

Être ami avec elle. L'idée lui déplaisait toujours autant.

Dylan étudia une partition, songeant que d'avoir une muse qui n'était qu'une amie n'était pas très inspirant. Il froissa le papier d'un geste rageur et le jeta sur la chaise longue où il en rejoignit une dizaine d'autres.

Il avala une nouvelle rasade de cognac. Et s'il sortait ? Mais il n'avait pas vraiment envie de se changer les idées. Il voulait continuer à travailler. Il posa les mains sur le clavier, cherchant à oublier le sifflement lancinant qui lui transperçait la tête. Il essaya une dizaine d'accords, les variant chaque fois afin de les intégrer au thème de manière satisfaisante. Sans succès. Tous ses efforts ne menaient à rien.

— Merde, merde et merde !

Il planta les coudes sur le clavier qui protesta. Tandis qu'il se frottait les yeux, la pendule sonna minuit. Encore une heure de perdue.

Depuis cinq ans, il avait été harcelé par des sifflements atroces, puis il avait retrouvé l'espoir et composé un premier mouvement, puis à nouveau plus rien excepté ce bruit odieux.

Et si tout cela n'était qu'un leurre? Grace avait-elle raison de dire que les muses n'existaient pas? Peut-être n'entendait-il plus que les murmures d'une inspiration qui aurait donné autrefois des sonates et des symphonies?

Il avait l'impression que des griffes acérées lui déchiraient les entrailles. La peur le paralysait. Si seulement il avait pu redevenir lui-même, le musicien qui composait une sonate aussi facilement que s'il écrivait une lettre, celui qui n'avait jamais à lutter pour exprimer ce qu'il ressentait, qui parlait par l'intermédiaire des notes et de la musique. Celui qui ne craignait pas l'échec, qui ignorait le doute et les incertitudes.

Après l'accident, il s'était assis à ce piano des heures durant dans l'espoir que quelque chose allait se produire, un déclic qui lui permettrait d'être de nouveau comme avant. Et puis un jour, il avait cessé d'essayer, et son âme avait commencé à dépérir.

Il avait toujours su à quoi il était destiné. Il devait transformer les turbulences de son âme en une œuvre qui avait une forme et une substance, quelque chose qui pouvait être consigné par écrit afin de ne pas disparaître.

C'était sûrement prétentieux de penser que les tourments de son âme pouvaient intéresser l'humanité, mais cela lui avait toujours semblé évident. À vrai dire, il n'avait pas eu le choix. S'il n'extériorisait pas le tumulte qui l'animait, il savait qu'il cesserait d'exister, non pas en se tirant une balle dans la tête, mais parce que son être s'éteindrait à petit feu. Un artiste ne vivait que s'il parvenait à s'exprimer.

La pendule sonna minuit et quart.

Ses phalanges étaient douloureuses et le sifflement lui déchirait les tympans tandis qu'il contemplait les touches noires et blanches. Il devait finir de composer ce thème. Sans thème, il n'y avait pas de symphonie.

Sans symphonie, pas de musique. Sans musique, Dylan Moore sombrerait dans le néant.

Au fond de son cœur, il connaissait pourtant la vérité. Il ne pouvait pas écrire une symphonie ; il n'avait même pas assez de matière pour une malheureuse sonate. Tels des serpents venimeux, les pensées mauvaises sifflaient dans son cerveau.

Pris d'une soudaine envie de fuir, il se leva d'un bond, renversant le banc. S'il voulait survivre à cette nouvelle nuit, il devait remplacer la douleur, la peur et le désespoir par quelque chose de joli, d'amusant ou d'anesthésiant.

Il décida de monter se changer avant de sortir, mais lorsqu'il arriva au pied du grand escalier, il entendit un léger son plaintif. Il s'arrêta, reconnaissant le violon de Grace.

Depuis cet après-midi où ils avaient partagé des sucreries, la jeune femme l'avait évité, et il n'avait pas insisté. Il n'avait pas l'intention d'en rester à une liaison platonique, mais Grace n'était pas prête à lui céder pour l'instant. Depuis quinze jours, ils se trouvaient dans une impasse. Peut-être pourrait-il y mettre un terme ce soir.

Il fit demi-tour et se dirigea vers la bibliothèque. Elle jouait un extrait poignant de la *Pathétique*. Il hésita une seconde, puis tourna la poignée.

Elle était assise sur le canapé recouvert de brocart ivoire, non loin de la fenêtre, les yeux fermés, si concentrée sur sa musique qu'elle ne l'entendit pas entrer. Il ignorait qu'elle utilisait la bibliothèque pour s'exercer la nuit.

À la lumière des chandelles, le bois satiné de son instrument luisait doucement et ses cheveux brillaient comme de l'or. Sans un bruit, il referma la porte, s'y adossa, et ferma à son tour les yeux pour écouter.

Il se rappelait comme elle avait eu peur de jouer devant lui, le soir du dîner, et combien ses craintes étaient injustifiées. Il lui manquait cette touche d'éclat et cet égotisme qui fait le virtuose, mais c'était une très bonne violoniste, et c'était un plaisir de l'écouter.

La musique cessa.

Il ouvrit les yeux. Elle l'étudiait, le violon sous le menton et l'archet immobile au-dessus des cordes.

— Continuez, l'encouragea-t-il. Je passe un excellent moment.

Aussitôt, le visage de la jeune femme s'éclaira. Il avait l'habitude de faire des compliments aux femmes, mais son visage radieux le mit mal à l'aise, et le toucha de manière inattendue.

— Je vous en prie, poursuivez.

À sa grande déception, elle secoua la tête.

— Je joue depuis plusieurs heures déjà, et je commence à avoir mal aux mains. Il est temps d'arrêter.

— Je connais cela, dit-il en serrant et desserrant les poings avec une grimace. Surtout aujourd'hui.

— Vous avez passé l'après-midi à composer ?

— Oui.

— Et alors ?

— Je n'avance pas, répondit-il d'un ton léger. Je suis contrarié, car ma muse ne m'aide pas beaucoup.

Grace rangea son violon et son archet dans la boîte ouverte à ses pieds.

— Vraiment ? Ce n'est pas très généreux de sa part.

— En quinze jours, elle n'est pas venue une seule fois prendre de mes nouvelles, fit-il en traversant la pièce pour s'asseoir dans le fauteuil en face d'elle.

Feignant de ne pas comprendre l'allusion à l'impasse dans laquelle ils se trouvaient, elle lissa sa jupe.

— Quelle horrible muse !

Il remarqua soudain qu'elle portait une nouvelle robe bleu pervenche, agrémentée d'un col de dentelle, et dont les manches s'arrêtaient au-dessus du coude.

— Grace, vous ne portez plus de serpillière ! s'exclama-t-il.

— J'ai commandé quelques robes à la couturière, comme vous me l'avez demandé. Elles sont arrivées ce matin. J'avoue que c'est agréable d'avoir de jolies tenues.

— Elle vous va à ravir. Et je constate que, contrairement à ma fille, la dentelle ne vous déplaît pas.

Grace éclata de rire.

— Peut-être qu'Isabel finira par l'aimer, elle aussi, comme elle commence à apprécier l'allemand.

— Se montre-t-elle plus coopérative ?

— Pas vraiment. Elle trouve que c'est une langue très laide.

— Mais elle vous obéit et apprend ses leçons ?

— Elle obéit la plupart du temps, mais de mauvaise grâce. Elle se plaint de tout, simplement pour le plaisir de me contrarier. Il est évident qu'elle n'a pas l'habitude de se plier à des contraintes, mais j'avance pas à pas. C'est un travail de longue haleine.

— Si vous avez besoin de moi pour la réprimander, n'hésitez pas.

— Je préférerais que vous passiez un peu plus de temps avec elle, répondit-elle posément.

Dylan détourna les yeux.

— Je travaille sur une symphonie qui me prend énormément de temps.

C'était une excuse, et il le savait, mais, bon sang, son travail était vital pour lui ! Il éprouva néanmoins une pointe d'insatisfaction.

— J'essaierai d'être plus disponible, se surprit-il à dire.

— Je suis désolée que vous ayez des soucis avec votre musique.

— Je viens voir ma muse pour qu'elle m'aide, la taquina-t-il, et voilà que je la trouve en train de jouer du Beethoven.

— Cela aurait pu être pire ! fit-elle en riant. J'aurais pu jouer du Mozart.

— Comme je n'ai jamais jalousé Mozart, cela m'aurait moins ennuyé.

— Vous n'enviez tout de même pas Beethoven ?

— Non, pas le moins du monde. Il a seulement composé l'une des plus belles symphonies qui ait jamais existé.

Dylan marqua une pause, avant d'ajouter avec une grimace :

— Le salaud.

Grace ne put s'empêcher de rire.

— Vous parlez de la Neuvième ?

— Bien sûr. Il a transformé une sonate de fond en comble, en ajoutant des marches funéraires, des adagios… Mais au lieu d'être la bouillie incohérente à laquelle on aurait pu s'attendre, c'est juste et magnifique. Pas une seule faute. On ne peut imaginer mieux. Je l'envie terriblement, Grace.

Il avait parlé avec une telle véhémence qu'elle redevint sérieuse.

— Vous avez oublié de mentionner qu'il était sourd quand il l'a composée, remarqua-t-elle doucement. Cela, on ne peut pas le lui envier.

Il faillit sourire tant cela lui semblait ironique. Lui n'était pas sourd, non. Il entendait trop.

— Non, en effet, on ne peut pas l'envier sur ce point.

Elle ne répondit pas, se contentant de l'étudier avec compassion, et quelque chose qui ressemblait à de la compréhension.

— Pourquoi me regardez-vous ainsi ? s'enquit-il. À quoi pensez-vous ?

— Je pense à mon mari, dit-elle d'une voix sourde, le regard soudain absent.

Il se raidit, comme si un inconnu venait d'entrer dans la pièce. Il savait que pour Grace le passé était un sujet douloureux, et il voulait en connaître la raison.

— Où est-il?

— Il est mort il y a deux ans.

Il se demanda si c'était là la cause de son chagrin, car elle s'était exprimée d'un ton si détaché. Ni son visage ni sa voix ne trahissaient une quelconque émotion. Cela lui parut étrange.

— Pourquoi est-ce que vous avez pensé à lui en me regardant?

— D'une certaine façon, vous me le rappelez.

— En bien ou en mal? risqua-t-il, pas vraiment certain de vouloir entendre la réponse.

— Ni l'un ni l'autre.

Elle lui avait demandé de ne pas l'interroger sur son passé, mais Dylan était curieux. Il lui prit la main.

— Après deux ans, est-ce que vous le pleurez toujours?

— Est-ce que je le pleure? répéta-t-elle. Je...

Elle prit une profonde et tremblante inspiration. C'était la première fois qu'elle montrait de l'émotion.

— J'ai arrêté de le pleurer il y a longtemps.

— Votre main est glacée, murmura-t-il.

S'il avait été galant, il aurait allumé le feu dans la cheminée, mais il avait une meilleure idée pour la réchauffer. Il enserra sa petite main entre les siennes.

— Détendez-vous. Laissez-moi vous réchauffer.

— Non.

Et pourtant, il perçut dans sa voix une pointe d'hésitation. Elle tenta de se libérer, mais il la retint.

— Que redoutez-vous? demanda-t-il.

— De souffrir.

La réponse était simple, franche, irréfutable.

— Je ne vous ferai pas de mal.

— Non, en effet. Parce que je ne vous le permettrai pas.

— Est-ce que votre mari vous a fait souffrir ?

Le regard de Grace se fit lointain.

— Il m'a offert quelques-uns des moments les plus heureux de mon existence.

Comme sa voix sonnait bizarrement ! Elle évoquait des émotions puissantes avec un tel détachement, et pourtant, elle n'était pas détachée. Dylan détestait cette façon qu'elle avait de regarder au-delà de son épaule, comme si elle voyait le fantôme d'un autre homme. Cependant, elle lui permettait de la toucher, et cela lui suffisait.

Il vint s'asseoir près d'elle, glissa le bras autour de ses épaules. Elle ne se détourna pas, mais continua à fixer un point invisible dans l'espace.

— J'aimerais vous rendre heureuse, chuchota Dylan en déposant un baiser sur son poing fermé.

Doucement, ses doigts se déplièrent, et il embrassa la paume offerte.

— Je le pourrais, Grace. Je pourrais vous rendre heureuse.

— Oui, je le crois, murmura-t-elle, un rien étonnée. Mais cela ne durerait pas.

— Est-ce que cela ne suffit pas ? Le bonheur est si rare dans la vie. Ne pouvons-nous le saisir lorsqu'il passe à notre portée, et en profiter le temps qu'il dure ?

— Pour ne plus vivre que de souvenirs lorsqu'il s'enfuit ? rétorqua-t-elle d'une voix soudain dure.

Si penser à son mari la rendait amère, il allait chasser ce dernier de son esprit sur-le-champ.

Il lui lâcha la main et lui effleura la joue. Puis il tourna doucement sa tête vers lui, s'inclina sur elle et l'embrassa. Elle ferma les paupières, mais garda les lèvres closes. Il les frôla de la langue, et lorsqu'elle céda enfin et entrouvrit la bouche, des épées de plaisir lui transpercèrent le corps. Il glissa la main sur sa nuque, sous la soie de ses cheveux, tandis qu'il approfondissait son baiser. Il explora la douceur de ses lèvres, aspira sa langue, lécha ses dents, goûta son parfum délicieux.

Elle avait pris un peu de poids depuis qu'elle habitait chez lui, et il ne put que s'en féliciter.

Lorsqu'il caressa la courbe de sa hanche, elle se raidit. Il cessa tout mouvement, attendit, mais elle ne le repoussa pas. Elle s'agita légèrement et un gémissement lui échappa tandis qu'elle interrompait leur baiser.

Était-ce un refus? Il décida que non, et laissa courir sa main le long de sa cuisse. Il lui embrassa sa joue, le lobe de l'oreille, tout en lui caressant le genou à travers la robe.

La respiration de Grace s'était accélérée. Il la sentait frissonner, mais elle ne le touchait pas, et cette retenue était terriblement érotique. Il souleva les jambes de Grace et inclina la jeune femme en arrière jusqu'à ce que sa tête repose sur l'accoudoir du sofa. Penché sur elle, il lui caressa les seins. Il n'en sentait pas la pointe à travers les épaisseurs de tissu, mais le seul fait d'imaginer sa poitrine dénudée l'enflammait.

Elle leva la main pour lui caresser doucement la joue d'un geste presque craintif, et une flambée de désir s'alluma en lui.

— Grace, grogna-t-il, vous êtes si belle, si délicieuse.

Il dénoua le premier bouton de sa robe, et sa main fine lui enserra le poignet. «Surtout ne dites rien, la supplia-t-il en silence. Pas encore, pas maintenant.»

— Laissez-moi faire, murmura-t-il. Laissez-moi vous aimer.

Soudain, elle se figea entre ses bras comme si elle venait de recevoir un baquet d'eau froide.

— L'amour! s'écria-t-elle en le repoussant de toutes ses forces avant de bondir sur le sol. Comme vous en parlez légèrement! continua-t-elle, pantelante, le regard de glace. Alors que vous ne savez même pas ce que c'est.

Le corps lourd de désir, Dylan s'efforçait de reprendre ses esprits.

— Et bien sûr, vous, vous en savez bien plus que moi, répliqua-t-il, irrité, en s'adossant au sofa.

— Je le pense, oui.

Son regard se perdit au-delà de lui, du côté de la fenêtre, comme si elle pouvait voir à travers les rideaux de velours. De nouveau, elle s'échappait là où il ne pouvait la suivre. Son visage de madone s'adoucit, prit une expression de tendresse mélancolique qu'il détesta, car elle ne lui était pas destinée.

— Pardonnez-moi, dit-il en se levant. Je ne savais pas que vous aviez enterré votre cœur avec votre mari.

— Que savez-vous de mon cœur? répliqua-t-elle. J'ai passionnément aimé mon mari. Vous ne savez pas ce que c'est que d'aimer l'autre plus encore que soi-même. Je doute que vous sachiez ce qu'est le véritable amour ou ce qu'il signifie!

Il sentit la colère gronder dans ses veines.

— À présent, c'est vous qui prétendez connaître le cœur d'un autre. J'ai aimé autrefois, Grace, même si cela vous semble difficile à croire. J'ai aimé la même personne depuis l'âge de sept ans. Elle était tout ce que je n'étais pas, et c'est la seule que j'aie jamais désirée. J'avais vingt et un ans quand j'ai quitté Cambridge et que je suis venu lui demander de m'épouser. Mais j'étais le fils cadet d'un châtelain, un garçon un peu rebelle, un peu fou. Personne n'a été étonné qu'elle décline ma proposition. Plus d'une décennie s'est écoulée depuis et j'ai perdu mes illusions sur l'amour, mais je me souviens avec une douloureuse clarté ce que l'on ressent quand on aime... chaque moment glorieux, lumineux et dévastateur.

Dylan inspira profondément. Un poids lui oppressait la poitrine, et il avait le sentiment de s'enfoncer dans des sables mouvants. Il se rappela la ravissante jeune fille rousse, un pré à la campagne, des baisers volés, et cette demande en mariage sous un vieux chêne lors d'une chaude nuit d'été.

— Elle s'appelait Michaela Gordon. Oui, c'était la fille du pasteur. Le libertin que je suis devenu a, semble-t-il, un faible pour les femmes vertueuses. Que diraient les gens s'ils savaient ? conclut-il d'un air ironique.

Il s'inclina brièvement, puis se dirigea vers la porte qu'il claqua en sortant.

10

Financé par des familles qui partageaient les opinions du parti libéral, *Brook's* était un club où se retrouvaient notamment les natifs du Devonshire, mais ses membres ne s'intéressaient pas outre mesure à la politique. À vrai dire, c'était un club qui plaisait aux radicaux, aux artistes et aux joueurs. L'endroit idéal pour un homme comme Dylan Moore.

Ce soir-là, il était à la recherche de son ami Hammond. Le vicomte était toujours partant pour partager avec lui des divertissements peu recommandables et Dylan avait grand besoin de se divertir.

Il trouva son ami installé dans un coin confortable du grand salon, en compagnie de deux de leurs connaissances, Lord Damon Hewitt et le jeune Sir Robert Jamison. Un sourire aux lèvres, il songea que c'était le groupe idéal pour passer une bonne soirée.

S'il s'était ressaisi depuis la mésaventure survenue dans la bibliothèque une heure auparavant, il était néanmoins à cran et avait un besoin urgent de se défouler. Les pubs et les tavernes dans le quartier de Temple Bar lui semblaient parfaits pour commencer, et ses trois amis seraient sûrement ravis de se joindre à lui pour boire plus que de raison et courir le jupon.

Élancé, mince et musclé, le vicomte Hammond était un escrimeur aussi doué que Dylan. Il avait les cheveux et les yeux bruns, et depuis quelque temps portait un collier de barbe, ce que Dylan appréciait puisque ce n'était pas à la mode..

— Moore! s'écria Hammond à sa vue. Nous étions justement en train de parler de toi.

Les trois hommes sirotaient du porto, un alcool doux que Dylan n'aimait guère. Il fit signe à un maître d'hôtel de lui apporter sa boisson préférée.

— Vous parliez de moi? s'étonna-t-il en se laissant tomber dans un fauteuil. Quel sujet de conversation ennuyeux!

— Voilà des siècles que je ne t'ai pas croisé chez Angleo! Que deviens-tu?

— Je travaille sur une symphonie. Je n'ai pas beaucoup de temps.

— Débrouille-toi pour en trouver, mon vieux. Je n'ai pas de partenaire à la hauteur avec qui exercer mes talents au fleuret.

— Je suis bien meilleur escrimeur que toi.

— Tu plaisantes! Lors de notre dernier combat, je t'ai renvoyé à tes chères études.

— Uniquement parce que j'ai glissé sur une pierre et que je suis tombé du mur.

Quelques mois auparavant, dans Regent's Park, Dylan et Hammond s'étaient affrontés à l'épée, en équilibre sur un muret de pierre, à la grande joie des promeneurs. Comme la plupart des exploits de Dylan, celui-ci avait été rapporté dans les gazettes.

— Je suis sérieux, Moore, persista Hammond. La saison est commencée depuis un mois, et tu n'as pas encore fait la une des journaux à scandale.

— On ne parle plus de toi, renchérit Sir Robert. Pas de répliques insolentes lors de dîners guindés. Pas de courses d'obstacles débridées dans Hyde Park. Pas de ragots concernant des triplées dans un bordel...

— Elles étaient jumelles, corrigea Dylan. Et ce n'était pas dans un bordel, mais dans un hammam.

— Moore, avoue que tu as été un peu ennuyeux cette saison, intervint Lord Damon. Ne serait-il pas temps que tu fasses honneur à ta réputation ?

— Que diriez-vous d'y remédier sur-le-champ ? proposa Dylan, tandis qu'on posait devant lui un verre et une bouteille de cognac. Je suis ouvert à toutes les suggestions ! Surtout si elles impliquent des jolies filles…

Au diable les femmes vertueuses ! pensa-t-il avec amertume en vidant son verre d'une lampée.

— Qu'allons-nous faire, messieurs ? s'enquit Hammond, le regard brillant à la perspective d'une soirée agitée. Traîner dans Seven Dials ? À moins que Dylan et moi n'échangions quelques coups d'épée sur la rambarde du pont de Westminster ?

Dylan remplit son verre, s'apprêtant à répondre, mais Robert le prit de vitesse.

— Tiens, voilà Sir George Plowright, chuchota-t-il. L'autre jour, Givens a essayé de battre le record, mais il n'a tenu que huit minutes. Plowright est toujours champion de boxe chez Gentleman Jackson. Ça fait trois ans qu'il détient le titre.

— L'escrime exige beaucoup plus d'habileté que la boxe, déclara Damon d'un ton sentencieux.

— Je ne suis doué ni pour l'un ni pour l'autre, fit Robert sombrement.

Dylan lui flanqua une tape amicale sur l'épaule.

— À vingt-deux ans, tu es encore jeune, mon ami. Dans quelques années, tu nous surpasseras tous.

Tête haute, bombant le torse, Sir George entra dans la pièce. Comme à son habitude, il portait une tenue de soirée colorée. Il était aussi réputé pour ses tenues extravagantes que pour ses prouesses de pugiliste. En compagnie de l'un de ses proches, Lord Burham, il s'installa non loin des quatre amis.

— Il s'est surpassé ce soir, murmura Dylan en le détaillant dans le miroir suspendu au-dessus de la

tête de Damon. Un gilet rose et une redingote bleue ?
Seigneur, quelle audace !

— C'est à peine croyable que ce poseur affublé de
pantalons à rayures roses et bleues, d'un gilet rose,
et qui pèse plus de cent kilos, soit le meilleur boxeur
de Westminster, se désola Hammond.

— Quelle ironie du sort, non ? renchérit Sir Robert.
À le voir, on penserait qu'il préfère les garçons.

Dylan sourit.

— Pas du tout, mon jeune ami. Sir George a un
autre souci.

— Lequel ?

— Les filles prétendent qu'il dégaine un peu trop
vite, s'amusa Lord Damon. Il semblerait qu'il n'ait
pas le temps de placer son arme dans la bonne position avant de tirer.

Les quatre hommes se mirent à rire de bon cœur,
si bien que l'objet de leur discussion dut élever la voix
pour se faire entendre.

— Burham, n'est-il pas honteux que Moore refuse
de se battre avec moi ? déclara-t-il à son compagnon.
Je commence à penser que sa réputation est grande-
ment usurpée.

Dylan croisa le regard de Sir George dans le miroir,
leva son verre en souriant, puis continua à siroter son
cognac.

— Voilà un homme dont on vante le courage,
insista Sir George. Et pourquoi, je vous prie ? Parce
qu'il mène une vie dissolue ? Est-ce que cela mérite
qu'on l'admire tant ?

— Méfie-toi, Dylan, murmura Robert en se penchant vers son ami. Il te provoque délibérément. Et
en public, qui plus est.

— Cela ne m'étonne pas, répondit Dylan. Tout le
monde sait que Sir George et moi ne nous apprécions guère.

— Il y a quelques années, l'imbécile a mis Moore
au défi de se battre avec lui à l'épée, expliqua Lord

Damon à leur jeune ami. Évidemment, il a été battu à plate couture. Il caresse toujours l'espoir de prendre sa revanche en persuadant Moore de boxer contre lui.

— Ou en me faisant bannir de la bonne société, ajouta Dylan.

Sir George éleva de nouveau la voix.

— Il mène une vie scandaleuse, bafouant la morale sans vergogne. Mais les gens le tolèrent sous prétexte que c'est un grand artiste. Pour ma part, je ne trouve pas que ce soit là une raison valable.

Un silence tendu s'était abattu dans la pièce. Feignant de ne s'adresser qu'à son ami Burham, Sir George poursuivit :

— Moore mène une vie de débauche et d'excès qui ne mérite que le mépris. Comment ose-t-il embrasser des jeunes filles dans une salle de bal ? Ou vivre ouvertement avec des actrices et fréquenter des prostituées ? Moi, j'appelle ça de la luxure.

Dylan se raidit dans son fauteuil, se demandant si quelqu'un avait entendu parler de Grace. Ou d'Isabel ? Sa propre réputation le laissait indifférent. Il en était même plutôt fier, mais s'il entendait une seule parole méprisante concernant Grace ou sa fille, Sir George le regretterait.

Il se retourna pour lui faire face et le gratifia d'un sourire moqueur.

— À vous entendre pérorer ainsi, Sir George, on jurerait que vous avez l'intention d'entrer dans les ordres.

— Quant à vous, monsieur, il apparaît que vos besoins en matière de femmes sont insatiables. Un vrai coq !

— Comment le sauriez-vous ? À en croire la rumeur, vous n'arrivez même pas à franchir les portes du paradis.

Il y eut quelques éclats de rire ici ou là, tandis que Sir George s'empourprait.

— N'ayez pas l'air aussi défait, mon cher, s'entêta Dylan d'un air faussement apitoyé. Il paraît qu'il existe certaines herbes qui stimulent… euh… l'endurance.

Sir George se leva d'un bond, et fit un pas en direction de Moore, les poings serrés.

Hammond posa la main sur l'avant-bras de Dylan qui commençait à s'agiter sur son siège.

— Laisse tomber, Moore. Ça ne vaut pas le coup de se battre pour des choses aussi futiles.

Mais Dylan n'était pas prêt à courber l'échine. Il mourait d'envie d'en découdre, surtout ce soir, et Sir George aussi, visiblement.

— Je n'en ai pas la moindre envie, déclara-t-il plaisamment.

Pour seule réponse, Hammond plaça les mains sur la table et fit semblant de jouer du piano. Dylan laissa échapper un soupir agacé. Pour une fois, son ami faisait preuve de bon sens. Il leva les yeux vers Sir George et commença à battre en retraite.

— Je suis un adepte de l'escrime et vous de la boxe, Sir George. Nous sommes des hommes du monde qui pratiquons des sports différents et apprécions la compagnie des femmes. Restons-en là, je vous en prie.

Sir George s'approcha d'un pas en bombant le torse.

— Vous, un homme du monde, Moore? Alors que vous refusez de vous engager dans un vrai sport de gentlemen, quoi qu'on dise ou fasse? Selon moi, vous manquez du plus élémentaire courage pour le prouver. Vous n'êtes pas un gentleman, Moore, mais un lâche.

Une insulte aussi grave méritait un duel, mais Dylan se contenterait d'un combat. Il posa son verre brutalement sur la table, repoussa son fauteuil et se leva.

— Vous allez trop loin, monsieur, s'écria-t-il. Je ne permettrai à personne de me traiter de lâche, et surtout pas à un paon vêtu de rose !

Comme il se jetait en avant sur son adversaire, Hammond bondit et le ceintura. De son côté, Burham agrippa Sir George par le bras. Ils tentèrent de maintenir les deux hommes à bonne distance.

— Je ne laisserai pas passer cette insulte, Hammond, déclara Dylan en se dégageant. Voilà des années que Plowright veut ce combat, cette fois il l'aura.

Sir George eut un sourire triomphant.

— Où et quand ?

— Moore, ne sois pas stupide ! s'exclama Hammond. Tu n'as pas fait de boxe depuis Cambridge. Pense à tes mains, mon vieux !

— Est-ce que tu laisserais un homme te traiter de lâche ? Et vous deux ? ajouta Dylan à l'adresse de Robert et de Lord Damon.

Les trois hommes demeurèrent silencieux.

— Quel est le record à battre dans un combat avec cet imbécile ? reprit Dylan.

Ses amis ne répondirent pas.

— Qu'on me dise le temps à battre contre Sir George Plowright, lança-t-il, s'adressant à tous les gentlemen présents.

— Le record s'établit à vingt et une minutes et quatre secondes, cria quelqu'un.

— Parfait, fit Dylan. Après vous, ajouta-t-il en indiquant la porte à Sir George.

Celui-ci arqua un sourcil étonné.

— Maintenant ? Dans la rue ? Comme cela vous ressemble, Moore.

— Si la rue ne convient pas à votre sensibilité raffinée, allons dans la cour de l'écurie. Je dois laver cet affront sans attendre. Qu'y a-t-il, Sir George ? fit-il en voyant l'autre hésiter. Vous craignez qu'un peu de crottin de cheval ne gâte votre jolie chemise ?

— Allons-y de ce pas, répliqua Sir George en tournant les talons.

— Je vais délimiter le ring, proposa Burham avec un soupir en suivant son compagnon.

Dès qu'ils furent sortis, les conversations reprirent de plus belle. Les paris étaient ouverts. Après tout, le *Brook's* était un club de parieurs invétérés.

— Abandonne, Dylan, insista Lord Damon. Tu risques de te bousiller les mains.

Dylan ne répondit pas. Il ôta sa redingote, commença à déboutonner son gilet. En fait de divertissement, cela allait beaucoup plus loin. C'était une question d'honneur, à présent. La fureur qui grondait en lui devait trouver un exutoire, et peu lui importait que Plowright en fasse les frais.

Il arracha son gilet, dénoua sa cravate, se débarrassa de sa chemise, tandis que ses amis continuaient à le supplier de renoncer.

— Réfléchis, insista Hammond. Tout cela n'a aucun sens. Personne ici, excepté Sir George, n'aurait l'idée de te traiter de lâche. Et tout le monde sait qu'il te cherche depuis que tu l'as battu à l'épée. En plus, il est ivre.

— Tant mieux ! Moi, je suis aussi sobre qu'un pasteur. Ça me donnera un avantage sur lui.

— J'en doute, mais si tu es décidé à commettre cette folie, mets au moins des gants.

— Hammond, tu deviens ennuyeux, rétorqua Dylan en s'attachant les cheveux avec sa cravate. Personne n'utilise de gants en dehors des entraînements. Acceptes-tu d'être mon second ?

Exaspéré, Hammond leva les mains au ciel.

— Évidemment. Tu te souviens des règles ?

— Tu ferais mieux de me les rappeler.

Tandis qu'ils quittaient le salon, Hammond lui rappela les règles édictées par Broughton. Sir Robert et Lord Damon leur emboîtèrent le pas.

Les autres gentlemen les imitèrent. Ils sortirent dans Saint-James Street et se dirigèrent vers les écuries situées à l'arrière du club. On avait dû se donner le mot, car des hommes sortaient aussi du *White's*, un cercle voisin, pour assister au combat.

Dans la cour de l'écurie, on avait dégagé un espace et tracé les lignes du ring sur le sol à la craie. Sir George, Burham et quelques-uns de leurs amis attendaient Dylan.

— Dylan, arrête ! cria quelqu'un.

Dylan reconnut la voix de son meilleur ami, le duc de Tremore. Il l'aperçut dans la foule, car il dépassait tout le monde d'une tête, mais il choisit de l'ignorer.

Sir George avait retiré sa veste, mais il avait gardé sa chemise dont il avait retroussé les manches. Les vrais gentlemen n'exposaient probablement pas leur torse à l'air frais de la nuit, songea Dylan en esquissant un sourire ironique.

Il n'avait pas boxé depuis des années. Il se remémora les quelques leçons prises à Cambridge.

Les deux hommes choisis pour arbitrer le combat abaissèrent le bras et reculèrent d'un pas. Sir George, lui, continua à saluer la foule. Sachant que la meilleure défense, c'était l'attaque, Dylan lui décocha un coup de poing dans la mâchoire si violent qu'une onde de douleur se répercuta dans tout son bras. Bon sang, il avait oublié à quel point boxer faisait mal ! Il esquiva la riposte de Sir George, puis lui assena un deuxième coup au thorax.

Hélas, il fut moins chanceux ensuite. Lorsque Sir George l'envoya dinguer sur le sol, Hammond tenta de le convaincre de ne pas se relever.

— Ça suffit maintenant, Moore, dit-il à mi-voix tandis que l'arbitre entamait le décompte.

— Pas question ! Je veux passer au moins vingt et une minutes et cinq secondes à batailler avec ce petit coq.

Il se releva, l'arbitre s'écarta et le combat reprit.

Le poing de Plowright arriva sur sa joue tel un boulet de canon, mais il l'esquiva, et réagit en décochant un direct à la mâchoire de son adversaire qui chancela. Sir George prit sa revanche quelques secondes plus tard en lâchant une série de coups dans la tête de Dylan. Ce dernier crut que son crâne allait éclater, et le sifflement dans son cerveau s'intensifia.

Il réussit à atteindre les côtes de son adversaire, et eut la satisfaction d'entendre un léger craquement.

Hélas, sa satisfaction fut de courte durée ! Quelques secondes plus tard, Sir George l'envoya à terre pour la deuxième fois. Il entendit l'un des deux arbitres commencer le décompte, puis la voix rauque de Tremore qui hurlait :

— Hammond, bonté divine, tu es son second ! Sors-le de là ! Il va se faire massacrer !

Il sentit Hammond le saisir par les aisselles pour le tirer hors du carré.

— Lâche-moi ! tempêta Dylan.

Il s'arracha aux mains de son ami, se redressa et affronta de nouveau son adversaire, sourd aux supplications de ses amis.

Le combat continua encore et encore. Jamais Dylan n'aurait imaginé que vingt et une minutes et cinq secondes pouvaient paraître aussi interminables ! Jusqu'à récemment, il s'entraînait à l'escrime et soulevait des poids six jours par semaine chez Angleo. Il se promit de s'y remettre, symphonie ou pas.

En dépit de son excellente forme physique, il sentait son corps faiblir sous les coups de boutoir répétés de son adversaire, car Sir George était un bien meilleur boxeur que lui. Il esquivait, attaquait, ou encaissait les coups quand il ne pouvait faire autrement, mais il était chaque fois plus difficile de se relever.

Le choc sourd des poings qui s'écrasaient sur la chair et les cris des spectateurs s'évanouirent peu à peu. Bientôt, il n'entendit plus que le sifflement dans sa tête. Même en un moment pareil, ce satané bruit ne le laissait pas en paix !

Il déversa sa rage sur le visage qui lui faisait face. Son bras décrivit un arc de cercle et atteignit Sir George en pleine mâchoire. Le coup était si puissant que la tête de Plowright valsa sur le côté. Dans le halo de lumière que distillait le réverbère, Dylan vit le sang et la sueur gicler autour de la tête de son adversaire. Il parvint à placer un deuxième coup, mais avant qu'il ait le temps d'en ajouter un troisième, quelque chose le frappa au plexus solaire, puis une massue le cogna à la mâchoire, et il se sentit basculer en arrière avec l'impression irréelle de flotter dans les airs.

Son dos entra brutalement en contact avec le sol. Il en eut le souffle coupé.

Il cligna des yeux. Des étoiles scintillaient sur un ciel de velours noir. Curieux, songea-t-il. D'ordinaire, à cause des fumées de charbon et des réverbères au gaz, on ne voyait pas les étoiles en ville. Il cligna de nouveau des yeux et les jolies étoiles s'évanouirent dans les ténèbres. Des mains le tiraient pour l'extraire du carré marqué à la craie. Cette fois, il ne se débattit pas. Il ignorait combien de temps s'était écoulé depuis le début du combat, mais il espérait avoir atteint vingt et une minutes et cinq secondes.

Les mains le lâchèrent. Il voulut se relever, mais il en fut incapable. Impossible aussi d'ouvrir les yeux. Il essaya de se concentrer, serra les poings, les relâcha. Ses mains lui faisaient mal, mais il savait qu'il n'avait rien de cassé.

« J'ai eu de la chance », pensa-t-il, et il faillit éclater de rire. Quels que fussent les risques insensés qu'il prenait, s'acharnant à détruire son corps ou son esprit, il s'en sortait toujours. Ainsi, même s'il en consommait souvent, il n'était pas dépendant du laudanum, et les paris dangereux, comme ce combat de boxe, ne le mutilaient pas.

Le sifflement s'était atténué, si bien qu'il entendait de nouveau la foule. Des voix parlaient au-dessus de lui. Il fit un effort pour ouvrir les yeux. Il avait l'impression que son visage avait doublé de volume.

Deux visages familiers étaient penchés au-dessus de lui. Constatant qu'il reprenait ses esprits, ses amis s'agenouillèrent de chaque côté de son corps.

— Tremore, croassa-t-il, tu es rentré de la campagne pour la saison, je vois. Comment vas-tu, mon vieux ?

— Mieux que toi, on dirait.

Dylan regarda l'homme à sa gauche. Hammond. C'était si diablement amusant de voir ces deux hommes l'un à côté de l'autre. Il voulut rire, mais son gloussement se transforma en grimace de douleur.

— Voilà un pari à prendre. Combien de temps le duc de Tremore et son beau-frère Lord Hammond supporteront-ils de se côtoyer sans s'étriper ?

Aucun des deux ne daigna répondre. Ils lui palpaient le corps à la recherche de fractures. Dylan était certain que ses mains étaient indemnes. Le reste lui était indifférent. Il ne dirait sans doute pas la même chose le lendemain, lorsque la douleur se réveillerait, mais pour l'heure, une seule chose l'intéressait.

— Est-ce que j'ai battu le record ? demanda-t-il à Hammond, dont le visage devenait étrangement flou.

— Oui.

— De combien ?

— Je l'ignore. J'ai eu beau te crier d'arrêter, que tu avais gagné, on aurait dit que tu ne m'entendais pas.

Dylan s'humecta les lèvres, sentit le goût du sang.

— Je veux savoir combien de temps j'ai tenu.

160

— On le saura plus tard.

Il tenta de secouer sa tête.

— Maintenant.

— Même si tu n'avais pas battu le record, tu t'es remarquablement bien battu, assura Tremore en pressant un mouchoir contre la joue de son ami. On en parlera pendant des années.

— Je veux ce satané temps, s'entêta Dylan, sans quitter des yeux le visage flottant de Hammond.

— Crénom! s'écria une voix irritée qu'il n'avait pas entendue depuis bien longtemps. Quelle différence est-ce que ça fait?

— Je veux qu'on inscrive le temps dans le livre des paris, insista-t-il, ignorant cette nouvelle voix. Et que Plowright s'excuse devant témoins pour m'avoir insulté.

— Je m'en charge, promit Hammond en se levant.

Un autre visage prit sa place, et Dylan regretta de ne pouvoir feindre d'être évanoui.

— Ian, tu n'étais pas censé être à Venise?

— J'ai accosté à Douvres ce matin, expliqua son frère. J'ai à faire dans le Devonshire, mais j'ai décidé de passer la nuit à Londres et de te rendre visite. Je me demande bien pourquoi, puisque, après six mois d'absence, je constate que rien n'a changé.

Dylan essaya de sourire, mais son visage était raide comme une planche de bois.

— Comme ça, tu es rassuré, non?

— C'est l'une des choses les plus stupides et les plus dangereuses que je t'aie jamais vu faire.

— J'ai une réputation à défendre.

Ian ne releva pas.

— Votre Grâce, fit-il en saluant Tremore.

— Excellence, répondit Tremore, tout aussi poliment. Félicitations pour les négociations que vous avez menées à Venise.

— Merci.

— Bien, Dylan, continua le duc, tu n'as apparemment rien de cassé, mais il vaudrait mieux qu'un médecin t'examine.

Le visage de Hammond s'encadra à nouveau au-dessus de leurs têtes, mais cette fois à l'envers.

— Alors ? demanda Dylan.

— Vingt-deux minutes et dix-sept secondes, espèce de fou furieux ! s'exclama Hammond en riant. Non seulement tu as établi un nouveau record, mais les membres ont forcé Plowright à retirer son accusation de lâcheté.

— De lâcheté ? répétèrent Tremore et Ian d'une même voix.

— Il m'a traité de lâche parce que je ne boxe pas, précisa Dylan.

— Et parce que tu es l'homme le plus exaspérant, le plus buté, et le plus infernal d'Angleterre, tu as décidé de lui prouver le contraire ! s'écria son frère.

— Et de belle manière ! ajouta Hammond. Les amis de Sir George sont en train de le ficeler comme une dinde de Noël. Ils pensent qu'il a une côte cassée.

— Les gazettes en feront des gorges chaudes, s'amusa Dylan. À présent, messieurs, aidez-moi à me relever.

— Je crois qu'on ferait mieux de te porter, conseilla Ian.

— Personne ne me portera, sinon sur les épaules, en héros, décréta Dylan.

Il se redressa, et la douleur le transperça telle la lame d'un poignard. Il compta jusqu'à trois, se releva, glissa un bras autour des épaules de Tremore, l'autre autour de celles de Hammond.

— Une autre mésaventure à raconter dans mes futures mémoires scandaleuses, lança-t-il à son frère en souriant.

— Tes mémoires ? marmonna ce dernier, tandis qu'ils se dirigeaient vers le carrosse de Tremore. Tu devras me passer sur le corps pour les publier.

Il y avait vingt-quatre boutons de rose brodés sur la courtepointe posée sur son lit. Grace les avait recomptés trois fois, les effleurant dans l'obscurité. Elle avait aussi compté dix-huit roses et trente-six feuilles.

Elle lâcha un soupir agacé, replia la courtepointe. Devait-elle allumer la lampe et lire un peu ? Elle avait l'impression d'être allongée dans le noir depuis des heures, sans parvenir à trouver le sommeil.

Tout cela, à cause de ce Dylan Moore et de ses baisers. Son corps brûlait encore là où il l'avait touché.

J'ai un faible pour les femmes vertueuses.

Grace se mordilla la lèvre. Elle n'était pas vertueuse. Pas du tout, même !

Autrefois, elle avait cru l'être. Elle était si fière d'être la jeune fille sage, la grande sœur sur laquelle les plus jeunes pouvaient compter, l'amie fidèle qui prêtait une oreille attentive aux confidences, et se rappelait les anniversaires, l'élève appliquée, la fille sérieuse qui n'avait jamais causé le moindre souci à ses parents. Une enfant douce, réfléchie, disaient les gens de Stillmouth, ces compliments la flattant bien davantage que ceux sur son physique. Elle avait chanté à l'église. Elle avait œuvré pour les plus pauvres, récité ses prières chaque soir. Comme elle était contente d'elle ! Confiante en sa bonté et en sa vertu, alors que celles-ci n'avaient jamais été mises à l'épreuve.

Puis un peintre français au regard ombrageux était venu en Cornouailles. De tous les endroits qu'il aurait pu choisir pour peindre, Étienne Clairval avait jeté son dévolu sur Stillmouth, ce village perché sur les falaises à Land's End où les étrangers ne venaient jamais, où rien ne se passait, où il était si facile d'être sage.

Elle avait dix-sept ans quand elle l'avait rencontré sur cette colline. En un instant, sa vie avait basculé. Étienne était de dix ans son aîné, et la vie et l'amour n'avaient plus de secrets pour lui. Il avait réussi à la faire rire aux éclats, et ses dix-sept années de sérieux s'étaient volatilisées. Quant à sa vertu, elle la lui avait offerte dès leur premier baiser. Une semaine plus tard, Grace Anne Lawrence, la charmante jeune fille responsable, admirée de tous, s'était enfuie avec un peintre français sans fortune, de réputation douteuse, qui avait bouleversé sa vie.

Pendant deux ans, elle n'avait connu que le bonheur. Deux années d'amour fulgurant et de nuits passionnées. Et puis les choses avaient commencé à aller mal. Lorsqu'il broyait du noir, ne pouvait plus travailler, Étienne lui en voulait. Jour après jour, il devenait plus sombre, Grace avait cessé de rire, et leur amour s'était éteint.

Grace serra son oreiller contre sa poitrine. Comment faire durer l'amour ? Elle avait payé un prix très élevé pour deux ans de bonheur. Pendant son absence, aucun membre de sa famille n'avait répondu à ses lettres. À son retour à Stillmouth, l'automne dernier, elle avait appris la mort de ses parents. Son frère James avait hérité du domaine, mais le scandale l'avait atteint de plein fouet. La femme qu'il aimait avait rompu leurs fiançailles, et il avait épousé une femme de condition beaucoup plus modeste que lui. Quant à ses sœurs, elles ne s'étaient jamais mariées. Toutes les cinq étaient demeurées célibataires parce que Grace avait entaché le nom familial.

Huit années s'étaient écoulées depuis cette rencontre, sur une colline de Cornouailles. Sa réputation était détruite à jamais, et sa famille déshonorée. Elle avait découvert que le monde au-delà de Land's End n'était pas aussi beau qu'elle l'imaginait.

Elle voulait rentrer à la maison. Ce n'était pas possible au sens littéral du terme, mais si elle restait chez Dylan un an, elle aurait une petite maison à elle, et mènerait le genre de vie qui convenait à une Anglaise ordinaire. Une vie stable, sage, terre à terre.

Laissez-moi vous aimer...

L'amour. Cet homme n'avait pas la moindre notion de ce que c'était. Il avait peut-être aimé la fille du pasteur autrefois, mais il n'en était plus capable désormais. Les artistes n'aimaient que leur art. Tout le reste passait après.

Grace savait exactement ce que Dylan Moore voulait d'elle. Elle le savait depuis leur rencontre dans la ruelle. Il la désirait, certes, mais uniquement pour une liaison. Ce qui n'était pas de l'amour. Loin de là.

Elle n'était pas faite pour être une maîtresse, pour les mots d'amour sans consistance et l'argent déposé sur un compte pour services rendus dans la chambre à coucher. Elle n'était pas taillée pour ce genre de vie, et elle ne voulait pas l'être. Après Étienne, et même durant leur vie commune, beaucoup d'hommes avaient essayé de la séduire avec de l'argent ou de fausses promesses. Une jolie femme y échappait rarement.

Mais c'était la première fois qu'elle était tentée d'accepter. En dépit de la réputation de Moore et de ce qu'elle savait des hommes tels que lui, elle se languissait de ses caresses. Chacun de ses baisers la rapprochait de lui. D'un doigt, elle effleura ses lèvres.

Cela faisait si longtemps, et elle se sentait si seule. Si désespérément seule... Elle savait qu'une relation uniquement charnelle avec un homme ne la comblerait pas, qu'elle était incapable de n'aimer qu'avec son corps, mais il y avait des moments, comme maintenant, où elle le regrettait.

11

Dylan contempla son reflet dans le miroir de sa chambre. Cela paraissait pire que ça ne l'était en réalité, supposa-t-il. Ses pantalons étaient déchirés, il avait une vilaine entaille au-dessus de l'œil et des hématomes sur le visage et le torse. Le médecin avait nettoyé le sang, et n'avait décelé ni traumatisme crânien ni blessures graves. Il aurait des courbatures pendant une dizaine de jours, mais il s'en remettrait. En revanche, les bleus mettraient un mois à disparaître.

— Tu as une sacrée veine, déclara Ian.

— En effet, renchérit le médecin. Pour soulager les muscles endoloris, appliquez de la glace ou de l'eau froide. Vingt minutes environ, plusieurs fois par jour. Si vous prenez soin de vos mains, d'ici à un jour ou deux, vous en aurez retrouvé l'usage.

— Merci, docteur, fit Ian, en se levant pour le raccompagner.

Le médecin referma sa vieille sacoche de cuir.

— Je suis l'un de vos admirateurs, monsieur Moore. Il y a quelques années, je vous ai écouté diriger l'orchestre qui jouait votre Douzième Symphonie. Une pure merveille ! Mon épouse et moi-même étions émus aux larmes.

— Merci, dit Dylan, sincèrement touché.

Il était toujours reconnaissant aux gens qui appréciaient son travail, mais il redoutait l'inévitable question : quand allez-vous diriger de nouveau ?

Ian quitta la chambre avec le médecin. Dylan se versa un verre de cognac et se tourna vers Tremore, affalé dans l'un des fauteuils près de la cheminée.

Hammond étant en mauvais termes avec son beau-frère, il ne les avait pas accompagnés dans le carrosse de ce dernier.

— Alors, que veux-tu savoir en premier ? s'enquit Dylan en s'asseyant avec précaution sur la banquette capitonnée au pied de son lit. Pourquoi je me suis battu avec ce crétin de Plowright ? Ou pourquoi j'étais en compagnie de Hammond ?

— Pas un homme ne tolérerait d'être traité de lâche, mais tu aurais pu répondre à l'insulte de manière plus intelligente, en évitant un pugilat. Tu as de la chance que tes mains ne soient pas transformées en bouillie pour chats. En ce qui concerne Hammond, je ne vois pas ce que tu trouves d'amusant à le fréquenter. Quand Viola apprendra que tu étais avec lui et...

— Lorsqu'un couple ne s'entend plus, cela ne regarde personne. Pas plus toi que moi. Hammond et moi sommes des connaissances plus que de véritables amis. Lui et moi avons besoin de compter parmi nos relations des hommes au caractère joyeux. Mais parlons un peu de toi, mon cher, poursuivit-il avec un sourire. Comment vas-tu ? Et comment se porte ma belle duchesse aux yeux violets ?

Dylan aimait taquiner Tremore au sujet de Daphné. Celui-ci se montrait très sourcilleux lorsqu'on évoquait sa femme.

— *Ma* duchesse se porte bien, corrigea Tremore. Hormis quelques nausées le matin, ajouta-t-il avec l'expression penaude d'un homme dont l'épouse est enceinte.

— J'ai parié que vous auriez un fils.

— Je serais tout aussi heureux d'avoir une fille, je t'assure...

— Dieu du Ciel ! s'écria une voix horrifiée.

Grace se tenait dans l'embrasure de la porte, retenant d'une main les pans de sa robe de chambre. Elle était plus belle que jamais, son épaisse natte blonde retombant sur l'épaule, et ses pieds nus dépassant de sous sa chemise de nuit.

Les deux hommes se levèrent. Ses côtes meurtries et ses muscles endoloris arrachèrent une grimace à Dylan. Grace se précipita vers lui, examina d'un air affolé les bleus qui marquaient son visage et son torse.

— J'ai entendu du bruit, les domestiques qui couraient dans l'escalier... Alors je suis venue aux nouvelles. Osgoode m'a appris que vous vous étiez battu.

Elle baissa les yeux.

— Oh non, vos mains ! Qu'avez-vous fait, Dylan ?

C'était la première fois qu'elle l'appelait par son prénom. Elle était tellement en colère contre lui quelques heures auparavant, et voilà qu'elle était là, douce, ravissante, sentant bon la pêche, et s'inquiétant à son sujet. Dylan sourit, enchanté.

— Rassurez-vous, Grace. Je n'ai rien de cassé. Juste quelques bleus. Je serai remis en moins de deux. Regardez.

Il tendit sa main pansée et agita les doigts en guise de preuve. Elle hésita, puis prit doucement sa main entre les siennes, regarda les bandages, effaça une trace de sang oubliée.

Aussitôt, le sifflement dans sa tête s'atténua, et Dylan oublia son corps souffrant.

— Avez-vous perdu l'esprit ? lança-t-elle d'un air accusateur en lui lâchant la main.

— Complètement, confessa-t-il, fasciné par la fossette sur son charmant menton.

— Vous êtes compositeur ! Quelle idée de vous battre avec vos poings ! Vous auriez pu... Mon Dieu... Vraiment, Dylan !

Elle était tellement furieuse qu'elle n'arrivait plus à articuler. Les sourcils froncés, elle pinça les lèvres.

Elle essayait visiblement de lui montrer à quel point son comportement était stupide et la mettait en colère, mais elle ne parvenait pas à paraître sévère. Ses lèvres étaient trop pulpeuses, son regard trop doux. Même un chiot n'aurait pas été intimidé.

Dylan mourait d'envie d'embrasser cette bouche gourmande. Son sang bouillonnait dans ses veines. Lorsqu'une tension plus agréable encore envahit son corps, il songea qu'il était déjà sur le chemin de la guérison.

Une petite toux polie leur rappela qu'ils n'étaient pas seuls. Il tourna la tête, et découvrit Tremore qui les regardait d'un air intrigué.

La main de Grace se crispa sur les pans de sa robe de chambre tandis qu'elle se souvenait qu'ils étaient dans la chambre de Dylan, et qu'elle était à peine vêtue. Les joues en feu, elle baissa la tête.

— Pardonnez-moi, marmonna-t-elle, avant de tourner les talons et de sortir en hâte.

Le duc la suivit du regard, puis arqua un sourcil interrogateur.

— Ce n'est pas ce que tu crois, déclara Dylan sans sourire.

— Mais je ne crois rien, voyons.

Dylan lisait dans les pensées de son ami comme dans un livre ouvert. Encore une, se disait-il. Étant donné la scène à laquelle il venait d'assister, qu'il en vînt à cette conclusion était inévitable. Or bien que Dylan eût aimé lui donner raison, il se sentait étrangement irrité.

— Elle n'est pas ma maîtresse.

— Je n'ai rien dit.

— C'est une veuve respectable, issue d'une bonne famille. Il n'y a rien entre nous.

— Tu n'as pas à m'expliquer quoi que ce soit, mon vieux.

— Je sais ! grommela Dylan.

Alors pourquoi le faisait-il? Le duc affichait une expression parfaitement neutre.

— Bon sang, Tremore, pourquoi es-tu toujours aussi poli? C'est exaspérant. Que nous demeurions d'aussi bons amis me sidère parfois.

Le frère de Dylan s'encadra dans la porte.

— En général, on considère la politesse comme un trait de caractère positif, commenta Ian. Certains d'entre nous essayent de le cultiver.

— Grace n'est pas ma maîtresse, répéta Dylan, ignorant son frère.

— Bien sûr que non, fit Tremore.

— De qui parlez-vous? demanda Ian, étonné.

— Un ange en robe de chambre se tenait dans cette pièce il y a quelques instants, expliqua Tremore. Elle a des yeux magnifiques, ajouta-t-il avec un sourire. As-tu déjà composé une sonate pour elle?

Dylan le regarda d'un air sombre. Deux ans auparavant, il avait taquiné le duc au sujet de Daphné, le poussant même à se battre avec lui juste pour le plaisir de le voir perdre tout contrôle. Tremore n'avait pas apprécié, à l'époque, et il semblait beaucoup s'amuser à renverser les rôles.

— Ce n'est pas une sonate, répliqua Dylan. C'est une symphonie.

— Bravo! Il était temps que tu composes quelque chose de conséquent. Si cette jeune femme t'inspire, tant mieux.

— De quoi parlons-nous? intervint Ian. Est-ce qu'une femme vit de nouveau avec toi?

— Elle est superbe, lança Tremore. Une blonde aux yeux verts.

— Décidément, certaines choses ne changeront jamais, fit Ian d'un air entendu.

— Elle ne vit pas avec moi. Enfin, si, elle vit ici, mais disons qu'elle habite juste sous mon toit. Et ce n'est pas ce que vous croyez.

— À d'autres! s'exclama Ian avec un rire incrédule.

Dylan poussa un soupir exaspéré. L'heure était venue d'avouer la vérité à son frère et à son meilleur ami. De toute façon, il ne pourrait garder le secret très longtemps.

— Grace est la gouvernante de ma fille.

— Ta fille? s'exclamèrent les deux hommes en chœur.

Dylan s'amusa de leur expression choquée.

— Oui, messieurs, ma fille. Isabel a huit ans. Sa mère est morte, et une religieuse française m'a amené l'enfant il y a quinze jours.

— Mais comment… commença Ian.

— J'ai engagé une gouvernante pour s'occuper d'elle, poursuivit Dylan, imperturbable.

Il ne voulait pas laisser à Ian l'occasion de donner son opinion sur l'éducation d'Isabel et sur la présence de Grace. Les sages conseils de son frère lui étaient insupportables.

— J'ai l'intention d'assurer son avenir. C'est donc une bonne chose que tu sois rentré de Venise, Ian. Nous devrons passer tous deux chez le notaire pour signer quelques documents concernant mon héritière.

— Il faudrait d'abord s'assurer que tu es bien le père de cette enfant, répliqua Ian.

— Je suis certain qu'elle est ma fille.

— Comment le sais-tu?

— Si tu la connaissais, tu comprendrais, mon cher frère. À présent, la discussion est close.

Ian sembla mécontent d'être remis à sa place.

— Si tu comptes obtenir des revenus supplémentaires des propriétés familiales pour son éducation, il faudra pourtant en discuter. Comment peux-tu être aussi certain que cette enfant est la tienne?

— Je suis sa fille! s'écria une petite voix.

Les trois hommes se tournèrent d'un même mouvement vers la porte. Une petite fille en chemise de nuit blanche se tenait sur le seuil, le visage farouche et les poings serrés.

— C'est mon père. Je vous interdis de prétendre le contraire !

— Nom d'une pipe ! souffla Tremore, fasciné.

— Mon Dieu ! marmonna Ian.

Visiblement, il ne doutait plus que la fillette fût l'enfant de son frère.

Isabel se précipita vers son père, l'enlaça, et jeta un regard mauvais à son oncle.

— Je lui ressemble plus que vous, lança-t-elle à ce dernier. Comment pouvez-vous être sûr que vous êtes son frère ?

Tremore étouffa un rire.

— Elle n'a pas tort.

Ian resta un instant pétrifié, puis secoua la tête.

— Cela devait arriver tôt ou tard, je suppose.

Isabel leva les yeux vers son père en fronçant les sourcils.

— Vous vous êtes battu, papa.

— Oui. Mais je vais me remettre.

— Et vos mains ? Elles ne sont pas abîmées, j'espère ?

— Non, ne t'inquiète pas.

— Vous avez une mine épouvantable.

Dylan se baissa avec difficulté pour être à sa hauteur.

— Isabel, est-ce que tu ne devrais pas dormir à cette heure ? Que fais-tu ici, à écouter aux portes ?

— J'écoute toujours aux portes. C'est la seule manière d'apprendre les choses. Du reste, si je ne dors pas, c'est à cause de vous. Qui pourrait dormir avec ce charivari dans la maison ?

— Peu importe, il est grand temps de retourner au lit. Je dois parler de toi avec ton oncle Ian.

D'un seul coup, l'enfant sembla indécise, et son petit menton se mit à trembloter.

— Je suis votre fille ! s'écria Isabel, comme s'il était encore besoin de le convaincre, alors qu'ils se ressemblaient comme deux gouttes d'eau.

— Je sais, murmura-t-il en lui caressant les cheveux.

Il se sentait si affreusement gauche.

— Ne les laissez pas vous persuader du contraire, insista-t-elle avec un regard plein de ressentiment à l'adresse de Ian.

— Ne t'inquiète pas, fit Dylan en la faisant pivoter en direction de la porte. Au lit, maintenant.

Ian referma la porte derrière elle.

— Eh bien… commença-t-il, avant de s'interrompre.

— Étonnant, non ? fit Dylan. Isabel a réussi là où j'ai toujours échoué : elle t'a rendu muet !

— Moore, j'ai bien cru qu'elle allait attaquer ton frère à mains nues, commenta Tremore. On aurait dit toi avec Plowright.

— Ah, ça oui ! ne put que reconnaître Ian.

— Vous ai-je dit qu'elle était aussi un brillant compositeur ? précisa Dylan avec un sourire penaud.

Il y eut un long silence, puis Ian se laissa tomber dans un fauteuil.

— Eh bien, voilà qui clôt la question, conclut-il. Quelle soirée !

— Voilà, j'ai terminé ces exercices ridicules, dit Isabel en tendant l'ardoise à Grace.

D'un pas raide, elle retourna s'asseoir à son bureau et croisa les bras.

— Alors, on a fini ?

— Cela fait plus d'un mois que tu es mon élève, Isabel. Tu devrais savoir que ce comportement ne m'impressionne pas, lui rappela Grace, ignorant la provocation.

174

L'enfant continuait à se débattre contre les règles qui régissaient sa nouvelle vie. Ce jour-là, Isabel avait décidé de mettre ces règles à l'épreuve en se montrant insolente avec Grace et Molly, et en se conduisant en vraie chipie.

Molly reprisait des bas dans un coin de la pièce. Les deux jeunes femmes échangèrent un coup d'œil, et la nurse haussa les épaules, l'air déconcerté.

Après avoir rendu visite à plusieurs agences, Grace avait arrêté son choix sur Molly, car celle-ci se montrait gentille et patiente, mais suffisamment ferme pour ne pas céder aux caprices de l'enfant. Curieusement, Isabel avait accepté la situation.

— Elle est grincheuse depuis qu'elle s'est levée, madame, fit remarquer Molly.

Isabel se redressa, furieuse.

— Je ne suis pas grincheuse, je m'ennuie, riposta-t-elle en bâillant.

Grace ne s'attarda pas sur le regard assassin qui suivit.

— Nous allons terminer notre leçon sur Shakespeare, dit-elle.

— Non, je vais jouer du piano. Je veux travailler mon nouveau concerto.

— Pas question, répliqua Grace avec fermeté. Ce matin, nous étudions Shakespeare. Et ne me parle pas sur ce ton insolent, s'il te plaît.

Isabel inspira profondément, puis relâcha sa respiration avec un sifflement qui aurait valu à n'importe quelle jeune fille de la bonne société d'être bannie pendant des semaines.

— Modère ta voix, mon enfant, déclama la fillette d'une voix de fausset censée imiter celle de Grace. Tiens-toi droite. Mange tes carottes. Ne cours pas.

— Je suis ravie de constater que tu écoutes ce que je te dis, commenta Grace.

Isabel lui tira la langue, puis se leva et s'approcha de la fenêtre.

Grace lut les quelques lignes écrites à la craie sur l'ardoise.

On ne peut pas en vouloir à Iago à cause de Desde-mone. Othello l'a tuée parce qu'il le voulait. Iago a seu-lement dit tout haut ce que Othello soupçonnait déjà. Il voulait tuer sa femme, et Iago ne pouvait pas l'y forcer. Personne ne peut vous faire faire quelque chose si vous ne le voulez pas.

Grace se retint de sourire. C'était une analyse juste mais inhabituelle de l'attitude de Iago. Isabel était une petite fille brillante, encore qu'elle n'ait pas besoin d'utiliser les leçons sur Shakespeare pour exprimer son humeur rebelle.

Si seulement Dylan passait davantage de temps avec sa fille. Deux semaines s'étaient écoulées depuis qu'il avait promis de faire un effort. Il passait à la nur-sery avant d'aller composer, mais il ne restait pas plus de vingt minutes. Il l'écoutait jouer du piano et lui parlait de ses leçons, mais il ne l'emmenait jamais nulle part et ne prenait pas ses repas avec elle. Or, Isa-bel avait besoin de son amour, et les quelques minutes qu'il lui consacrait ne lui suffisaient pas. Mais comment faire autrement alors qu'il sortait toute la nuit et ne se couchait que vers 9 heures du matin ?

Grace aurait aimé en discuter avec lui, mais en dehors des quelques heures où il s'enfermait dans le salon de musique, en fin d'après-midi et en début de soirée, il était rarement là.

Elle reposa l'ardoise.

— Viens t'asseoir, Isabel. Nous allons continuer à parler d'Othello.

— Ça fait une éternité qu'on est enfermées ici ! L'après-midi est presque fini.

— Allons donc, il n'est même pas 2 h 30.

— Mon Dieu ! s'écria Molly. J'avais promis une recette de pain perdu à la cuisinière pour le dîner. Je peux, madame ?

— Bien sûr, Molly.

La nurse quitta la pièce.

— Ton père va venir dans une demi-heure, reprit Grace. En l'attendant, nous allons continuer à étudier Shakespeare. Ensuite, tu pourras travailler ton concerto.

— J'en ai assez de Shakespeare, grommela l'enfant en continuant à lui tourner le dos. Je le déteste !

— Tu ne le détestes pas. Tu l'as suffisamment étudié pour corriger la citation de ton père, l'autre jour. Si tu détestais les pièces de Shakespeare, tu n'en retiendrais pas des passages entiers.

Isabel fit volte-face, l'air furibond.

— Avec papa, c'était amusant. Pas avec vous. Qu'est-ce que vous comptez faire ? M'interdire de jouer du piano. Je m'en fiche !

Grace songea qu'il y avait une autre solution pour régler ce genre de problèmes. Elle l'avait utilisée avec ses propres frères et sœurs. Elle connaissait une arme beaucoup plus efficace que de lui interdire la musique.

Elle se leva, s'approcha d'Isabel d'un pas décidé et lui attrapa l'oreille. Le résultat fut immédiat. La fillette poussa un hurlement, mais se laissa conduire vers le bureau.

Grace la força à s'asseoir. Isabel se frotta l'oreille.

— Je vous déteste.

— J'en suis désolée, car moi, je t'aime beaucoup, rétorqua Grace. Et je continuerai à t'aimer en dépit de scènes aussi pénibles que celle-ci.

Grace reprit l'ardoise.

— Revenons-en à Othello. Tu as fait une remarque intéressante. Si l'on ne peut forcer quelqu'un à agir contre son gré…

— … c'est que la gouvernante est incompétente, coupa Isabel.

Un éclat de rire fit sursauter Grace et son élève. Les bras croisés, Dylan se tenait dans l'embrasure de la porte, l'épaule nonchalamment appuyée au chambranle. En quinze jours, les hématomes qui marquaient son visage avaient viré du violet au jaune, ce qui lui donnait l'air d'un mauvais garçon.

Grace sentit son cœur bondir dans sa poitrine. Il était en avance aujourd'hui.

— Papa! s'écria Isabel en se précipitant vers lui.

Il lui tendit les bras comme n'importe quel père, la serra contre son cœur, puis la souleva. Visiblement, il avait bien récupéré. Il sourit, et Grace songea qu'il ressemblait à un ange déchu – charmant, séduisant et meurtri.

— Je suis tellement heureuse de vous voir, papa! s'écria Isabel.

— Les leçons ont été difficiles aujourd'hui?

— Elle m'a enfermée pendant des heures dans cette pièce avec Othello, répondit Isabel en réprimant un frisson. Je vous en supplie, sauvez-moi, papa!

Dylan reposa sa fille sur le sol.

— Est-ce qu'elle s'est comportée de nouveau comme un général d'armée?

Grace ignora la question et jeta un coup d'œil à la pendule.

— Isabel, n'exagère pas, je t'en prie. Tu as travaillé Shakespeare pendant quarante-deux minutes.

— Ne la croyez pas, papa, chuchota Isabel suffisamment fort pour que sa gouvernante entende. On a passé des heures ici. Elle est très cruelle avec moi.

— Cruelle? répéta-t-il en lançant un regard amusé à Grace. Je n'arrive pas à le croire.

Isabel s'empressa de lui expliquer que Grace était un dictateur et *Othello* l'une des pièces les plus ennuyeuses de Shakespeare.

— C'est la pire d'entre toutes, papa. Pire que toutes les autres réunies. Je préfère de beaucoup les comédies.

— Tu n'en as plus pour très longtemps. Est-ce que ce n'est pas bientôt l'heure de ton piano ?

— Si. Puis-je travailler sur le vôtre aujourd'hui ?

— D'accord.

— J'écris un concerto. Vous pourriez m'aider.

— Voyons, Isabel, tu n'as pas besoin de mon aide. Tu te débrouilles très bien toute seule.

— Et si on jouait un duo à quatre mains ?

— Hélas, je ne peux pas aujourd'hui, s'excusa-t-il en déposant un baiser sur le sommet de son crâne. J'ai un rendez-vous important cet après-midi.

Il se détourna, mais l'enfant lui agrippa la main.

— Mais papa, vous venez juste d'arriver !

— Je sais, ma chérie, mais je dois y aller. Je vais être en retard.

Il se dégagea, mais ne vit pas le désarroi sur son visage, car il s'en allait déjà.

— Je rentrerai très tard ce soir, mais nous pourrons peut-être jouer demain.

Grace consulta la pendule. Il était resté quatre minutes. Pour Isabel, ces quelques instants étaient les plus heureux de la journée, mais ce monstre d'égoïsme ne lui avait accordé que quatre minutes. La jeune femme serra les dents, bien décidée à lui en parler le soir même. Elle attendrait son retour, quitte à y passer la nuit.

— À demain, alors, dit la fillette d'une petite voix où perçait une immense déception.

Elle retourna près de la fenêtre, tête baissée, essayant en vain de dissimuler à Grace son chagrin.

Le visage grave, Dylan regardait le dos rigide de sa fille. Il parut hésiter, fit un pas en avant, puis s'arrêta. Les lèvres pincées, il tourna les talons et sortit sans un mot.

Grace se rua dans le couloir à sa suite. Se penchant par-dessus la rambarde, elle cria :

— Dylan ! Il faut que je vous parle.

Il s'immobilisa un instant sur le palier, leva la tête, l'expression indéchiffrable.

— Cela attendra, lança-t-il finalement en dévalant l'escalier. J'ai un rendez-vous.

Maudit soit cet homme! Contrariée, Grace tapa du poing sur la rampe. «Ce soir», se promit-elle.

Le cœur lourd, elle retourna dans la nursery où Isabel se tenait toujours devant la fenêtre. Elle s'approcha de la petite qui contemplait son père debout sur le trottoir. Quelques instants plus tard, la calèche tourna au coin de la rue. Il y grimpa, et l'attelage s'éloigna dans un fracas de roues.

Une minute passa, puis deux.

— Il ne veut pas de moi, murmura Isabel.

— Tu n'en sais rien. Il n'est pas père depuis très longtemps. Donne-lui un peu de temps pour s'habituer à toi.

— Il a eu un mois entier.

Grace retint un sourire. Pour un enfant, c'était si long un mois.

Isabel poussa un soupir.

— J'espérais que ce serait différent ici.

— Que veux-tu dire?

— Je ne sais pas… Différent, c'est tout. Comme une vraie famille. Papa et moi, une vraie famille.

Grace songea à sa propre enfance. Autrefois, elle avait eu une vraie famille. Elle savait ce que cela signifiait.

— Je comprends. Mais ton père et toi êtes une famille.

Isabel secoua la tête tristement.

— Il sort toutes les nuits, et il ne revient pas avant le milieu de la matinée. Où va-t-il?

Grace se dit qu'il valait mieux qu'elles ne le sachent pas.

— S'il m'aimait, il ne partirait pas. Il resterait ici et on dînerait ensemble. Il jouerait du piano avec moi et me borderait dans mon lit. Il m'emmènerait à la campagne, on mangerait des pommes et il me donnerait des leçons d'escrime. Je pourrais avoir un poney et apprendre à monter.

Elle s'arrêta un instant, puis reprit d'une voix plus dure.

— Il sort tout le temps, et il boit trop. Il fume du haschich, il prend du laudanum. Il a des embrouilles avec des femmes. Il se bat en duel, il se bagarre... Tout ça, je le savais avant de venir ici, mais je pensais qu'une fois que je serais là, il m'aimerait et arrêterait ses bêtises. Je pensais qu'il changerait.

« Pauvre petite », pensa Grace, compatissante. Si seulement on pouvait forcer l'autre à vous aimer. Si seulement les hommes pouvaient changer. Si seulement c'était aussi simple.

La fillette s'arracha à sa contemplation de la rue et se tourna vers elle. Le menton levé, elle affichait un air déterminé.

— Je le forcerai à m'aimer! déclara-t-elle en frappant du poing dans la paume de sa main. J'y arriverai!

Le cœur serré, Grace l'attira dans ses bras et lui caressa le dos.

— J'en suis certaine, dit-elle, espérant de toutes ses forces ne pas se tromper.

12

Tout était en ordre. Les documents avaient été rédigés selon les vœux de Dylan. Il reconnaissait sa fille, qui désormais porterait son nom, nommait son frère Ian comme tuteur s'il lui arrivait malheur, et en faisait son unique héritière.

Sitôt les documents signés, Isabel deviendrait sa fille aux yeux de la loi. Dylan fixa les papiers posés sur le bureau de maître Ault, mais il ne fit aucun geste pour les signer.

Comme il l'avait dit à son frère, il était certain qu'Isabel était son enfant, du reste ce dernier l'avait admis sans peine. Ce n'était pas la question de sa paternité qui faisait hésiter Dylan, mais l'expression d'Isabel, celle qu'il voyait tous les jours lorsqu'il lui rendait visite. Sa fille ne voulait pas seulement passer quelques minutes avec lui et jouer du piano à quatre mains, elle voulait bien davantage.

Elle voulait être aimée.

Mal à l'aise, Dylan se tortilla sur sa chaise. Cette expression lui était familière. Il l'avait vu sur bien des visages, cet espoir qu'il change, qu'il devienne sage, qu'il agisse comme il fallait. Cet empressement à lui plaire en échange de son amour. Isabel n'était qu'une petite fille, mais quel que soit leur âge, les femmes exigeaient toujours trop. Elles mettaient tous leurs espoirs en lui, qui n'en était pas digne, et s'attendaient à trouver le bonheur.

Il était impitoyable, fantasque et parfaitement égoïste. Il recherchait les plaisirs de la chair parce qu'il les aimait véritablement. Il n'essayait pas de dissimuler ce qu'il était réellement – il l'affichait, même. Or voilà que sa fille exigeait de lui quelque chose qu'il était incapable de lui donner.

Dylan se pinça l'arête du nez entre le pouce et l'index. Le regard d'Isabel, pourtant si semblable au sien, reflétait des émotions qui lui étaient étrangères – l'innocence, la vulnérabilité, l'espoir. Un regard qui lui donnait envie de fuir. N'avait-il pas l'habitude de décevoir ?

Grace l'avait accusé d'ignorer ce qu'était l'amour, mais elle se trompait. Il savait parfaitement aimer, mais il n'aimait que la musique. Il n'y avait pas de place dans son cœur pour autre chose. Michaela ne l'avait-elle pas rejeté pour cette raison ?

Je viendrai toujours en second dans ta vie, Dylan. Or je veux être la première dans ton cœur et dans ton existence.

Sa fille aussi voulait tenir la première place. Mais c'était impossible. Personne ne pourrait jamais occuper la première place dans son cœur. Pas même sa propre petite fille, si brillante, colérique et pleine d'espoir.

Le notaire toussota, le tirant de sa rêverie.

— Excellent travail, maître, le complimenta Dylan. Je vous remercie.

— Nous faisons notre possible pour vous donner satisfaction, monsieur, dit le notaire en lui tendant une plume d'oie.

Dylan s'en saisit, la trempa dans l'encrier et parapha les différentes pages, conscient que, quelles que soient les attentes de sa fille, sa responsabilité envers elle demeurait entière.

— J'enverrai les documents concernant les revenus des propriétés familiales à votre frère aîné pour signature.

— Merci, maître. Bonne journée.

Dehors, un vent frais balayait la rue. Dylan inspira profondément en ajustant son haut de forme. L'acte était signé, Isabel était officiellement sa fille. Si seulement il se sentait père.

Après avoir dîné avec Molly et Isabel dans la nursery, Grace laissa l'enfant prendre son bain sous la surveillance de sa nurse et descendit à la bibliothèque travailler son violon. Elle avait besoin d'un peu de tranquillité. Elle referma la porte sur le monde, et s'abandonna à son passe-temps favori.

Elle regagna sa chambre une heure plus tard, et trouva sur sa table de chevet un bouquet de tulipes roses, attaché avec un ruban de satin blanc. Un petit mot y était épinglé. L'écriture ronde lui était devenue familière.

Je suis désolée d'avoir été odieuse aujourd'hui.

Isabel

Grace effleura les pétales du doigt. Son élève était certes difficile, mais elle pouvait aussi se montrer adorable. Ce geste était encourageant, et elle décida de lui montrer combien elle l'appréciait.

Elle fouilla dans son sac de voyage, en tira un album et une boîte dans laquelle elle gardait des souvenirs qu'elle comptait coller dans l'album. Puis elle prit le bouquet de tulipes, et se mit en quête d'un valet de pied.

Vingt minutes plus tard, elle pénétrait dans le salon de musique. Isabel, les cheveux humides, vêtue de sa robe de chambre, était assise devant le piano à queue de son père. Elle jouait, mais aucune partition n'était posée devant elle. Elle leva la tête quand Grace entra, suivie d'un valet de pied muni d'une grande boîte.

— Posez cela ici, s'il vous plaît, Weston, dit Grace en indiquant un coin de la pièce.

— Que faites-vous ? s'enquit Isabel, intriguée.

— J'ai envie de coller certaines choses dans mon album de souvenirs, expliqua Grace. Merci pour ce joli bouquet, ajouta-t-elle en levant ledit bouquet.

Un peu embarrassée, Isabel s'agita sur sa chaise.

— Molly m'a aidée. On est allées les cueillir au parc. C'est quoi votre album ?

— Ces tulipes sont tellement belles que je veux les garder pour toujours, répondit Grace. Alors je vais les sécher. J'ai aussi d'autres choses à conserver. Tu aimerais m'aider ?

Sous le regard attentif de la petite, Grace s'installa à la table et commença à arranger les quatre morceaux de marbre que le valet de pied avait apportés.

— Vous allez les presser avec ça ? demanda Isabel.

— Oui, répondit Grace en prenant les tulipes. Pour commencer, nous devons nous assurer qu'elles sont bien sèches.

Grace défit le ruban, aligna les fleurs sur la nappe blanche, puis les examina une à une, coupant un ou deux centimètres de chaque tige.

Elle posa des morceaux de papier buvard sur deux des quatre morceaux de marbre.

— Nous allons les disposer pour qu'elles soient jolies, avant de les presser entre les buvards, fit-elle en joignant le geste à la parole. Dans quinze jours, nous pourrons les mettre dans l'album.

— Il a l'air bien épais. Vous croyez qu'il y aura de la place ?

— Probablement pas. Je crois que je vais en commencer un nouveau avec ces fleurs. C'est une bonne idée, puisque, en venant ici, j'ai entamé un nouveau chapitre de ma vie.

Grace se déplaça pour disposer de plus d'espace.

— En attendant, j'ai d'autres choses à coller.

— Quelles choses ? demanda Isabel en s'approchant.

— Cela fait si longtemps que je ne me suis pas occupée de cet album que je ne m'en souviens même plus. Voyons voir.

Grace s'empara de la boîte en bois et en renversa le contenu sur la table.

— Pourquoi est-ce que vous gardez tout cela ?

Grace ne répondit pas. Elle contemplait un vieux pinceau usé, mais, curieusement, elle n'éprouvait pas de chagrin, juste le plaisir doux-amer qu'on ressent à se remémorer des souvenirs anciens qui n'ont plus le pouvoir de vous faire souffrir.

— Pourquoi conserver tout ce fatras ? insista Isabel. Ces objets n'ont aucune valeur.

— Ils en ont à mes yeux. Chacun est précieux à sa façon. Tu ne possèdes pas d'album de souvenirs, toi ?

Isabel secoua la tête, étonnée.

— Non, je ne garde jamais rien. Excepté ma musique, bien sûr. Là, je ne jette rien.

— Pourquoi est-ce que tu ne conserves pas certaines choses ?

La fillette haussa les épaules.

— Parce que je n'ai rien à conserver.

Grace trouvait cela infiniment triste, mais elle n'en montra rien.

— Tu pourrais en commencer un, puisque désormais tu vas avoir des tas de choses à y classer.

— Quelles choses ?

— Je ne sais pas. Une mèche des cheveux de ton père, par exemple. Un morceau de soie écarlate pour te souvenir de la robe que ta gouvernante t'a empêché d'acheter.

— Mais pourquoi aurais-je envie de garder ce genre de choses ?

Isabel semblait si perplexe que Grace éclata de rire. Cette petite était le portrait de son père. Pas une once de sentimentalisme chez ces deux-là !

— Crois-le ou non, Isabel, mais un jour tu regarderas ce morceau d'étoffe, et tu te rappelleras le jour où nous sommes allées faire des courses, et tu en riras. Certaines choses ne nous semblent pas importantes sur le moment, mais par la suite, lorsqu'on regarde en arrière, on est heureux qu'elles aient eu lieu, et leur souvenir nous rend heureux.

Isabel désigna les objets étalés sur la table.

— Est-ce que ces choses vous rendent heureuse ?

— Certaines d'entre elles, oui, fit Grace en s'emparant d'un pompon doré. Il vient d'une robe que j'ai portée à un bal au palais de Schönbrunn. J'ai dansé toutes les valses, ajouta-t-elle en riant.

— Vous avez dansé au palais de Schönbrunn ? s'étonna Isabel. Avec qui ?

— Mon mari. Les gens ont trouvé que c'était de fort mauvais goût pour un couple marié de danser toutes les valses ensemble, mais nous nous en moquions. Nous aimions bien choquer les aristocrates.

— Vous avez vraiment eu un mari ? Vous ne l'avez pas inventé ?

Un peu surprise, Grace tourna les yeux vers la petite.

— J'ai eu un mari, oui. Il est mort il y a deux ans. Pourquoi pensais-tu que je l'avais inventé ?

— Certaines femmes s'inventent des maris pour paraître respectable aux yeux des gens.

— Isabel ! s'écria Grace, ne sachant si elle devait rire ou réprimander son élève.

Comme d'habitude, Isabel ne se laissa pas démonter.

— Comme vous ne parlez jamais de votre mari, je ne me suis posé des questions. Je suis désolée qu'il soit mort. Est-ce que vous… ?

Elle s'interrompit.

— Oui ? insista gentiment Grace.

— Est-ce que vous vous sentez seule, parfois ?

Grace ferma les yeux, le cœur serré comme un poing.

— Cela m'arrive.

— À moi aussi.

Isabel se tenait tête baissée, les épaules voûtées. Grace écarta tendrement une mèche qui lui cachait le visage.

— Ça arrive à tout le monde, Isabel.

— Je sais.

La petite hésita, avant d'ajouter dans un murmure :

— Ce que j'ai dit, je ne le pensais pas, vous savez. Je ne vous déteste pas.

— J'en suis heureuse, parce que moi, je pensais ce que j'ai dit. Je t'aime vraiment beaucoup.

— C'est vrai ? fit la fillette dont le joli visage s'éclaira instantanément. Alors vous ne m'obligerez plus à faire de la broderie, d'accord ?

— D'accord, à condition que tu cesses de te plaindre de devoir apprendre l'allemand.

Isabel fit une grimace.

— Je suppose que cela m'aidera à mieux comprendre les opéras de Weber, n'est-ce pas ?

— En effet, répondit Grace, qui regrettait de ne pas avoir pensé à utiliser cet argument. Tu as tout à fait raison.

Isabel montra du doigt un petit sac de velours bleu.

— Qu'est-ce que c'est ?

Grace l'ouvrit et en retira un gant d'homme.

— Ce gant a appartenu à Franz Liszt.

— Non, vous plaisantez ! s'exclama Isabel.

— Pas du tout. Je l'ai vu l'année dernière quand il donnait des concerts à Paris où il vit.

— Il paraît qu'il arrache ses gants avant de jouer, c'est vrai ?

— Oui. Je jouais dans l'orchestre, et je l'ai vu faire.

— Vous avez vraiment joué avec Liszt ?

— Trois fois.

Visiblement, l'enfant était impressionnée.

— J'ai vu un portrait de lui. Est-ce qu'il est aussi beau en vrai ?

— Oui, c'est un très bel homme. Sans doute le plus beau que j'aie jamais rencontré.

— Liszt n'est pas plus beau que papa !

— Ah, ma fille est loyale !

La voix de Dylan fit tressaillir Grace et Isabel qui ne s'attendaient pas à le voir.

— Vous êtes là, papa, lâcha froidement Isabel. Vous aviez dit que vous rentreriez tard.

Sur ce, elle lui tourna le dos et s'assit devant la table, les bras croisés.

— J'ai changé d'avis.

Il détourna le regard, l'air coupable. Grace n'en revenait pas. Elle esquissa un sourire, mais il s'en aperçut et fronça les sourcils, sur la défensive.

— Mes rendez-vous se sont terminés plus tôt que prévu, expliqua-t-il, alors que personne ne lui demandait de se justifier. C'est tout.

— Bien sûr, dit-elle. Nous comprenons parfaitement.

Il n'appréciait manifestement pas qu'on le taquine. Il se débarrassa de sa redingote, puis s'approcha du piano et étudia ses partitions éparpillées dessus.

Grace n'était pas du genre à lorgner les hommes, mais elle s'accorda quelques instants pour parcourir le corps viril de Dylan Moore d'un lent regard appréciateur. La fine chemise de lin blanc, le gilet à rayures et les pantalons noirs étroits mettaient en valeur la perfection de sa silhouette. Il aurait fallu être aveugle pour l'ignorer.

Est-ce que vous vous sentez seule, parfois ?

Seule ? Seigneur, la solitude était une souffrance permanente.

Elle se souvint de Dylan torse nu dans sa chambre, si large d'épaules et si musclé.

Et se rappela aussitôt à l'ordre. L'imaginer nu était trop dangereux. Sans parler des caresses qu'ils pourraient échanger... À cette seule pensée, une onde de chaleur la balayait de la tête aux pieds.

Elle se força à détourner le regard, pour se concentrer sur son album de souvenirs.

— J'ai eu envie de rentrer plus tôt pour passer un peu de temps avec ma fille avant qu'elle aille se coucher, déclara Dylan.

Isabel gardait les bras croisés, les lèvres pincées. Elle ne semblait pas prête à lui pardonner.

Grace remarqua que Dylan évitait de regarder sa fille, mais ne la quittait pas des yeux, elle. S'attendait-il qu'elle lui facilite la tâche ? Pas question. Qu'il se débrouille seul.

Au bout d'une interminable minute, il s'approcha de sa fille et s'accroupit près de sa chaise.

— Je me suis dit que nous pourrions jouer à quatre mains. À moins que tu ne préfères m'assommer avec mon piano ?

Il sourit, et Grace songea que n'importe quelle femme lui aurait pardonné sur-le-champ.

Mais Isabel, elle, refusa de céder.

— Je ne peux pas soulever un piano, rétorqua-t-elle.

— Heureusement. Tu sais combien cet instrument m'a coûté ?

La remarque eut raison d'Isabel, qui éclata de rire, incapable de résister plus longtemps au charme dévastateur de son père.

— Alors, tu veux jouer avec moi ? demanda-t-il en commençant à la chatouiller. Ou est-ce que tu vas continuer à bouder ?

— Je ne boude pas, se défendit-elle en riant de plus belle. Papa, ça suffit !

Elle avait rendu les armes, et si facilement. Grace ne savait si elle devait être heureuse pour l'enfant ou s'en inquiéter.

— Parfait! s'exclama Dylan. Va vite, ajouta-t-il en désignant le plafond du doigt.

— Où ça? demanda l'enfant, perplexe.

— Chercher tes partitions. Tu ne crois tout de même pas que je vais jouer autre chose que les duos que tu composes?

Ravie, Isabel glissa de sa chaise et sortit en courant.

— Elle a été bien trop gentille avec vous, déclara Grace.

— Je me doute que vous auriez été beaucoup plus sévère.

— En effet. Moi, je vous aurais fait vraiment souffrir.

— Combien de temps, Grace?

Il s'approcha et se pencha pour effleurer le pompon à franges.

— Combien de temps me ferez-vous souffrir?

Elle regarda sa main qui jouait avec les franges, et un éclair de désir la traversa au souvenir de ces doigts sur sa peau.

— Combien de souffrances un homme doit-il endurer? lui murmura-t-il à l'oreille.

Il ne la touchait même pas, et cependant, elle était en feu. Elle ferma les yeux. Aucune femme sensée ne se laisserait entraîner dans une liaison avec Dylan Moore. Elle se le répéta trois fois avant de rouvrir les yeux.

Il tenait le gant entre ses mains, étudiant les initiales brodées.

— C'est Liszt qui vous l'a donné, n'est-ce pas? Si vous faisiez partie de l'orchestre, il vous l'a probablement jeté sur les genoux.

— En effet, dit-elle, comprenant qu'il avait entendu une bonne partie de sa conversation avec Isabel. Cela vous étonne? ajouta-t-elle avec un sourire de défi.

— Seigneur, non! Bien entendu, vous savez pourquoi il l'a fait?

— Évidemment, répliqua-t-elle en souriant de plus belle.

Elle jouait avec le feu, elle le savait. Il fit une longue pause, puis :

— Avez-vous accepté son invitation ?

L'idée qu'elle l'ait fait le mettait en colère, comprit-elle.

— Voilà une question bien impertinente.

— Répondez-y quand même, fit-il en se penchant vers elle. Est-ce que vous avez accepté ?

Heureusement, les pas précipités d'Isabel dans l'escalier la dispensèrent de répondre. Dylan se redressa, lâcha le gant et s'éloigna de quelques pas avant que sa fille n'entre.

— Grace, voudriez-vous tourner les pages pour nous ? lança-t-il par-dessus son épaule en se dirigeant vers le piano.

Isabel regardait son père avec une telle admiration que la jeune femme n'eut pas le cœur de refuser. Elle les rejoignit et se plaça à la droite de Dylan. Isabel posa la partition devant eux.

— Et un et deux et trois, compta Dylan.

Ils se mirent à jouer. Le rythme était enlevé, la mélodie joyeuse. Tout en tournant les pages, Grace regardait leurs mains courir sur le clavier. Ils s'entendaient à merveille, comme s'ils jouaient ensemble depuis toujours.

Ils ne commirent que deux erreurs, lorsqu'un passage les obligea à croiser les mains. Grace tourna la dernière page. Ils plaquèrent les ultimes accords avec enthousiasme.

— Bravo ! s'écria-t-elle en applaudissant.

— Excellent, ce duo, déclara Dylan, puis il prit sa fille sur ses genoux. À présent, que dirais-tu de le jouer autrement ? Tu joues la moitié de ma partie, et moi la moitié de la tienne.

— Mais papa, c'est impossible, protesta-t-elle en riant.

— Pourquoi pas ?

Elle tourna la tête pour le regarder.

— On ne peut pas jouer un duo comme ça.

— Qui a dit cela ? Essayons.

Ce fut une belle cacophonie. Isabel riait tellement qu'elle n'arrivait plus à jouer.

Molly entra, et la fillette cessa aussitôt de rire, sachant que ce moment magique touchait à sa fin.

— Pardonnez-moi, monsieur, dit Molly avec une révérence, mais c'est l'heure du coucher de Mlle Isabel.

— Oh, non ! s'écria la petite en nouant les bras autour du cou de son père. Pas tout de suite, papa ! Est-ce qu'on peut jouer encore un peu ? Je m'amuse tellement. S'il vous plaît.

Pour ne pas fondre, il aurait fallu avoir un cœur de pierre. Le visage crispé, Dylan fit un geste pour dénouer les bras d'Isabel. Puis, à la grande surprise de Grace, il changea d'avis, enlaça sa fille et enfouit le visage dans ses cheveux.

Grace détourna les yeux, émue. Isabel avait peut-être raison, et elle tort. Peut-être que les hommes pouvaient changer. Certains. Parfois.

Au bout d'un moment, il se leva, Isabel dans les bras.

— Les petites filles ont besoin de sommeil, dit-il alors qu'elle commençait à protester. Nous aurons tout le temps de jouer demain.

Grace et Molly le suivirent jusque dans la chambre de sa fille. Molly tira les couvertures, et Dylan déposa la petite dans son lit, la borda et s'assit près d'elle. Il semblait tellement imposant comparé à l'enfant allongée dans son petit lit étroit.

Isabel le considéra d'un air grave.

— Est-ce que vous sortez ce soir, papa ?

— Oui.

Elle lui prit la main.

— Est-ce que vous devez vraiment sortir ?

— J'ai des choses à faire.

— Comme quoi ?

Il se pencha pour déposer un baiser sur le nez de l'enfant.

— Qu'est-ce que ça peut te faire, la taquina-t-il, puisque tu dormiras.

Au grand étonnement de Grace, Isabel n'insista pas. Dylan se leva.

— Bonne nuit, petit cœur, murmura-t-il en remontant la couverture.

Isabel ne répondit pas. Elle se contenta de regarder le plafond d'un air songeur. Grace aurait payé cher pour deviner ses pensées. Sans aucun doute, la petite n'avait pas dit son dernier mot.

— Parce que vous devez les examiner en sera ?
— Tu dis chose étrange.
— Compris quoi ?
— Il ne peut te point déposer un baiser sur le front de l'enfant.
— Qu'est-ce que cela peut te faire, la réplique à demi-...
— Au grand étonnement de Grace, celle-ci insista :
Vous délirez...
— Il pose une petite va abandonner à la rencontre...

13

Laissant Isabel sous la garde de sa nurse, Grace et Dylan quittèrent la chambre ensemble.

Dylan ayant l'intention de sortir, Grace s'attendait qu'il regagne sa propre chambre pour se changer, aussi fut-elle surprise lorsqu'il redescendit avec elle au rez-de-chaussée.

— Avez-vous l'intention de travailler ? s'enquit-elle tandis qu'ils pénétraient dans le salon de musique. Dans ce cas, je peux emporter mes affaires dans le grand salon.

— Inutile, je vais sortir, répondit-il, sans faire mine de bouger.

Elle se dirigea vers la table et s'assit. Tandis qu'elle contemplait d'un air distrait les souvenirs de sa vie éparpillés sous ses yeux, il s'approcha, fit lentement le tour de la table.

Comme il était imprévisible ! Ses humeurs se modifiaient en un clin d'œil, tels des orages d'été qui vous prennent au dépourvu. Alors que dans l'après-midi il s'était pratiquement enfui de la nursery, quelques heures plus tard il bordait sa fille dans son lit. Et si quelqu'un avait dit à Grace qu'il se sentirait coupable, elle lui aurait ri au nez.

Dylan se pencha soudain par-dessus son épaule pour s'emparer d'un objet scintillant.

— Une épingle à cheveux ? demanda-t-il, un brin amusé.

— À une époque, j'en avais une boîte entière. J'ai dû les vendre, mais j'en ai gardé une.

— Pourquoi ?

— Parce que ces épingles étaient un cadeau de ma mère pour mes dix-sept ans, répondit-elle, la gorge nouée. J'en ai conservé une pour ne pas... oublier.

— Oublier quoi ?

Elle tourna la tête et le regarda droit dans les yeux. Il la contemplait d'un air grave, comme si sa réponse était d'une importante vitale.

— Je ne voulais pas oublier mon enfance, ma mère, mes origines. Je voulais me souvenir de ma maison et de ma famille.

Sa voix se brisa, et elle se concentra de nouveau sur les objets devant elle. Les larmes lui brouillaient la vue. Sa vie entière s'étalait sur cette table. Avec ses souvenirs, c'était tout ce qui lui restait, et cela lui paraissait tout à coup si tristement dérisoire.

— Grace, ne pleurez pas.

Comment avait-il deviné, alors qu'il se trouvait derrière elle ? s'étonna-t-elle, s'en voulant aussitôt de se montrer aussi bêtement sentimentale.

— Je ne pleure pas, mentit-elle.

Il se pencha, lui effleura la joue. Elle cligna des yeux et une larme roula sur sa main.

— Bien sûr, Grace. Vous êtes bien trop raisonnable pour vous laisser émouvoir par une malheureuse épingle à cheveux. Pardonnez-moi d'avoir pu croire une chose pareille.

Elle devina au son de sa voix qu'il souriait.

Dylan Moore était un débauché, se rappela-t-elle. Les femmes lui tombaient dans les bras. Il avait de l'argent pour les couvrir de cadeaux, un physique de séducteur, et du charme à revendre. Il savait en outre composer des musiques envoûtantes.

Et voilà qu'il avait décidé de la conquérir, elle.

Elle savait que la méfiance était de mise avec un pareil séducteur, mais elle ne pouvait s'empêcher d'espérer qu'il tînt vraiment à elle. C'était une illusion dangereuse, car les liaisons de Dylan étaient légendaires, de même que leurs dénouements inévitables. Elle devinait qu'aucune des nombreuses femmes qui avaient traversé sa vie n'avait vraiment compté pour lui. Pire, il ne voyait là rien de répréhensible.

La main de Dylan apparut de nouveau dans son champ de vision, sans l'épingle à cheveux. Qu'en avait-il fait ? Il se pencha, frôla son épaule pour ramasser un ruban rose qui provenait d'une boîte de chocolats viennois.

Il en fit un nœud qu'il fixa dans la natte de Grace avec l'épingle à cheveux. Puis, au lieu de s'écarter, il appuya les pouces sur ses tempes et lui inclina doucement la tête en arrière. Elle vit son visage renversé au-dessus du sien, les longs cils noirs, les yeux sombres, l'esquisse d'un sourire énigmatique. Il se pencha encore un peu et l'embrassa.

La tendre pression de ses lèvres sur les siennes la désarma. Dans son for intérieur, elle savait que tout cela n'était qu'un jeu pour Dylan, mais comment résister alors qu'il lui mordillait les lèvres, les goûtait, les aspirait, les savourait comme si elles constituaient le plus précieux des nectars ?

Les bonnes résolutions de Grace s'effilochaient à toute allure. Une bouffée de désir l'envahit, balayant ses réticences, et toute réflexion devint impossible. Brusquement, le monde se résumait à ce baiser, aux lèvres douces et chaudes de Dylan, aux longs cheveux noirs qui l'enserraient comme dans un écrin. Que penser de lui ? Comment démêler l'écheveau d'émotions confuses qu'il lui inspirait ? Elle n'avait qu'une certitude : la solitude lui pesait, et cet homme avait le pouvoir d'alléger son fardeau.

Il se redressa, l'incita à se lever.

— Grace? fit-il en écartant la chaise qui les séparait.

— Oui?

— Est-ce que vous avez eu une liaison avec Liszt?

Comme elle demeurait silencieuse, il glissa les bras autour de sa taille et appuya la joue contre sa tempe.

— Dites-le-moi, murmura-t-il. Sinon, je vais être obligé de vous embrasser pour vous faire avouer.

Il lui mordilla l'oreille, et elle frissonna.

— Vous aimez cela, n'est-ce pas?

— Oui, avoua-t-elle, à bout de souffle.

— Dieu que j'aime vous entendre prononcer ce mot...

Lorsqu'il lui suça le lobe de l'oreille, elle sentit ses genoux fléchir et laissa échapper un gémissement. Il resserra son étreinte et, tout en lui taquinant l'oreille, entreprit de déboutonner sa robe. Elle aurait dû l'arrêter, mais elle en fut incapable.

Dylan avait envie d'elle. Elle sentait son érection malgré la barrière des vêtements. Alors que la raison lui criait de s'écarter, de s'enfuir au plus vite, elle se pressa contre lui, savourant la sensation de ce corps viril contre le sien.

— Dylan... commença-t-elle.

— Avez-vous eu une aventure avec Liszt? insista-t-il, la voix rauque à présent. Je veux le savoir.

— En quoi cela vous importe-t-il?

— Cela m'importe.

Il glissa la main dans l'échancrure de la robe, enserra le sein au-dessus du corset. Grace vacilla, en proie à un délicieux vertige.

— Je ne suis pas ce genre de femme, dit-elle d'une voix haletante. Vous le savez. Je n'ai pas d'aventures avec des hommes.

— Pauvre Franz, lâcha-t-il, manifestement enchanté. Il est tombé sur une femme vertueuse.

Du bout des doigts, il lui caressa le sein tandis qu'il déposait une pluie de baisers le long de son cou jusqu'à l'épaule.

— Je vous ai entendue tout à l'heure, Grace. Est-ce que vous pensiez ce que vous avez dit ?

Le souffle court, il dénoua d'une main habile les rubans de sa chemise, rappelant à Grace combien il était accoutumé à l'exercice. Il tira sur l'étoffe pour lui dénuder les épaules.

— Est-ce que vous vous sentez seule ?

Elle éprouva un pincement au cœur et préféra se taire, irritée qu'il profite de son désarroi pour lui poser une question dont il connaissait déjà la réponse.

Il lui caressa la poitrine de deux mains, effleura du pouce la peau douce au-dessus du corset, puis glissa la cuisse entre ses jambes.

— Alors, je vous écoute.

— Je... je ne crois pas... Oh, Seigneur !

Elle chancelait au bord de l'abîme, et devait l'obliger à cesser ce manège sans tarder. Une nuit d'amour, si magnifique fût-elle, ne suffirait pas à apaiser sa solitude. Dépourvu de sentiments véritables, l'acte n'était qu'une parodie, une tromperie qui la laisserait encore plus seule et démunie. Si elle poursuivait ce petit jeu plus longtemps, elle perdrait jusqu'au respect d'elle-même.

— Arrêtez, Dylan.

En dépit de la fièvre qui s'était emparée de lui et du rugissement dans sa tête, il entendit ses paroles. Surtout ne pas les écouter ! Les femmes ne protestaient-elles pas toujours dans ces moments-là ?

Grace ne parlait pas sérieusement. Pas vraiment. Pas maintenant, alors qu'il lui caressait les seins, qu'il la désirait si fort que la tête lui tournait. Tout ce qu'il voulait en cet instant, c'était soulever ses jupes et la pénétrer afin de mettre fin à cette torture. Il ne pouvait pas arrêter maintenant. C'était impossible...

Elle bougea à nouveau, mais cette fois c'était différent. Elle s'était raidie, et cherchait à s'écarter. Il la saisit aux épaules.

— Moi aussi, je me sens seul, Grace, chuchota-t-il d'une voix où perçait le désir désespéré qu'il avait d'elle. Venez dans ma chambre. Maintenant.

— Je croyais que vous étiez sur le point de sortir, fit-elle, le corps rigide.

— Alors que je pourrais passer la nuit avec vous ? Il faudrait être fou.

Rien ne pouvait être comparé au bonheur qu'il éprouvait à tenir Grace dans ses bras. Il lui mordilla le cou, grisé par son parfum délicat, la douceur de sa peau.

— M'en aller maintenant ? grogna-t-il contre son oreille. Pas question.

Il la sentit hésiter, s'amollir entre ses bras, ce qui le rendit fou. Puis, sans prévenir, elle s'arracha à son étreinte.

— Non ! lança-t-elle d'une voix vibrante. Je ne peux pas faire ça. Je ne veux pas.

Il serra les poings, furieux, tout son corps se rebellant contre cet inexplicable abandon. Il avait l'impression de partir à la dérive, frémissait de la tête aux pieds.

Le dos tourné, elle reboutonnait sa robe, la tête penchée en avant. Il se planta devant elle, et s'aperçut que ses mains tremblaient.

— Grace, restez avec moi, insista-t-il, s'efforçant d'être tendre alors qu'il n'était que chaos.

— Je reste, répliqua-t-elle d'une voix insupportablement détachée. Je dois même rester une année entière.

— Ce n'est pas ce que je voulais dire.

Il enserra son visage entre ses mains.

— J'ai dit non, lui rappela-t-elle en le regardant droit dans les yeux. Vous m'avez donné votre parole.

Il aurait pu rire de ces histoires de parole et d'honneur, mais tandis qu'il plongeait dans le regard vert qui ne se dérobait pas, il comprit soudain que la jeune femme avait peur. À raison. S'il demeurait une seconde de plus dans cette pièce, il ne serait plus responsable de ses actes. Le sifflement dans sa tête s'intensifia, si bien qu'il crut que son crâne allait exploser.

Il lâcha un juron et se détourna. Crénom, il la détestait de lui infliger ce refus, et il se détestait de ne pas savoir se maîtriser. Il devait sortir de cette pièce avant de perdre tout contrôle. De sa vie il n'avait été aussi près de forcer une femme.

Il ouvrit la porte si violemment qu'elle alla claquer contre le mur. Le valet de pied assis dans le vestibule se leva d'un bond.

— Ma voiture! ordonna Dylan d'une voix forte. Je sors.

Il gravit les marches deux par deux, ordonna à Phelps de lui apporter de l'eau chaude.

Quinze minutes plus tard, rasé de près, vêtu d'une tenue de soirée élégante, il arpentait rageusement le vestibule, le corps enfiévré, tandis que les gémissements de Grace résonnaient encore dans sa tête.

Il était en train de devenir fou, sans aucun doute. Au lieu de le sauver, cette femme le poussait à bout. Il la courtisait depuis des semaines, alors qu'elle ne cessait de le rejeter.

Ces deux dernières semaines, il avait essayé en vain de ne pas penser à elle et de se concentrer sur sa symphonie, mais aucune mélodie ne trouvait grâce à ses yeux.

À vrai dire, rien n'avait changé depuis que Grace habitait chez lui. Il n'arrivait toujours pas à composer. Il sortait le soir, s'étourdissait de plaisirs. Seule exception notable : il n'avait pas touché une autre femme. Il n'en avait pas eu envie, tant il était captivé par la créature insaisissable qui vivait sous son toit.

Combien de temps cela allait-il durer ? Il patientait depuis des semaines, se contentant de quelques baisers passionnés et de rêves érotiques. Mais il avait besoin de faire l'amour, pardieu ! Il était un homme de chair et de sang.

Il devait à tout prix assouvir ce désir qui le torturait. Il décida alors qu'avant la fin de la nuit il tiendrait une femme consentante entre ses bras. Une courtisane, une demi-mondaine, une prostituée, une fille des rues... N'importe qui était préférable à une femme vertueuse. Comment avait-il pu l'oublier ?

Lorsque la voiture s'arrêta devant la porte, Osgoode drapa la cape doublée de soie de Dylan sur ses épaules, un valet lui ouvrit la porte, et il sortit dans l'air doux d'une belle soirée de printemps.

Heureusement que la maison se trouvait au coin du square, songea Isabel, tapie dans l'ombre, tandis que la voiture de son père approchait. Par chance, le toit de l'attelage était relevé.

Lorsque la voiture passa près d'elle, elle ouvrit la barrière et la suivit jusqu'au coin de la rue. Elle s'adossa au mur, écouta son père donner une adresse à Roberts, le cocher, avant de grimper dans la voiture et de fermer la portière.

Sans hésiter, la fillette se courba en deux, courut vers le véhicule et se hissa sur le marchepied où se tenait habituellement un valet de pied.

Le cocher claqua de la langue, et les chevaux s'élancèrent. Si Roberts se retournait, il ne la verrait pas, car elle était trop petite, mais elle ne voulait pas non plus que des passants la remarquent. On ne sait jamais, quelqu'un pourrait avoir l'idée d'alerter Roberts. Elle s'emmitoufla dans la couverture noire qu'elle avait pris soin d'emporter avec elle, puis se roula en boule dans l'espoir qu'on la prendrait pour un paquet oublié.

Elle ignorait où se rendait son père, la nuit, mais elle devinait que les possibilités étaient nombreuses. Il était membre de plusieurs clubs importants à Londres, dont le célèbre *Brook's* où les hommes passaient leur temps à jouer et à boire. Mais cela lui était indifférent. Son père gagnait souvent au jeu, et il avait les moyens de perdre de temps à autre. Il buvait aussi, mais il ne devenait jamais violent comme certains des hommes qu'elle avait croisés dans sa courte vie.

Quant aux autres bêtises qui faisaient la une des gazettes, elle en était plutôt fière. C'était excitant d'avoir un père séduisant qui se battait à l'épée ou qui faisait la course avec des attelages.

En revanche, ses prouesses en matière de femmes lui déplaisaient fortement. Elle en savait long sur ce sujet, et elle avait l'intention d'y mettre un terme. S'il devait devenir le genre de père qu'elle souhaitait, il lui fallait épouser une gentille femme. Elle voulait avoir des frères et sœurs pour ne plus se sentir seule. Elle voulait aussi vivre à la campagne, entourée de vergers, de poussins et de poneys.

Pendant le voyage entre la France et l'Angleterre, elle avait planifié sa nouvelle vie avec son père dans les moindres détails, et elle était bien décidée à mettre tout en œuvre pour arriver à ses fins. Son père allait devoir changer, et elle allait l'y aider.

Alors qu'elle commençait à trouver le temps long, et sa position inconfortable, la voiture s'immobilisa enfin. Le cocher descendit ouvrir la portière. Son père lui ordonna d'aller l'attendre aux écuries, expliquant qu'il en avait pour plusieurs heures.

Isabel ferma les yeux, priant le Ciel qu'aucun des deux hommes ne la voient. Elle risqua un coup d'œil, vit son père entrer dans une maison qui se trouvait dans un parc.

Roberts guida les chevaux jusqu'aux écuries. Des voix masculines l'accueillirent chaleureusement, et elle en déduisit que son père venait souvent dans cette maison.

Elle patienta jusqu'à ce que les hommes s'installent sur des bottes de paille et entament une partie de dés, puis elle sauta du marchepied et se rua vers la maison.

Elle s'agrippa au lierre pour escalader le mur du parc, s'approcha de la maison, essaya toutes les portes, sans succès. Elles étaient fermées à clé. Elle se demandait quoi faire lorsqu'elle s'aperçut qu'un domestique négligent avait oublié de fermer la porte de la serre. Elle se glissa à l'intérieur.

Le son d'un piano, des éclats de voix et des rires lui parvinrent. Il y avait sûrement une fête. Elle réussit à éviter les domestiques, et dénicha l'escalier sans se faire remarquer. Arrivée sur le palier du premier étage, elle jeta un coup d'œil par une porte entrebâillée et, d'un seul coup, elle eut l'impression qu'un étau lui enserrait la poitrine. Sa mère avait souvent donné des fêtes semblables, autrefois, et Isabel n'en gardait pas un bon souvenir.

La pièce était décorée de beaux palmiers en soie, des miroirs aux cadres dorés ornaient les murs d'un rouge profond. Pourquoi les maisons des courtisanes étaient-elles toujours tapissées de papier peint rouge ? se demanda-t-elle, irritée. Elle respira l'odeur du tabac mêlée à celle du haschich. Son père devait se trouver dans ce salon, à moins qu'il ne fût déjà monté dans l'une des chambres avec une femme.

Un jeune homme jouait du piano, sa chemise blanche ouverte jusqu'au nombril. Assis aux différentes tables de jeu, des hommes et des femmes dénudés jouaient au poker. Il y avait des couples sur les chaises, vautrés dans les profonds canapés de velours, ou étendus sur le sol. Un jeune Noir vêtu d'une livrée et d'une perruque poudrée agitait un éventail, sans parvenir à chasser l'épaisse fumée des cigares.

Indignée et furieuse, Isabel songea que rien n'avait changé depuis Metz. Ses deux parents se ressemblaient ; il n'y en avait pas un pour racheter l'autre.

Elle inspira un grand coup pour se donner du courage. Son père se trouvait dans cette maison de débauche et elle allait le trouver. Elle balaya une nouvelle fois la pièce du regard et l'aperçut dans une chaise longue, allongé sur une femme blonde dont les longs cheveux frôlaient le tapis. Le visage renversé, la femme aux lèvres écarlates arborait une expression béate en lui caressant la joue. Quand il lui sourit, Isabel eut l'impression de recevoir un coup de poing dans l'estomac.

Il enfouit le visage entre les seins de la femme qui se cambra vers lui, les lèvres entrouvertes. Ses rêves d'une vie de famille fracassés, Isabel s'avança dans le salon.

Au début, personne ne la remarqua. Puis le pianiste cessa de jouer, les têtes se tournèrent vers elle les unes après les autres, et le silence se fit.

— Tiens donc, qu'est-ce que nous avons là ? s'écria une femme.

— Je suis venue chercher mon père pour le ramener à la maison, déclara Isabel d'une voix claire.

Dylan redressa la tête comme si on l'avait frappé, rejeta ses cheveux en arrière. La fillette eut un sourire satisfait en voyant son expression accablée.

— Bon Dieu ! s'écria-t-il, horrifié.

14

Ignorant les regards stupéfaits autour de lui, Dylan ne se donna même pas la peine de ramasser sa redingote qui gisait sur le sol. Il n'avait qu'une pensée : sortir son enfant au plus vite de cet endroit. Le visage fermé, il la souleva dans ses bras et se rua dans le vestibule, lui cachant les yeux de la main pour qu'elle ne voie pas le couple à moitié nu qui batifolait dans l'escalier.

— Papa... commença-t-elle d'une petite voix, alors qu'il marchait à grandes enjambées vers les écuries.

— Pas un mot, Isabel. Je ne veux pas t'entendre dire un seul mot !

Il fut soulagé qu'elle lui obéisse. Seigneur, qu'avait-elle bien pu voir ? Il en avait l'estomac noué. Il inspira profondément, essayant de dissiper les brumes de haschich qui lui embrouillaient l'esprit Son cœur battait la chamade. Il n'avait jamais été aussi furieux de sa vie.

— Roberts ! cria-t-il, interrompant le jeu de dés des cochers. Nous partons. Tout de suite !

Le jeune homme blêmit en découvrant Isabel dans les bras de son père.

— Que diable ... ? s'écria-t-il.

Puis il jeta un coup d'œil à Dylan, et s'empressa d'aller atteler les chevaux.

Ce ne fut que lorsqu'ils furent installés dans la voiture, la portière fermée, que Dylan trouva enfin la force d'adresser la parole à sa fille.

— Qu'est-ce que t'est passé par la tête, Isabel ? Comment es-tu arrivée jusqu'ici ?

— J'ai grimpé sur le marchepied. Je voulais savoir où vous alliez la nuit… Maintenant, je sais.

La fillette leva les yeux vers lui. Son visage était éclairé par la lune, et l'expression de haine et de mépris que Dylan y vit le transperça. Jamais les sentiments d'aucune femme ne l'avaient atteint de cette façon.

— Tu ne sais donc pas que Londres est une ville dangereuse ? s'écria-t-il. Quand je pense à ce qui aurait pu t'arriver…

Il s'interrompit, à la fois furieux et épouvanté à l'idée du danger que sa fille avait couru.

— Si jamais tu recommences, tu auras la correction de ta vie.

Isabel haussa les épaules avec dédain, puis détourna le visage pour regarder par la fenêtre. Une larme roula sur sa joue, une larme de vraie douleur. Dylan eut l'impression de recevoir un coup de poing en plein cœur. La gorge nouée, il étouffait. Il avait redouté d'emblée d'être un mauvais père, et désormais, il en avait la certitude.

Désemparé, il se frotta le visage. Si Grace avait été là, elle aurait pu le conseiller, mais comment lui demander son aide alors qu'il venait de quitter un bordel ?

La courtisane blonde lui ressemblait un peu. Elle était mince et élancée, et ses longs cheveux étaient pareils à de la soie. Voilà pourquoi il l'avait choisie. Ses yeux étaient bleus, et non verts, mais comme elle les gardait fermés, arquant le corps sous ses caresses, la bouche entrouverte en une parodie de plaisir, il aurait presque pu s'imaginer que c'était Grace. Pauvre substitut pour un homme désespéré !

À présent, il regardait sa fille qui souffrait à cause de lui, et il ne savait pas quoi dire. Il tendit la main pour essuyer les larmes sur sa joue.

— Ne pleure pas, Isabel.

Elle le repoussa.

— Ne me demandez pas de ne pas pleurer ! répliqua-t-elle d'une voix chargée de toute la colère que pouvait ressentir une enfant de huit ans. Rien n'est différent ici. Autrefois, je rêvais que vous viendriez me chercher et que j'aurais un vrai père. Je pensais habiter avec vous dans votre maison à la campagne, j'espérais avoir un poney, un verger et un papa qui veillerait sur moi.

Elle lui jeta un regard sombre, accusateur et méprisant.

— Mais vous n'êtes jamais venu.

— J'ignorais ton existence.

— Plus maintenant, mais vous vous en fichez ! lança-t-elle, étouffant un sanglot. Vous ne pensez qu'à vous débarrasser de moi ! Vous êtes comme tous les autres.

— Quels autres ?

Elle se cala dans le coin de la voiture, replia les jambes, et les entoura de ses bras.

— Les amis de maman. À chaque nouvel ami, on changeait de maison et il s'installait avec nous, et maman disait qu'il deviendrait mon papa, mais aucun d'entre eux n'était mon vrai papa. C'était *vous* mon père, mais vous n'êtes jamais venu. Et chaque fois que le soi-disant papa se lassait de maman, on déménageait. Cette maison…

Elle fit un geste du pouce pour désigner l'endroit qu'ils venaient de quitter.

— Maman habitait une de ces maisons la première fois que vous êtes venu à Metz. Je l'ai entendu le raconter à quelqu'un.

Vivienne… Dylan se rappela vaguement une ravissante courtisane aux longs cheveux bruns et aux yeux noisette. Il avait passé deux nuits enfiévrées avec elle, mais le prix à payer pour qu'elle se consacre exclusivement à lui était trop élevé, et il avait renoncé à l'entretenir.

D'un seul coup, il eut l'impression de tomber tête la première dans un abîme.

Puisqu'il n'était pas au courant de l'existence d'Isabel, il n'avait pas à se sentir fautif, mais de se dire cela ne lui procurait aucune consolation. Sur la banquette en face de lui se trouvait une enfant, la sienne, et il découvrait, accablé, quelle vie elle avait menée.

Isabel se mit à sangloter, inconsolable.

— Je croyais que vous seriez différent... hoquetat-elle. Puisque vous étiez mon vrai papa, je pensais que vous pourriez vous occuper de moi et m'aimer, mais vous n'êtes pas mon père... Vous faites semblant, comme tous les autres.

Chacun de ses mots le lacérait.

— Je ne suis pas idiote! Je les connais les hommes qui étaient dans cette maison. Je les ai connus toute ma vie. Quand ils venaient voir ma maman, je savais ce qu'ils voulaient d'elle!

Soudain, elle se jeta sur lui et commença à lui marteler la poitrine de ses poings.

— Vous êtes exactement comme eux!

Dylan enveloppa la petite furie de ses bras. Il ne s'était jamais senti aussi honteux de sa vie. Isabel n'avait pas tort. Il n'était pas mieux que ces hommes qui avaient traversé la vie de sa mère.

Il attira l'enfant en larmes sur ses genoux et la serra contre lui. Que dire pour apaiser son chagrin? Il lui caressa les cheveux, ses larmes creusant des rigoles de détresse dans son cœur.

Et tandis que la voiture cahotait sur les pavés de Londres, Dylan se découvrit soudain un instinct protecteur qu'il ignorait posséder. Il voulait réparer les négligences qu'Isabel avait endurées à cause de sa mère et de lui. C'était sa fille. C'était à lui de la protéger, de l'élever, de la défendre. À lui et à personne d'autre. Il ne pouvait se dérober à son devoir. Il ne le voulait plus.

— Je suis désolé, mon cœur, tellement désolé. Je ne connaissais pas ton existence, sinon je serais venu te chercher, je te le jure.

Il n'en était pas complètement persuadé, mais il voulait absolument faire cesser ce flot de larmes.

— J'ai toujours voulu avoir une vraie famille, marmonna-t-elle, le visage enfoui dans sa chemise.

— Je sais, murmura-t-il en lui embrassant la tempe. Nous formerons une vraie famille. Toi et moi. Je te le promets.

Isabel ne répondit pas. Elle continua à pleurer, serrant la chemise de son père dans son petit poing. Lorsqu'ils atteignirent Hyde Park, elle s'était endormie, épuisée. Dylan pressa les lèvres sur les cheveux emmêlés de sa petite fille.

— Je vais changer, Isabel, souffla-t-il, le cœur chaviré. Je vais devenir un vrai papa, je te le jure.

Grace était aussi affolée que les autres membres de la maisonnée, mais elle s'efforçait de garder son calme pour les rassurer.

— Réfléchissons, dit-elle aux domestiques en robe de chambre rassemblés dans le vestibule. Où pourrait-elle être ?

Molly éclata en sanglots.

— C'est ma faute, madame. Je l'ai laissée seule quelques minutes. Je n'arrivais pas à dormir, alors je suis descendue me préparer une tasse de thé. Je pensais qu'elle dormait.

— Je sais, Molly. Inutile de te faire des reproches. Est-ce qu'elle a emporté des vêtements ?

— Non, madame. J'ai vérifié deux fois. Elle a enfilé la vieille robe et la chemise blanche qu'elle portait chez les sœurs. Elle a pris aussi ses chaussures et sa cape.

Grace se tourna vers Osgoode.

— Elle n'est ni à la cuisine ni dans l'une des chambres des domestiques. Et elle n'est pas dans le parc, n'est-ce pas ?

Le majordome secoua la tête.

— Cela n'a aucun sens. Si elle s'est habillée et qu'elle a pris sa cape, c'est donc qu'elle s'est s'enfuie de la maison. Mais dans ce cas, pourquoi n'a-t-elle pas emporté des vêtements de rechange ?

Personne ne lui répondit. Ils semblaient tous aussi perplexes.

— Nous allons fouiller la maison une nouvelle fois. Si nous ne la trouvons pas, nous serons contraints de prévenir les autorités. Osgoode, envoyez des valets dans le parc, les écuries, et la rue. Si jamais ils croisent quelqu'un, qu'ils l'interrogent. Quelqu'un l'a peut-être aperçue sans savoir qui c'était. Quant à vous, madame Ellis, remontez à l'étage des domestiques. Molly et moi allons retourner dans la nursery. Nous devons inspecter cette maison de fond en comble.

À cet instant, la cloche de l'entrée résonna.

— Quelqu'un l'a peut-être trouvée ! s'écria Molly, tandis qu'Osgoode allait ouvrir.

Dylan s'encadra dans la porte, sans chapeau ni redingote, une Isabel endormie dans les bras. Grace fut si soulagée qu'elle sentit ses genoux se dérober sous elle.

— Vous cherchez quelque chose ? s'enquit-il en balayant le petit groupe du regard.

— Dieu soit loué ! s'exclama Molly. Mademoiselle était avec monsieur.

Les domestiques commencèrent à poser des questions, mais Dylan les fit taire.

— Chut, vous allez la réveiller. Elle va bien, elle est juste épuisée. Molly, suivez-moi, quant aux autres, retournez vous coucher.

Molly lui emboîta le pas alors qu'il gravissait l'escalier.

Grace n'avait pas l'intention de retourner se coucher avant de savoir ce qui s'était passé. Elle les suivit jusqu'à la nursery où Dylan déposa tendrement Isabel dans son lit.

Grace le regarda border sa fille pour la deuxième fois de la soirée. Elle étudia la ligne rigide de ses épaules, sa mâchoire crispée, et comprit que quelque chose de grave avait eu lieu.

Il se tourna vers Molly qui se tordait les mains.

— Si jamais vous la laissez seule de nouveau, je vous flanque à la porte. C'est compris ?

— Oui, monsieur, fit la jeune fille, visiblement soulagée qu'on lui ait accordé une seconde chance. Je vous remercie, monsieur.

Dylan déposa un baiser sur le front de l'enfant endormie.

— Dors, ma chérie, et ne pleure plus, murmura-t-il.

Il quitta la pièce, Grace sur les talons, et descendit l'escalier au pas de charge. La jeune femme dut relever sa chemise de nuit pour ne pas trébucher.

— Pourquoi Isabel pleurait-elle ? demanda-t-elle. Que s'est-il passé ?

— Allez vous coucher, Grace.

Ils arrivèrent dans le vestibule et elle s'étonna de le voir ouvrir la porte d'entrée.

— Où allez-vous ?

— Me promener, lâcha-t-il avant de sortir.

Interloquée, Grace demeura quelques secondes immobile devant la porte fermée, puis elle remonta dans sa chambre et souffla la bougie. Mais elle était trop énervée pour songer à dormir.

Elle se leva et s'approcha de la fenêtre. La lune était pleine, éclairant le parc. Elle aperçut Dylan assis sur un banc, les coudes sur les genoux, la tête entre les mains.

Il s'était passé quelque chose d'affreux.

Grace enfila sa robe de chambre et ses chaussures, s'emmitoufla dans sa cape et descendit au rez-de-chaussée. Elle ouvrit la porte sans bruit et se faufila dehors.

Il se redressa en l'entendant approcher.

— Je croyais vous avoir dit d'aller vous coucher.

— Je n'obéis pas toujours à vos ordres.

— C'est juste, dit-il sans sourire.

Grace s'assit à côté de lui.

— Que s'est-il passé, Dylan ?

Il resta silencieux si longtemps qu'elle crut qu'il ne lui répondrait pas.

— Isabel a grimpé à l'arrière de ma voiture, lâcha-t-il finalement, avant de se tourner vers elle et d'ajouter en la regardant droit dans les yeux : Ce soir, je suis allé dans une maison close.

Un frisson la parcourut. Après leurs baisers passionnés, après qu'elle l'eut repoussé, il s'était rendu dans un bordel. Alors que son corps à elle se rappelait encore chacun de ses baisers, chacune de ses caresses, lui avait été dans une maison close.

— Je vois... Est-ce qu'Isabel... ?

Effarée, elle fut incapable de continuer.

— Elle m'a vu, oui. Je ne sais pas comment elle a réussi à entrer dans la maison sans se faire remarquer.

— Elle vous a vu avec une prostituée ?

— Je ne me sens pas coupable. J'étais fou de désir, et vous le savez.

— Est-ce une manière détournée de me dire que c'est moi la coupable ?

— Bien sûr que non ! Je vous désirais tellement que je ne pouvais supporter de rester seul, alors j'ai choisi la courtisane qui vous ressemblait le plus.

— Dois-je me sentir flattée ?

— Ce n'était qu'un triste substitut, je vous l'accorde, mais je suis un homme, célibataire de surcroît, et j'ai l'habitude d'avoir une maîtresse. Quand je n'en ai pas, je recherche une autre compagnie féminine, et ce n'est pas un secret. Je ne vais pas me défendre d'éprouver des désirs qui sont naturels et sains.

Grace était perplexe. Il avait choisi une courtisane qui lui ressemblait. Devait-elle se sentir dégoûtée, flattée, outrée ?

Elle n'avait aucun droit sur lui. Elle avait choisi de le rejeter, et lui avait choisi d'aller retrouver une prostituée. Il n'y avait là rien que de très normal, excepté la présence d'une petite fille qui, si son père avait été différent, n'aurait pas ressenti le besoin de le suivre en pleine nuit.

— Est-ce qu'Isabel a assisté à vos ébats ? risqua-t-elle, l'estomac noué.

— Nous n'étions pas nus, si c'est ce que vous voulez savoir.

— Épargnez-moi les détails, je vous en prie.

Elle l'imagina avec une blonde à moitié dévêtue, renouvelant les caresses qui l'avaient enflammée. Et elle en éprouva une douleur inattendue.

— Si vous ne ressentez pas le besoin de vous défendre, pourquoi êtes-vous si bouleversé, Dylan ?

— Comment ne le serais-je pas ? J'ai emmené Isabel aussi vite que j'ai pu, mais inutile de vous dire qu'elle était anéantie. Elle a pleuré durant tout le trajet de retour. Elle m'a dit...

Il inspira profondément.

— Elle m'a dit que je ressemblais à tous les hommes que sa mère avait fréquentés.

— Seigneur... murmura Grace. Sa mère était une courtisane.

— Oui. Je m'en souviens à présent. C'était une jolie Française aux cheveux bruns et aux yeux sombres. Je voulais être le seul homme dans sa vie, mais je n'avais pas encore hérité de mon père et je ne gagnais pas assez d'argent pour l'entretenir. Nous nous sommes séparés au bout de quelques jours.

Grace ne voulait pas en savoir davantage. Elle se leva.

— Désormais, vous savez comment votre petite fille a passé les huit premières années de sa vie. À vous de décider comment se passeront les suivantes. Que comptez-vous faire ?

— Devenir un vrai père. Nous quitterons Londres dès que j'aurai pris mes dispositions. Nous allons nous rendre à Nightingale's Gate, ma propriété dans le Devonshire. Isabel désire avoir un poney, un verger et un père, eh bien, pardieu, je vais les lui donner !

15

Lorsque Dylan avait une idée en tête, rien ne pouvait l'en détourner. On envoya une lettre dans le Devon pour prévenir les domestiques de l'arrivée de leur maître et leur demander de faire accorder le piano. La moitié des domestiques londoniens se rendirent sur place pour compléter le personnel, tandis que les autres préparaient les bagages. De leur côté, Grace et Molly s'employaient à calmer une Isabel surexcitée à l'idée de découvrir la campagne.

Et c'est ainsi que, quelques jours plus tard, les deux jeunes femmes, Isabel et Dylan se retrouvèrent dans une calèche découverte qui longeait la côte du Devon. Après avoir traversé Seaton, ils se dirigèrent vers le village de pêcheurs de Cullenquay situé non loin de la propriété de Dylan.

— Comment est-ce? demanda Isabel pour la énième fois. Est-ce que ça ressemble à ça? ajouta-t-elle en indiquant d'un large geste la campagne environnante, les collines où broutaient des moutons, et la mer au loin.

— Peut-être, répondit son père d'un air énigmatique.

— Je sais qu'on n'est plus très loin. Quand est-ce qu'on arrive?

— Bientôt.

— Papa! s'écria Isabel. Pourquoi est-ce que vous ne me dites rien?

Dylan sourit.

— Parce que tu ne cesses pas de me poser les mêmes questions toutes les trois secondes.

Grace et Molly éclatèrent de rire, tandis qu'Isabel haussait les épaules d'un air indigné. Elle demeura quelques minutes silencieuse, puis, avec cette ténacité propre aux enfants, elle tenta à nouveau sa chance.

— Est-ce qu'il y a vraiment des pommiers sur la propriété ?

— Oui. Ainsi que de beaux poiriers et quelques pruniers.

— Pourquoi est-ce que ça s'appelle Nightingale's Gate ? À cause des rossignols ?

— Oui.

— Papa ! lança-t-elle, exaspérée. Pourquoi est-ce que vous ne racontez rien !

— Ce n'est plus nécessaire, dit-il en montrant du doigt un bois qui se trouvait de l'autre côté d'une jolie crique. Regarde, nous sommes arrivés.

Avec un sourire radieux, Isabel vint s'agenouiller sur la banquette à côté de son père.

Grace se pencha elle aussi, et aperçut une grande demeure de brique rouge nichée parmi les arbres au sommet d'une falaise.

— C'est merveilleusement situé, commenta-t-elle, admirative. Quelle vue sublime sur la mer !

— Seigneur ! On doit avoir le vertige de là-haut, murmura Molly.

Isabel se tourna vers son père.

— Est-ce qu'on pourra se baigner, papa ?

— Tu sais nager ?

— Oui.

Son père lui jeta un regard perçant, et la fillette se mordilla la lèvre avant d'admettre :

— Non, mais vous allez m'apprendre, n'est-ce pas ?

— Promis. Et vous, Grace, est-ce que vous savez nager ?

— Bien sûr !

— Ah, oui ! j'oubliais que vous êtes née en Cornouailles.

À la mention de sa contrée natale, elle éprouva un si violent mal du pays qu'elle en eut le souffle coupé. Durant le voyage, elle avait évité de penser à sa dernière visite chez elle, à l'automne, mais d'un seul coup, tout lui revint en mémoire. Elle se revoyait, immobile dans l'allée de la maison, ses sœurs l'épiant derrière les rideaux de dentelle, leur haine presque palpable.

— Je ne vois plus la maison, s'écria Isabel. Comment est-ce qu'on va arriver là-haut ?

Dylan indiqua un embranchement, et la calèche s'engagea dans la route sinueuse qui serpentait à travers les collines. Ils passèrent non loin d'une ferme blottie parmi des vergers. Les arbres fruitiers étaient en fleurs, et le bétail broutait à l'ombre des frondaisons. Isabel voulut s'arrêter, mais Dylan refusa, et lui promit qu'ils reviendraient le lendemain. Alors qu'ils longeaient des écuries et des paddocks, la petite aperçut deux poneys et poussa un cri de joie.

Ils débouchèrent enfin en haut de la falaise. La route poussiéreuse se transforma en une allée de gravier qui menait jusqu'au manoir sur les murs duquel couraient de la glycine et des clématites. Les fleurs de mai embaumaient, et la mer scintillait entre les arbres.

La voiture s'était à peine immobilisée qu'Isabel sautait à terre en criant aux adultes de se dépêcher. Pour Grace, le reste de l'après-midi s'écoula dans un tourbillon. La petite courait partout. Contrairement à Londres, elle ne se rebella pas à l'idée de dormir dans la nursery, car de ses fenêtres elle apercevait les écuries où se trouvaient les poneys. Satisfaite, elle prit la main de son père et l'entraîna dehors en sautillant, Grace sur leurs talons.

Comme elle voulait absolument voir la mer, Dylan leur fit emprunter un escalier creusé dans la falaise qui descendait jusqu'à une charmante petite plage. La fillette courut pieds nus sur le sable, testa la température de l'eau du bout des orteils en riant. Après avoir inspecté une partie de la plage, ils regagnèrent la maison. Isabel courut en avant en appelant Molly, une étoile de mer à la main.

— J'ai l'impression d'avoir marché des heures, avoua Grace à bout de souffle, car l'escalier était raide. Est-ce que vous lui avez tout montré ?

— Même si une petite fille a de l'énergie à revendre, il est impossible de lui montrer sept cent soixante acres en une seule journée.

— Certes, admit Grace en souriant. Où se trouve votre domaine familial ?

— Plumfield est à une dizaine de kilomètres d'ici, près d'Honiton. Je ne sais pas si Ian y réside en ce moment. Nous ne nous tenons pas informés de nos déplacements mutuels.

— Je n'ai pas rencontré votre frère, à Londres. Vous n'êtes pas très proches, n'est-ce pas ?

— Non. Pourtant, nous l'étions enfants.

— Que s'est-il passé ?

— Ian désapprouve mon mode de vie. Il n'a aucune indulgence pour mes passions artistiques ni mes... pécadilles, dirons-nous ? Il trouve que je déshonore le nom familial. Quant à moi, je n'ai aucune patience à son endroit. Il est très à cheval sur les convenances. Il parle le langage des diplomates, un dialecte qui m'est incompréhensible. Nous sommes trop différents, c'est tout.

Grace s'arrêta sur une marche pour embrasser le paysage du regard.

— C'est vraiment un endroit magnifique.

— Merci. J'ai longtemps cherché une maison à la campagne avant d'arrêter mon choix sur celle-ci. Ian et moi avons de la chance, car nous avons reçu des héritages substantiels. Le mien incluait des fonds pour m'acheter un domaine.

Il rit en contemplant la mer.

— Mon père n'a rien trouvé de mieux, j'imagine, pour faire de moi quelqu'un de respectable.

— Dylan ?

— Hmm.

— Rassurez-vous, je ne crois pas qu'il y soit parvenu.

Il lui sourit.

— Les hommes de ma famille ont toujours été l'incarnation du gentilhomme anglais – convenables, intègres, honorables. Je suis sûr que vous voyez ce que je veux dire.

Elle songea à son propre père.

— Je vois, en effet.

— Les Moore aiment leurs chevaux et leurs chiens autant que leurs femmes. Ils sont passionnés de chasse et de pêche, vivent quelques péripéties amoureuses à Harrow et à Cambridge, avant d'épouser une jeune fille de la bonne société et de se ranger. Mon père a tout gâché en tombant fou amoureux d'une douce musicienne galloise sans le sou qui jouait de la flûte. Les Moore ont été scandalisés. Jamais l'arbre généalogique familial n'avait connu pareille ignominie, je vous assure, ironisa-t-il.

— Ainsi, vous êtes un mélange de vos deux parents. Musicien comme votre mère et aimant le sport comme votre père. D'où vient votre côté débridé ?

Il la gratifia d'un sourire ravageur.

— De moi seul.

Tandis que le vent malmenait les cheveux de Dylan, Grace ne put s'empêcher de se demander pour quelle raison les hommes de mauvaise réputation l'attiraient autant.

— En tant que musicienne, votre mère devait comprendre votre passion.

— Oui. Je l'adorais. Elle aimait la musique autant que moi. Elle composait, elle aussi, et elle a été la seule à m'encourager dans la voie que j'avais choisie. Mon père était étranger à la musique. Bien qu'il l'ait aimée jusqu'au jour de sa mort, il n'a jamais vraiment compris sa femme. Et moi, encore moins, bien entendu. En cela, Ian lui ressemble. Ma mère est morte quand j'avais onze ans.

— Cela a dû être très dur pour vous.

— Oui, fit-il en se penchant pour ramasser quelques cailloux. Après sa disparition, il n'y a plus eu personne autour de moi à même de comprendre ce que la musique représentait pour moi. J'ai commencé à me rebeller, et mon père n'arrivait plus à me contrôler. Comme il ne s'intéressait pas à ma musique, je me moquais de ce qu'il pensait de moi.

Dylan jeta l'un des cailloux vers la mer.

— Après Cambridge, je suis allé en Europe. J'y suis resté quatre ans. J'ai d'abord donné des récitals de piano, puis j'ai dirigé des orchestres.

— Je comprends que vous ne fassiez plus de tournées. Vous n'avez plus besoin d'argent. Mais pourquoi est-ce que vous ne dirigez plus ?

— J'ai arrêté, voilà tout.

Comme il n'ajoutait rien, elle préféra ne pas insister.

— Mon père et moi ne nous sommes jamais entendus, reprit-il après une pause. Je ne suis venu le voir qu'une seule fois avant sa mort.

— Et pourtant, vous avez acheté un domaine non loin de celui où vous avez grandi, avec des vergers, comme votre maison natale.

— Seigneur, vous avez raison ! Je n'y avais jamais pensé. J'ai eu un coup de cœur pour cet endroit.

— Pourquoi n'y habitez-vous pas toute l'année ?

Il demeura silencieux, puis avoua enfin :

— Londres est plus… facile pour moi. Je n'étais pas revenu ici depuis au moins deux ans.

— Mais pourquoi ? demanda Grace en parcourant du regard les arbres centenaires, le charmant belvédère de bois blanc qu'on devinait en haut de la falaise, les magnifiques jardins en terrasse. Comment avez-vous pu rester éloigné aussi longtemps d'un lieu si enchanteur ?

— J'avais oublié combien j'aimais cet endroit, murmura-t-il.

Puis il secoua la tête, pivota sur ses talons et reprit son ascension en direction de la maison.

— Pourquoi en parlez-vous au passé, Dylan ? s'étonna-t-elle en lui emboîtant le pas. Est-ce que vous ne l'aimez plus ?

— Je ne sais pas.

Ils débouchèrent sur la terrasse et s'arrêtèrent pour admirer la vue.

— C'est si diablement calme ici, si serein.

— On dirait que vous n'aimez ni le calme ni la sérénité. Pourtant, cette atmosphère paisible devrait vous aider à composer, non ?

— Non.

Les lèvres pincées, il tourna le dos à la mer et s'assit sur le muret de pierre.

— Je ne sais plus ce qu'est la sérénité, murmura-t-il en fermant les yeux.

Grace songea à Étienne et à ses brusques changements d'humeur.

— Pourquoi cette agitation permanente ? murmura-t-elle comme si elle se parlait à elle-même. Faut-il vraiment que tout soit toujours excitant ?

— Vous ne comprenez pas, dit-il en se levant d'un bond.

Grace le suivit du regard tandis qu'il s'éloignait.

— Dylan ? appela-t-elle.

— Oui, fit-il sans se retourner.

— J'aimerais comprendre.

— Je doute que vous le puissiez jamais, répliqua-t-il, avant d'entrer dans la maison.

Plus tard, allongé sur son lit, les yeux ouverts dans le noir, Dylan se rappela pourquoi il ne venait plus à la campagne : l'absence de distractions le rendait fou.

À cette heure de la nuit, il n'y avait rien pour lui changer les idées, rien pour lui faire oublier l'affreux sifflement dans sa tête, excepté le chant mélodieux du rossignol perché sur un arbre devant sa fenêtre.

«J'aimerais comprendre», avait-elle dit.

Mais qui pouvait imaginer la torture incessante que représentait ce bruit infernal, jour après jour, nuit après nuit ? À moins de le subir dans sa chair, personne ne pouvait comprendre.

Il essaya d'en faire abstraction, mais comme d'habitude, plus il s'y essayait, plus le bruit s'intensifiait. Il avait du laudanum sur sa table de chevet. L'opiacé le plongeait toujours dans une sorte de brouillard qui étouffait les sons et les couleurs, et pouvait passer pour du repos. Il avait aussi apporté du haschich, mais curieusement, il répugnait à prendre l'un ou l'autre. Il pensa à Isabel et au haschich qu'il avait fumé cette nuit-là, chez Angelina. Pour une raison qu'il ne s'expliquait pas entièrement, il ne voulait plus utiliser ces drogues pour trouver l'apaisement. Cela ne lui semblait pas digne d'un père responsable.

Il roula sur le flanc. La porte-fenêtre était ouverte et la brise nocturne agitait les rideaux de mousseline blanche. Si seulement il pouvait passer une nuit comme une personne normale. Dieu qu'il serait doux de poser la tête sur l'oreiller, de fermer les yeux et de s'endormir.

Par expérience, il savait que son esprit finirait par succomber aux exigences de son corps, et que le sommeil viendrait le cueillir. Le lendemain peut-être, ou le surlendemain, mais pas cette nuit. Il rejeta le drap, se leva et sortit nu sur le balcon.

Sur la côte, les nuits de mai étaient encore fraîches. Il respira le parfum de l'herbe coupée et des embruns, contempla la crête irisée des vagues à la lumière de la lune.

Il retourna à l'intérieur, fourragea dans l'ombre afin de dénicher une paire de pantalons, enfila sa robe de chambre de soie noire et quitta la pièce.

Puisqu'il n'arrivait pas à dormir, autant travailler sa symphonie. Le salon de musique se trouvait au rez-de-chaussée, à bonne distance des chambres à coucher, il ne risquait donc pas de réveiller la maisonnée.

Après avoir mis la main sur une lampe à huile et des allumettes, il se versa un verre de bordeaux, ouvrit la porte-fenêtre pour laisser entrer l'air frais et s'assit au piano. Connaissant les habitudes de son maître, Phelps avait préparé des partitions et des plumes.

Dylan joua quelques notes. On avait suivi ses instructions et le piano avait été accordé. Il préférait son Broadwood londonien, dont la sonorité était plus riche, mais un piano à queue n'était pas aisé à transporter. Il fit des gammes pendant dix minutes, puis avala une gorgée de vin en étudiant ce qu'il avait écrit.

Il était au milieu du deuxième mouvement et son regard parcourait ce qu'il avait griffonné quand les problèmes surgirent de nouveau. Il était bloqué. Les accords qu'il avait imaginés pour le thème féminin ne correspondaient pas au mouvement qui se voulait lent et lyrique. Il avait essayé différentes variantes, mais aucune ne lui convenait. Et c'était là son souci.

Depuis son accident, il n'était plus sûr de ce qui était agréable à l'oreille ou non, c'est pourquoi il n'était jamais satisfait. Il cessa de jouer, se frotta les yeux et poussa un soupir exaspéré.

— Un problème ?

Il leva la tête en entendant la voix douce de Grace. Vêtue d'une robe de chambre, une lampe à la main, elle se tenait sous l'arche qui menait au grand salon. Ses cheveux étaient rassemblés en une longue natte, et ses pieds nus pointaient sous l'ourlet de sa chemise de nuit. Elle avait de très jolis pieds.

Il inspira profondément.

— Je vous ai réveillée ?

Elle hocha la tête en étouffant un bâillement.

— Je suis désolé. Je pensais que le son ne montait pas jusqu'aux chambres.

— J'avais ouvert ma fenêtre pour respirer l'air de l'océan.

Elle étudia les murs peints en bleu, les piliers et les moulures crème, les meubles sans prétention.

— Ces deux pièces sont très belles.

— Que pensez-vous de votre chambre ?

— Elle est ravissante. Je l'aime beaucoup. À vrai dire, j'aime toute votre maison, Dylan.

Elle s'approcha de lui.

— Puis-je regarder ce que vous avez écrit ?

— À condition de ne pas critiquer, dit-il avec un rire bref. Je déteste ça.

— Promis.

Elle posa la lampe sur le support prévu à gauche du pupitre, se pencha en avant, et joua quelques notes maladroites.

— En dépit de mon manque de talent au piano, je trouve la mélodie très belle.

— Merci, mais elle est fausse.

— Fausse ? C'est pourtant superbe.

— Je ne peux pas vous expliquer pourquoi ça ne va pas, dit-il en appuyant les doigts sur ses tempes. Mais cela ne sonne pas juste.

Elle posa la main sur l'épaule de Dylan.

— Vous devriez peut-être faire une pause et vous détendre un peu. Cela aidait toujours Liszt, lui murmura-t-elle à l'oreille.

Elle éclata de rire et s'écarta, mais il la saisit par la taille et la ramena vers lui.

— Oh, non, vous ne vous en tirerez pas comme ça ! Comment savez-vous ce qui aidait Liszt, hein ?

— Je vous taquinais, fit-elle en essayant de s'échapper. Je vous le jure.

Il la relâcha, et elle s'éloigna.

— Je vais à la cuisine me faire un thé, annonça-t-elle.

— Demandez donc à une femme de chambre.

— Réveiller quelqu'un à cette heure ? Pour un thé ? Pas question. Ces jeunes femmes travaillent très dur et elles ont besoin de repos. Je vais le préparer moi-même. Vous en voulez une tasse ?

Il frémit.

— Je déteste le thé. Du reste, j'ai mon bordeaux, ajouta-t-il en levant son verre. Mais je vais tout de même faire cette pause que vous suggériez.

— Vous n'aimez pas le thé ? fit-elle, effarée. Comment est-ce possible ? Tout le monde l'aime.

— Pas moi.

Il la suivit jusqu'à la cuisine. Tandis qu'elle cherchait le thé dans la réserve, il attisa le feu pour faire bouillir de l'eau.

— Aimeriez-vous manger quelque chose ? s'enquit-elle. J'ai trouvé des biscuits.

— Apportez-les.

— J'en étais sûre ! lança-t-elle en riant.

Elle revint dans la cuisine, posa la boîte sur la table. Pendant qu'elle préparait son thé, il grignota un biscuit sans la quitter des yeux.

— Vous le prenez nature ? s'étonna-t-il alors qu'elle soufflait sur le breuvage brûlant.

— Cela fait si longtemps que je le bois sans lait ni sucre que j'en ai oublié le goût, avoua-t-elle, l'air un peu embarrassé.

Dylan comprit la raison de sa gêne. Jusqu'à présent, il ne s'était pas vraiment donné la peine de réfléchir au dénuement dans lequel la jeune femme avait vécu, et encore moins à ses conséquences. Il s'en voulut de s'être comporté en enfant gâté.

— Et si nous allions nous asseoir dans le jardin ? proposa-t-il.

— Maintenant ?

— Pourquoi pas ? Vous aimez les jardins et les fleurs, surtout les roses. Et c'est l'heure idéale pour admirer la mer. Allons au belvédère. Si je me souviens bien, il doit y avoir des chaises.

À la lueur de la lune, ils descendirent les larges marches de pierre qui menaient au belvédère où quatre chaises en fer forgé étaient disposées autour d'une petite table.

Grace posa la tasse sur la table et s'approcha de la balustrade. On entrevoyait le chemin qui serpentait entre les arbres et les jardins. Et plus loin, la mer mouvante qui scintillait sous la lune.

— Cela m'a toujours manqué, murmura-t-elle. Londres, Paris, Florence, Vienne… où que j'aille, je pensais toujours à la mer.

Dylan la rejoignit.

— Grace, allez-vous enfin m'expliquer comment vous vous êtes retrouvée à vendre des oranges et à habiter une mansarde dans Bermondsey ?

Elle hésita quelques secondes.

— Mon mari était mort, et je n'avais pas d'argent.

— Mais vous venez d'une bonne famille. Je l'ai toujours su. Cela s'entend à votre accent, cela se voit dans votre façon de bouger. On dirait que vous avez passé votre enfance à porter des livres sur la tête pour vous tenir droite, et à vous entraîner à faire la révérence. Il y a quelque chose de... raffiné en vous. Vous avez de toute évidence une excellente éducation.

— C'est exact.

— Alors pourquoi n'êtes-vous pas retournée en Cornouailles à la mort de votre mari ?

Elle ne lui répondit pas. Quelques minutes s'écoulèrent dans un silence tendu.

— Je n'y suis retournée qu'une fois, et ce fut une erreur.

La détresse qui se lisait sur le visage de la jeune femme lui transperça le cœur. En cet instant, elle lui rappelait Isabel, sa peine poignante quand il l'avait ramenée de chez Angelina. Il ressentait le même désarroi, la même impuissance, or cela faisait une éternité qu'il n'avait pas souffert pour autrui.

— Grace, murmura-t-il en chassant du pouce une larme sur sa joue, quand j'évoque votre passé, cela vous bouleverse toujours. Que vous est-il arrivé ? Est-ce que votre mari vous a fait souffrir ?

Elle secoua la tête.

— Votre famille, alors ? Que vous ont-ils fait que vous ne puissiez en parler ?

— Ils ne m'ont rien fait. C'est moi qui leur ai fait du mal. C'est pourquoi je ne peux pas rentrer chez moi.

L'idée de Grace faisant du mal à quelqu'un lui parut absurde. Impossible à envisager. Grace qui se sentait coupable si elle mangeait des sucreries en dehors des repas ! Et qui avait admis qu'elle ne faisait jamais de bêtises !

— Balivernes ! Je n'en crois pas un mot. Qu'auriez-vous bien pu faire de si grave ?

— Je me suis enfuie avec un homme il y a huit ans.

Cela ressemblait si peu à la Grace qu'il connaissait que Dylan faillit éclater de rire. Son expression l'en empêcha.

— Vous êtes sérieuse ? demanda-t-il.

Elle hocha la tête d'un air coupable.

— Il était français. Je le connaissais depuis une semaine. Il n'avait pas un sou, une réputation douteuse, et il était de dix ans mon aîné. J'avais dix-sept ans, j'étais la jeune fille la plus sérieuse qu'on pût rêver. Personne n'aurait jamais imaginé que Grace Anne Lawrence, la plus sage et la plus vertueuse jeune fille de Stillmouth, allait causer le plus grand scandale de la région depuis cinquante ans.

— Beaucoup de jeunes filles s'enfuient avec leur fiancé. C'est toujours un scandale, mais en général on pardonne aux jeunes époux.

— Pas lorsqu'ils se promènent dans toute l'Europe pendant deux ans sans être unis par les liens sacrés du mariage... Ce genre d'attitude n'était pas bien vu dans ma famille ni à Stillmouth. Pour une femme, la respectabilité est essentielle, surtout dans un village.

— Vous avez vécu avec votre mari pendant deux ans avant de l'épouser ? s'étonna-t-il. Alors que vous ne voliez même pas de sucreries à votre cuisinière ? Grace, vous m'avez dit vous-même que vous étiez la plus sage des petites filles. Qu'est-ce qui vous a poussé à vous enfuir avec un homme que vous connaissiez à peine sans même l'épouser ?

— J'ai perdu la tête.

Il la regarda d'un air surpris.

— Pardon ?

— Je suis tombée amoureuse de lui au premier regard, expliqua-t-elle avec un sourire si mélancolique qu'il en eut le ventre noué. Il me faisait rire. Je me sentais vivante pour la première fois de ma vie. J'ignorais qu'on puisse éprouver un tel bonheur.

Dylan détourna les yeux. Il ne voulait pas imaginer Grace amoureuse, ni faisant l'amour avec un autre homme, surtout un Français qui avait attendu deux ans avant de l'épouser.

— Est-ce qu'il vous aimait ?

— Oui.

Dylan fronça les sourcils.

— Alors pourquoi est-ce qu'il ne vous a pas épousée tout de suite afin de faire de vous une femme respectable ? Ce type était un salaud. Un salaud de Français, ajouta-t-il pour faire bonne mesure.

— Allons donc ! fit-elle en riant à travers ses larmes, tant l'indignation de Dylan était amusante. Avec combien de femmes avez-vous vécu ?

— Sept.

— Les avez-vous épousées ?

— Cela n'a rien à voir. Je ne les aimais pas, et elles ne m'aimaient pas non plus.

— Êtes-vous certain qu'elles ne vous aimaient pas ?

Il réfléchit un instant. Il ne pensait pas que ses maîtresses l'eussent aimé, mais il n'aurait pu l'affirmer.

— Est-on jamais certain des sentiments d'autrui ? fit-il en haussant les épaules. Dans mon cas, il n'a jamais été question de mariage. Tandis que vous, vous espériez sûrement qu'il vous épouse ?

— Bien sûr, et je savais qu'il le ferait lorsqu'il se sentirait prêt. Il n'était pas du genre à se fixer. Il lui a fallu du temps pour s'y habituer.

— Moi non plus, je ne suis pas du genre à me fixer, mais je ne vivrais jamais avec une jeune fille de bonne famille sans l'épouser. Il aurait dû vous demander votre main.

— Il l'a fait. Un jour, au petit-déjeuner, il m'a dit : « Nous devrions nous marier. » Et c'est ce que nous avons fait.

— Et six ans après votre mariage, votre famille ne vous a toujours pas pardonné ?

— Me pardonner ? Dylan, j'ai cinq sœurs. Aucune d'entre elles ne s'est mariée, aucune n'a même eu un prétendant digne de ce nom. Nous n'avons jamais été riches. Notre propriété rapportait suffisamment pour vivre confortablement, mais nous n'avions pas de dot. Toutes mes sœurs habitent à la maison, et elles finiront probablement vieilles filles parce que j'ai déshonoré ma famille. Mon frère a épousé une femme respectable, mais pas celle qu'il aimait qui a rompu leurs fiançailles à cause de moi. James m'a donné de l'argent quand je lui en ai demandé, mais je suis trop fière pour...

Elle poussa un soupir.

— Ce fut un tel scandale... Les conséquences de ma décision ont dévasté tant de vies. Sur le moment, je n'y ai pas songé. Mes parents sont morts dans la disgrâce. De chagrin et de honte, à en croire mon frère. J'étais leur fille préférée et je leur ai brisé le cœur. Mon frère et mes sœurs veulent juste oublier ce qui est arrivé. Je ne les en blâme pas.

— Moi, si ! s'exclama Dylan, sans chercher à dissimuler son indignation. Vos parents sont morts parce que nous sommes tous condamnés à mourir tôt ou tard. Vos sœurs devraient cesser de ruminer leur amertume et se dénicher des hommes qui ont du cran et se moquent des convenances. Et votre frère me rappelle tous ces gens pétris de principes que je connais par cœur et que je méprise. Ils sélectionnent les invitations, se réfugient dans leur club pour fuir la présence de leurs épouses, fréquentent les bordels parce qu'ils ont épousé des femmes respectables au lieu de filles qui les aiment sincèrement. Si sa fiancée l'a quitté à cause de vous, elle ne méritait pas qu'il l'épouse.

Il interrompit sa tirade pour reprendre son souffle.

— Grace, vous êtes la personne la plus gentille et compatissante que je connaisse. Vous êtes trop bien pour eux tous.

Elle le contempla bouche bée, retenant ses larmes, étonnée par sa virulence.

— Merci, murmura-t-elle.

— De rien.

Il aurait tout donné pour effacer ce chagrin qui la rendait si malheureuse.

— Je suis content que vous m'ayez raconté tout cela, dit-il avec un sourire taquin, tentant de lui faire oublier sa peine.

— Pourquoi ? fit-elle d'un air soupçonneux.

— Je songeais à écrire à l'archevêque de Canterbury pour lui demander qu'on vous canonise. Je suis soulagé de ne pas avoir à le faire. Écrire aux hommes d'Église me met toujours un peu mal à l'aise.

Elle rit tout en sanglotant. Il fouilla dans la poche de la robe de chambre de Grace et en tira un mouchoir.

— Tenez.

— Comment saviez-vous que j'avais un mouchoir dans ma poche ? s'étonna-t-elle.

— Les filles bien en ont toujours. Mouchez-vous, et ne pleurez plus jamais parce que vous avez écouté votre instinct et que vous avez trouvé le bonheur. Et au nom du Ciel, cessez de vous flageller parce que vous êtes tombée amoureuse de quelqu'un que votre famille et vos voisins désapprouvaient. Une fille ne choisit pas la personne dont elle tombe amoureuse.

— Est-ce que vous direz la même chose si Isabel s'entiche d'un homme que vous détestez ?

Dylan ouvrit de grands yeux. Il avait l'impression d'avoir reçu un direct à l'estomac. Bon sang, il n'avait jamais pensé à ça !

— Cela n'arrivera pas, s'écria-t-il, choqué.

— Vraiment ?

— Non. Je vais l'enfermer dans sa chambre. Est-ce que vingt ans suffiront ?

— J'en doute. Du reste, qu'est-ce qui vous fait croire qu'une serrure suffirait à la retenir ? riposta-t-elle.

Elle réprima un frisson.

— Il commence à faire froid, remarqua-t-elle. Rentrons.

Sans répondre, il retira sa robe de chambre qu'il drapa sur les épaules de Grace, puis il la fit pivoter face à l'océan, et l'enveloppa de ses bras.

Elle se raidit, et tenta de s'écarter, mais il la retint.

— Détendez-vous. Je sais que je suis le plus grand vaurien qu'ait connu l'Angleterre, en dehors de Byron bien sûr, mais je vous promets de ne rien faire de déshonorable.

Elle posa la main sur son poignet.

— Comme je vous l'ai déjà dit, vous pourriez être un merveilleux ami.

— Non, je ne le pourrais pas. Je passerais mon temps à regarder sous vos jupes.

Il la tint serrée contre lui un long moment. La joue posée contre ses cheveux, il écouta le ressac et le chant des rossignols, respira les parfums du jardin et de la mer. Depuis quand n'avait-il pas tenu une femme entre ses bras juste pour le plaisir ? Il ne s'en souvenait pas.

Ce ne fut que lorsqu'ils remontèrent vers la maison qu'il s'aperçut qu'il n'avait pas entendu le sifflement dans sa tête tout le temps qu'il avait passé avec elle. Même à présent, ce n'était qu'un vague murmure. C'était à Grace qu'il devait de ressentir cette sérénité qui le fuyait depuis tant d'années. Mais il savait que cela ne durerait pas. Elle ne pouvait chasser définitivement le bruit infernal qui reviendrait le tarauder, sans doute jusqu'à la fin de ses jours.

Elle retourna se coucher et Dylan regagna le salon de musique. À l'instant où il posa les yeux sur la partition, il sut ce qui n'allait pas.

Il fallait alléger les accords. Il joua une note sans appuyer complètement sur la touche, écouta la gracieuse sonorité. Oui, c'était cela...

Il prit sa plume d'oie, la trempa dans l'encrier, puis inscrivit une série de notes. Lorsqu'il étudia ce qu'il venait de composer, il sourit : c'était parfait.

16

Durant la semaine qui suivit, Grace n'essaya même pas de faire travailler Isabel. La fillette était tellement heureuse et excitée de découvrir la campagne qu'elle ne se voyait pas lui infliger des devoirs. Et les attentions de son père lui semblaient beaucoup plus importantes que des leçons de mathématiques ou d'allemand. L'enfant était si fascinée par ce monde qu'elle découvrait que même la musique était reléguée au second plan.

Elle choisit un poney et changea d'emblée son nom, le baptisant Sonate plutôt que Betty. Dylan entreprit de lui apprendre à monter. Il leur fit découvrir les vergers, le moulin, la distillerie où l'on fabriquait du cidre, de l'eau-de-vie, du vinaigre et des savons parfumés. Huit jour après leur arrivée, ils décidèrent de pique-niquer.

Ils emportèrent un panier rempli de victuailles, et descendirent jusqu'à la plage. Après le déjeuner, la mer s'étant retirée, ils allèrent examiner les flaques d'eau. Grace montra à Isabel comment utiliser un bâton pour dénicher les petits crustacés qui se cachaient parmi les rochers. Ils explorèrent ensuite les grottes au pied de la falaise, puis Dylan emmena la fillette se promener. Assise sur la couverture, Grace regarda le père et la fille marcher pieds nus sur la plage, main dans la main, à la recherche de coquillages, précieux trésors dont Isabel remplissait ses poches.

Grace repensa à cette terrible nuit où elle avait demandé à Dylan ce qu'il comptait faire avec son enfant.

« Être un vrai père », avait-il répondu.

Et il avait tenu parole. Désormais, il passait des journées entières avec sa fille. Il parlait d'elle autrement que si elle était un fardeau. Il devenait un vrai père, au sens le plus important du terme. Elle sourit en le regardant hisser Isabel sur ses épaules et s'avancer dans l'eau jusqu'à la taille.

La petite avait tant besoin de journées comme celle-ci. Elle réclamait des attentions, des soins et de l'amour. Grace se demanda ce qui se passerait lorsque son année auprès de Dylan serait écoulée. Le cottage qu'il lui avait promis se trouvait quelque part sur cette propriété, et elle continuerait volontiers à être la gouvernante d'Isabel, mais qu'en était-il de son père ? S'il demeurait dans le Devonshire, pourrait-elle rester ?

Préférant ne pas y penser, elle se concentra sur le père et l'enfant.

Lorsqu'ils revinrent vers elle, Isabel vida ses poches sur la couverture afin de lui montrer ses trouvailles, mais il ne fallut pas longtemps pour que son attention soit attirée par autre chose. Elle commença à explorer les rochers entre lesquels poussaient des fleurs.

— Méfie-toi, l'avertit Dylan alors qu'elle tendait la main vers des fleurs blanches. Cueillir ces fleurs est très risqué.

— Pourquoi cela ? s'étonna la fillette.

Grace et Dylan échangèrent un regard complice.

— Tu pourrais être ensorcelée, expliqua Grace.

— Ou intoxiquée, ajouta Dylan à mi-voix.

Grace l'ignora et reprit :

— Les fées n'aiment pas qu'on cueille ces fleurs-là. Elles peuvent te jeter un sort.

Isabel regarda son père d'un air dubitatif.

— C'est vrai ?

— Bien sûr ! Tout le monde sait cela.

Pas convaincue, elle croisa les bras.

— Vous avez déjà vu l'une de ces fées, papa ?

— J'en ai vu, oui. Elles sont ravissantes.

— Comment pouvez-vous dire une chose pareille ? protesta Grace. Les fées n'ont rien de ravissant ! Ce sont de minuscules créatures vertes, assez petites pour chevaucher des escargots. Et elles n'aiment pas les enfants désobéissants. Si tu te conduis mal, Isabel, elles viendront et changeront ton nez en saucisse.

— Je ne vous crois pas ! Si c'était vrai, papa aurait une saucisse à la place du nez parce qu'il désobéit tout le temps.

Dylan éclata de rire. Isabel revint s'asseoir sur la couverture, l'air sérieux.

— Vous n'êtes pas très doués pour inventer des histoires, déclara-t-elle. Il faudrait au moins vous mettre d'accord.

— Comment cela ? demanda Dylan, qui avait du mal à cacher son amusement.

— Selon vous, les fées sont gentilles, mais Mme Clairval prétend le contraire. Elle dit qu'elles sont vertes, mais pas vous. Vous voyez, vous inventez au fur et à mesure.

— Pas du tout, reprit Grace en jetant un regard d'avertissement à Dylan. Je t'assure que les fées sont de véritables pestes.

— Non. Elles sont adorables, s'entêta Dylan.

— Vous me taquinez, répliqua Isabel.

— Il en existe différentes sortes, c'est tout, répliqua son père.

— C'est ridicule. Je ne crois pas que les fées existent.

Grace et Dylan se regardèrent.

— Grace, ma fille ne croit pas aux fées, fit-il d'un air stupéfait.

— Elles se mettent très en colère quand les petites filles les ignorent. Elles leur coupent les cheveux pendant leur sommeil, précisa-t-elle en feignant de tenir une paire de ciseaux. Parfois, elles leur peignent le visage en vert avec de la peinture indélébile.

— Non, elles ne feraient pas ça, n'est-ce pas, papa ? s'écria Isabel, soudain inquiète.

— Jamais ! Tu es ma fille, et les fées m'aiment beaucoup.

— Les fées aiment peut-être ton père, reprit Grace, mais les petites filles, c'est différent, alors tu dois être sage.

— Monsieur ?

Dylan se tourna vers Molly qui se tenait sur l'une des marches creusées dans la falaise.

— C'est l'heure du dîner de mademoiselle.

— Oh, non ! protesta Isabel. Est-ce que je dois déjà rentrer ?

— Tout sera encore là demain, lui rappela Dylan. Tu habites ici, ne l'oublie pas. Allez, va vite maintenant.

Isabel se releva et secoua sa jupe pleine de sable.

— Papa, est-ce que la prochaine fois que je ferai une bêtise, je pourrais dire que c'est une fée qui m'y a poussé ? demanda-t-elle d'un air espiègle.

— Non ! lança Grace.

Isabel rejoignit Molly en courant, et Grace se tourna vers Dylan.

— J'essayais de trouver un moyen pour qu'elle soit sage, et vous avez tout gâché. De gentilles fées, vraiment !

— Pardon, mais je ne pouvais pas lui laisser croire que son visage serait peint en vert.

— Mon Dieu, vous êtes sérieusement atteint !

— Que voulez-vous dire ?

— Vous êtes entiché de votre petite fille, Dylan Moore !

242

— C'est possible, fit-il, un rien étonné. Qui l'eût cru ?

— Pour ma part, je n'en avais jamais douté, mentit Grace.

Il se pencha et cueillit une poignée de fleurs roses. Puis il s'agenouilla, en glissa une dans le ruban qui ornait le chapeau de paille de la jeune femme. Sa chemise était mouillée et lui collait au corps.

— Ça y est, c'est vous qui allez être ensorcelé, fit Grace.

— Trop tard. Je l'ai été il y a cinq ans.

Il lui effleura le menton avec une autre fleur.

— Les fées sont ravissantes, je vous le jure, affirma-t-il.

Grace sentit la fleur la chatouiller, et son cœur se mit à battre la chamade. Il fit glisser la fleur tout autour de son visage, avant de la fixer dans le ruban.

Le soleil était bas dans le ciel. Sous le rebord de son chapeau, Grace leva les yeux aussi haut que possible sans bouger la tête. Elle contempla la mâchoire volontaire, le cou bronzé que dégageait le col ouvert. Elle imagina le reste : la poitrine musclée sous la chemise, les hanches étroites...

Son sang semblait s'être soudain épaissi dans ses veines. Elle ferma les yeux et crispa les mains dans le sable, luttant contre cette attraction que Dylan exerçait sur elle.

Il baissa les bras et s'inclina pour regarder sous le chapeau.

S'il l'embrassait, s'il l'allongeait sur le sable, elle le laisserait faire. Chacun de ses baisers avait érodé un peu plus sa résistance. Comment le nier ? Elle était tombée sous son charme. Dylan ne la touchait pas, mais elle sentait son souffle sur sa joue et son regard caressant. Elle avait l'impression d'être en équilibre au bord d'une falaise. La dernière fois qu'elle avait éprouvé ce genre de sensation, elle avait sauté dans le vide. Elle avait plané dans les airs, découvert des merveilles et tutoyé les sommets du plaisir, avant de s'écraser au sol, brisée.

Elle savait que, s'il l'embrassait, elle se jetterait de nouveau dans le vide, comme si elle avait tout oublié des dures leçons apprises à ses dépens avec un autre séducteur à la réputation douteuse. Si Dylan l'embrassait, elle l'entraînerait avec lui dans sa chute, et il n'y aurait plus que le poids de son corps pressé contre le sien, ses belles mains courant sur sa peau, et le goût enfiévré de ses lèvres.

Dylan ne l'embrassa pas.

— Vous vouliez vraiment utiliser les fées pour obliger Isabel à être sage ? s'enquit-il en s'écartant.

Grace sursauta. D'un seul coup, le vertige du vide s'éloigna. Elle se força à reprendre pied sur un sol moins glissant, à se concentrer sur la conversation qui, elle, n'était pas dangereuse.

— Ma gouvernante l'avait fait avec succès.

— Trop de succès, à mon avis.

— Les fées sont la meilleure arme que nous possédons dans cette région pour faire obéir les enfants, Dylan, riposta-t-elle, ignorant son commentaire.

— Il nous faudra trouver d'autres moyens pour l'empêcher de faire des bêtises.

— C'est trop tard. Je crains qu'à présent elle n'accuse les fées quand elle désobéira.

— Je ne peux pas lui en vouloir, s'amusa Dylan en glissant une fleur entre ses dents. Cela a toujours marché pour moi, ajouta-t-il avec un sourire de pirate.

Cette nuit-là, comme chaque fois depuis une semaine, Grace fut réveillée par le son du piano. Quand Dylan dormait-il ? En tout cas, sûrement pas plus de quelques heures d'affilée, car il passait une grande partie de la journée avec Isabel et elle.

À Londres, il sortait le soir, mais ici, il n'avait nulle part où aller. Il ne semblait pas en apprécier le silence et la sérénité, et elle se demandait pourquoi, dans ce cas, il avait acheté une propriété à la campagne.

Elle reconnut la mélodie qu'elle avait jouée l'autre soir. Il y avait apporté plusieurs variantes. Elle ferma les yeux, se remémorant ce qu'elle éprouvait lorsqu'il la touchait, le bonheur que ses baisers et ses caresses lui procuraient.

Elle essaya de se raisonner. Elle avait tout de même des reproches à lui faire. N'avait-il pas été trouver une prostituée ? S'il était désolé que sa fille l'ait vu, il ne l'était pas de s'être rendu dans une maison close. Cela aurait dû la faire réfléchir. Eh bien, non.

Elle se répéta que les femmes n'étaient que des jouets pour lui, des passe-temps dont il se lassait et qu'il oubliait aussitôt. Qu'éprouvait-on à être l'un de ses divertissements, même pour peu de temps ?

Avec un soupir, elle ramena le drap au-dessus de sa tête. Ce n'était pas très amusant d'être respectable et vertueuse. Elle tenta de se rappeler Étienne, mais il n'était plus qu'un vague souvenir dans son cœur, vaincu par un homme qui ne tolérait pas d'occuper la seconde place.

L'idée de se comporter en veuve respectable avec Dylan Moore était aussi ennuyeuse qu'une assiette de porridge. Elle avait lutté pendant des semaines, mais aucune femme ne pouvait résister éternellement à un homme qui était un dessert à lui tout seul.

En dépit de son caractère complexe et versatile, il se révélait très bon père. Il faisait preuve d'une infinie tendresse envers sa fille, déployait une grande patience. Bien qu'il n'ait pas voulu de cette responsabilité paternelle, il l'avait acceptée. Mieux, il avait aussi appris à aimer sa fille. C'était tout cela qui attirait dangereusement Grace.

Et elle avait peur. Elle avait lutté de son mieux contre ses sentiments, mais elle ne pouvait plus continuer à nier : à son corps défendant, elle était en train de tomber amoureuse de lui.

La musique s'arrêta. Elle attendit, puis comme elle n'entendait pas les pas de Dylan dans l'escalier, elle repoussa le drap, enfila sa robe de chambre et sortit.

Elle le trouva devant le piano, les bras croisés. Des partitions étaient éparpillées autour de lui, avec des plumes d'oie, un encrier, du papier buvard.

— De nouveau réveillé, murmura-t-elle.

— Je le crains

Grace le rejoignit et posa la main sur son épaule.

— Pourquoi dormez-vous si mal ? Ce n'est tout de même pas votre mauvaise conscience qui vous en empêche ? ajouta-t-elle d'un air taquin.

— Non, se contenta-t-il de répondre en esquissant un sourire.

— Comment avance la symphonie ?

— Pour le moment, je ne suis pas content. Ce troisième mouvement devrait être un menuet, mais je ne cesse d'écrire un scherzo. La musique veut être un scherzo, mais je ne suis pas d'accord.

— Dois-je vous laisser seuls tous les deux ?

Il rit.

— Non, je vous en prie. Sinon, je vais continuer à me torturer. Que diriez-vous d'aller prendre le thé au belvédère ?

— Non, j'aimerais…

Elle hésita, puis s'élança dans le vide.

— J'aimerais voir mon cottage.

— Maintenant ?

— Vous avez quelque chose d'autre à faire ?

Sa voix tremblait légèrement, et il le remarqua. Se tournant à demi, il leva les yeux sur elle et la contempla pensivement.

— Vous désirez vraiment le voir ce soir ?

— Oui.

Elle caressa l'épaule de Dylan ; sa main s'immobilisa au creux de son cou.

— Je veux le voir tout de suite.

Il jeta un coup d'œil sur ses pieds nus, la regarda de nouveau avec un demi-sourire.

— Dans ce cas, vous feriez bien d'enfiler des chaussures. Le cottage se trouve à quelques centaines de mètres d'ici.

Elle remonta dans sa chambre, enfila bas et bottines, et drapa un châle sur ses épaules. Lorsqu'elle redescendit, elle remarqua qu'il avait mis des bottes.

Il l'emmena dans le jardin où il emprunta un sentier. Il lui prit la main pour la guider parmi les arbres et les arbustes. Lorsqu'ils émergèrent du bois, il lui indiqua le pied de la colline. Niché au milieu de haies vives et de champs que la lune baignait d'une lueur argentée, Grace aperçut un cottage.

Ils descendirent la colline. Avec son toit de chaume, ses murs crépis de blanc et ses lucarnes, la petite maison ressemblait à des milliers d'autres dans la région, et cependant elle était différente, car elle lui appartenait.

— Elle a des vitres ! s'exclama-t-elle, ravie.

— Elle vous plaît ?

Dans l'obscurité, on décelait à peine les dragons rouges brodés sur la robe de chambre de Dylan. Elle se rappela ces histoires des marins d'autrefois qui prétendaient s'être aventurés jusqu'aux confins de la terre, au-delà desquels il n'y avait plus que des dragons.

Cette nuit, elle n'avait plus peur des dragons. Elle ne redoutait ni n'espérait rien. Elle ressentait seulement le besoin impérieux d'être auprès de lui. Elle aurait pu endurer une autre nuit de solitude, mais elle ne le voulait plus. Peu importait le nombre de nuits qu'elle partagerait avec Dylan, elle était décidée à profiter de chacune d'entre elles. Elle ne se faisait aucune illusion. Tôt ou tard, elle s'écraserait sur le sol, mais, oh! que la chute serait douce...

— Elle vous plaît? répéta-t-il.

— Elle est parfaite. Entrons, dit-elle en s'emparant de sa main.

Il y avait un salon et une salle à manger où s'entassaient de vieux meubles. Dylan se fraya un chemin entre eux et ouvrit l'une des fenêtres.

— Derrière la maison, vous trouverez un potager, un jardin, et des rosiers, bien entendu.

Grace s'approcha de lui, regarda par la fenêtre et vit des fleurs en bouton. Elle posa les mains sur les épaules de Dylan. Sous la soie lisse, ses muscles étaient durs.

Il se tourna vers elle, et elle lui caressa le visage.

— Merci, murmura-t-elle en se dressant sur la pointe des pieds pour glisser la main derrière sa nuque. Mais j'ai souhaité venir ici pour une autre raison, ajouta-t-elle en tirant sur la ceinture de sa robe de chambre de sa main libre.

— Laquelle? demanda-t-il d'une voix rauque.

Elle lui caressa la nuque, perçut la tension de son corps.

— J'ai quelque chose à vous dire, souffla-t-elle en lui effleurant les lèvres des siennes. Je voulais vous dire oui.

17

Oui.

Aux oreilles de Dylan, le murmure de Grace résonna dans la pièce comme un cri. Lorsqu'elle avait demandé à venir ici, il avait ressenti une bouffée d'espoir. Mais il n'avait pas l'intention de prendre les rênes, cette fois. Il la laissa l'embrasser, mais ne fit pas un geste.

Il se rappela cette nuit, deux semaines auparavant. La torture que ç'avait été de devoir s'écarter d'elle alors que son corps était en furie. Il ne laisserait pas cela se reproduire. Si Grace le désirait, elle devrait le lui prouver.

La bouche de la jeune femme continuait à l'effleurer délicatement. Il entrouvrit les lèvres pour l'encourager, mais ne lui rendit pas son baiser. Il ferma les yeux, serra les poings et attendit.

Toujours sur la pointe des pieds, elle lui appuya sur la nuque, espérant qu'il allait incliner la tête pour l'embrasser. Voyant qu'il n'en faisait rien, elle se sentit décontenancée.

— Quelque chose ne va pas, Dylan ?

— Au contraire, répondit-il en souriant. Tout va merveilleusement bien.

— Mais alors…

— Êtes-vous sûre de vous ?

Sans hésiter, elle hocha la tête, et il sentit un flot de désir l'envahir.

— Vous n'allez pas changer d'avis à la dernière seconde ?

Elle glissa les mains entre les pans de la robe de chambre et posa les paumes à plat sur son torse.

— Je ne changerai pas d'avis.

Bien qu'il éprouvât un sentiment de triomphe, Dylan ne s'autorisa qu'un léger sourire de satisfaction.

— Alors, continuez, murmura-t-il, la mettant au défi de se comporter en jeune femme scandaleuse. Prenez ce que vous voulez.

Elle se mordilla la lèvre, le considérant d'un air songeur. La lune éclairait son beau visage d'une douce clarté. Elle sourit, visiblement tentée, et ce sourire de conquérante transperça Dylan. Il eut envie de la prendre là, tout de suite, sur le sol.

Grace écarta les pans de la robe de chambre et appuya les lèvres sur sa poitrine. Il renversa la tête en arrière en frémissant, inhala à fond. Le baiser se fit plus précis. Elle utilisait sa langue et ses dents, et Dylan laissa échapper un gémissement. Des vagues de plaisir l'inondèrent de la tête aux pieds. Lorsque les mains de Grace glissèrent vers son ventre, il faillit perdre tout contrôle.

Elle semblait prendre un plaisir intense à le caresser, à découvrir son corps.

— Je veux vous déshabiller, murmura-t-elle.

— Allez-y, répondit-il, les dents serrées.

Elle repoussa sa robe de chambre qui tomba par terre, lui caressa les épaules, le dos, le torse. Il endura cette délicieuse agonie en silence.

Lentement, elle déboutonna son pantalon, puis elle s'agenouilla. De la voir dans cette pose soumise, lui souriant d'un air entendu alors que son sexe en érection lui effleurait presque le visage, était si puissamment érotique que Dylan posa une main tremblante sur la tête de Grace. Une chance qu'il fût peu vêtu quand elle avait commencé. Il n'aurait pas supporté pareille torture.

Sans le quitter des yeux, elle lui ôta ses bottes l'une après l'autre. Ses mains étaient sûres, et il songea qu'elle avait dû déshabiller son mari ainsi à de multiples reprises. L'aiguillon de la jalousie le transperça douloureusement – émotion inattendue qu'il n'avait jamais ressentie auparavant. Mais il l'oublia vite, car déjà Grace faisait glisser son pantalon le long de ses jambes.

Elle se releva, le parcourut d'un regard gourmand qu'il adora.

D'un mouvement brusque, il l'enlaça et la plaqua contre lui, lui arrachant un petit cri de surprise. Cette fois, il l'embrassa à pleine bouche, savourant la douceur de ses lèvres et la sensation enivrante de son corps souple pressé contre le sien. Il la relâcha, et à sa grande joie ce fut elle qui noua les bras autour de son cou et se serra contre lui, réclamant davantage.

— Grace, lui murmura-t-il à l'oreille, déshabillez-vous.

Elle eut un rire fragile, et se débarrassa de sa robe de chambre.

— Qui êtes-vous pour donner des ordres? Je croyais que c'était moi qui décidais, ce soir.

— Vous êtes trop lente.

Il déboutonna les cinq boutons de sa chemise de nuit, empoigna l'étoffe aux hanches et commença à lui retirer le vêtement.

— Je vous veux nue, maintenant.

— La patience est une vertu, dit-elle, tout en levant les bras pour l'aider.

— Comme vous le savez, je me moque de la vertu.

Il jeta la chemise de nuit de côté, recula d'un pas pour admirer Grace. Elle avait des seins charmants, plus pleins qu'à son arrivée. La lune drapait sa peau claire d'un voile translucide. Elle était fragile et magnifique. Lorsqu'il avisa le triangle blond de son entrejambe, il dut faire appel à toute sa volonté pour se maîtriser.

Se rapprochant d'elle, il lui embrassa l'oreille en enveloppant ses seins de ses paumes. Oui, sa poitrine avait pris du volume, mais chaque sein avait une forme parfaite. Il en taquina l'extrémité qui se dressa sous ses doigts.

— C'est bien ce que vous désirez, n'est-ce pas ?

Elle émit un son étouffé en guise de réponse, et il sourit, puis, s'inclinant sur elle, il prit son sein dans sa bouche. Cette fois, ce fut lui qui la taquina, léchant et mordillant tour à tour.

Elle l'agrippa aux épaules et ses hanches se portèrent instinctivement à sa rencontre, effleurant son sexe tendu. Leurs souffles étaient saccadés, leurs cœurs battaient à grands coups dans l'attente de ce qui allait suivre. Il lui caressa les flancs, le ventre. Ses doigts se perdirent à l'orée de son sexe.

— Vous ne voulez pas ceci ?

Les jambes tremblantes, elle murmura son nom tout en l'enlaçant. Ses cuisses lui enserrèrent convulsivement la main.

Lorsqu'il glissa l'index en elle, Grace cria. Elle était si humide, si douce. Il retira son doigt, et elle se cambra contre lui, exigeant davantage. Il essaya de se maîtriser. Juste un peu.

— C'est bien ce que vous désirez, n'est-ce pas ?

Il écarta les doux replis intimes dans un geste caressant, et plongea de nouveau en elle. Elle s'ouvrit comme une fleur.

— Oui ! souffla-t-elle, le visage niché au creux de son épaule. *Oh, oui...*

Ses hanches se pressèrent contre lui et elle jouit presque aussitôt en gémissant sourdement, les cuisses crispées autour de sa main.

— Il est temps, je crois.

— Oui... Y a-t-il un lit quelque part ?

— Non.

Il posa les mains sur les épaules de Grace et la fit pivoter avec lui. Il s'appuya contre le mur, dans l'angle, puis, il la serra très fort.

— Avons-nous besoin d'un lit ?

Avant qu'elle pût répondre, il l'empoigna plus fortement.

— Écartez les jambes, ordonna-t-il en la soulevant. Enroulez-les autour de moi.

Elle lui obéit, gémit en sentant l'extrémité de son sexe effleurer son entrecuisse. Il emplit ses poumons de son odeur fruitée, s'immobilisa à la lisière de son intimité.

— Ceci aussi, vous le désirez, Grace ?

— Oui...

Lentement, il commença à entrer en elle.

— En êtes-vous certaine ?

Sa voix était rude, presque brutale. Il n'avait plus le temps d'être doux.

— Prenez-moi ! supplia-t-elle, le souffle court.

Alors, d'un mouvement fluide, il la pénétra entièrement, chassant le fantôme de l'homme qu'elle avait connu avant lui. « Elle est à moi, cria-t-il en silence. À moi ! »

L'étreignant étroitement, Grace se laissa porter par son rythme, s'adapta à sa cadence. Une fine pellicule de sueur recouvrit leurs corps brûlants tandis qu'il s'enfonçait en elle encore et encore, pris d'une vertigineuse frénésie. Elle poussa un cri, et il donna un ultime coup de reins, avant de s'abandonner au plaisir intense de la jouissance, le corps secoué de spasmes.

Haletant, il appuya la tête contre le mur, et elle posa le front sur son épaule. Ils demeurèrent ainsi, l'un dans l'autre, immobiles. Le sifflement dans son crâne n'était plus qu'un écho lointain. Seules leurs respirations hachées troublaient le silence.

Dylan savoura encore un moment le corps doux de Grace drapé autour du sien, puis il la reposa avec précaution sur le sol.

— Voulez-vous visiter la maison ? proposa-t-il avant de déposer une série de baisers voraces sur ses lèvres, ses joues, ses épaules nues.

Grace secoua la tête en se blottissant contre lui. Pour l'heure, tout ce qu'elle voulait, c'était qu'il la serre dans ses bras, qu'il la caresse, qu'il lui fasse de nouveau l'amour.

— Vous n'avez pas le sens de l'aventure, chuchota-t-il contre ses cheveux, et elle devina à sa voix qu'il souriait. J'ai une idée, ajouta-t-il soudain. Ne bougez pas. Je reviens toute de suite.

Il s'éloigna, et Grace le regarda se faufiler entre les meubles.

Il avait un corps superbe, puissant et solide, merveilleusement viril. Elle avait soudain envie de rire et de pleurer, se sentait euphorique comme si elle avait bu un peu trop de vin.

Elle l'entendait fouiller dans la pièce à côté. Que pouvait-il bien chercher ? Lorsqu'il revint, il portait un tapis roulé sur l'épaule.

— Je pensais bien qu'il en restait un ou deux, fit-il en le déposant sur le sol.

Il le déploya. Les franges du tapis taquinèrent les pieds de Grace, qui se mit à glousser. S'accroupissant, il la regarda d'un air perplexe.

— Je croyais que c'était les hommes qui gardaient leurs chaussures, expliqua-t-elle en indiquant ses bottines.

Il éclata de rire, lui lança un regard coquin, et déclara :

— J'aime beaucoup. Mais je crois que j'aimerais encore plus si vous veniez ici et me laissiez vous les retirer.

— Vraiment ?

Elle s'assit au milieu du tapis et lui tendit la jambe.

Il prit son pied entre ses mains, ôta la bottine qu'il jeta derrière son épaule, fit glisser la jarretière, puis le bas, et posa le pied de Grace à plat sur le tapis. Il répéta l'opération avec l'autre jambe, lui écarta les cuisses.

— Libérez vos cheveux, Grace.

Elle avait l'impression de se liquéfier sous le regard de braise. Les doigts malhabiles, la gorge sèche, elle dénoua sa natte.

Dylan s'allongea sur le tapis, en appui sur les coudes, et la contempla tandis que sa chevelure se répandait sur ses épaules.

— J'en ai si souvent rêvé, avoua-t-il dans un murmure. Je regrette qu'il ne fasse pas jour, que j'en voie toutes les nuances... Approchez.

Elle lui obéit, en profita pour caresser son corps magnifique tandis qu'elle le chevauchait. Elle enroula les doigts autour de son sexe en érection, puis, doucement, l'introduisit en elle. D'une poussée, il la remplit complètement. Il était fort, et vigoureux. Il posa la tête sur le tapis, et commença à lui caresser les seins.

Les paumes à plat sur son torse, elle se mit à onduler sans le quitter des yeux. D'une main, il jouait avec son sein, tandis que, de l'autre, il titillait le petit bouton charnu, source du plus divin des plaisirs.

Elle atteignit l'extase la première, et il ne se fit pas prier pour la rejoindre. À bout de souffle, tremblant de la tête aux pieds, elle s'abattit sur lui, ses cheveux retombant autour de son visage tel un rideau de soie.

Il se mit à rire. Elle releva la tête et lui sourit.

— Si c'est cela, la vertu, je vais finir par y prendre goût, avoua-t-il.

Le cœur de Grace se gonfla de bonheur. Elle avait oublié à quel point tomber amoureuse était merveilleux.

— Merci, souffla-t-elle avant de l'embrasser.

— Merci pour quoi ? s'étonna-t-il, tandis qu'elle glissait sur le côté pour s'allonger le long de son flanc.

Elle éprouva un instant de gêne.

— Je ne me sens plus comme une veuve desséchée.

— Vous ne l'avez jamais été, assura-t-il, soudain sérieux.

Puis il l'entoura de son bras, et l'attira contre lui.

Elle était la proie de tant d'émotions confuses qu'elle aurait été bien incapable de dormir, mais elle sentit le corps de Dylan se détendre, son souffle se ralentir, et il s'endormit.

Elle le contempla en souriant. Même dans le sommeil, alors que ses traits s'adoucissaient, il conservait l'allure d'un aventurier. Elle se retint de lui caresser le visage de crainte de le réveiller, s'allongea sur le dos et contempla le plafond. Ce merveilleux cottage serait le sien.

Ces dernières années, alors qu'elle avait faim et froid, elle avait si souvent rêvé d'un refuge comme celui-ci, d'une petite maison chaleureuse et confortable, avec un jardin et un potager. Et cependant, de manière inexplicable, il lui semblait que quelque chose n'allait pas.

Puis Dylan bougea dans son sommeil, et Grace comprit ce que c'était. Le cœur gros, elle fixa les poutres au plafond. Une fois leur liaison terminée, elle ne pourrait pas vivre ici, elle le savait, parce qu'elle ne le supporterait pas.

Lorsqu'il se réveilla, Grace était partie. Il perçut son absence avant même d'ouvrir les yeux. Son parfum flottait encore dans la pièce. Il souleva les paupières, cligna des yeux, aveuglé par le soleil qui pénétrait à flots par les fenêtres dépourvues de rideaux.

— Grace ?

Il regarda autour de lui. Les vêtements, les bas et les bottines de la jeune femme avaient disparu. Seul restait le ruban bleu qui avait retenu sa natte. Il le ramassa et le froissa entre ses doigts.

Il avait dormi… C'était à peine croyable. Il avait dû dormir des heures puisqu'il faisait grand jour.

Avec Grace à ses côtés, il avait dormi comme un homme normal, serein et apaisé. Le sifflement résonnait encore dans sa tête, mais lointain et assourdi. Pour la première fois depuis des années, il se sentait parfaitement reposé.

Il caressa le morceau de mousseline, le cœur léger. Il lui semblait que soudain tout allait pour le mieux dans le meilleur des mondes. Il pressa le ruban contre ses lèvres, puis le glissa dans sa poche.

18

La nuit suivante, Grace et Dylan se retrouvèrent à nouveau dans le cottage, mais cette fois Dylan s'était préparé. Il avait apporté un matelas, des draps et une couverture. En attendant de faire meubler la maison au goût de Grace, il avait décidé que cela suffirait à leur confort.

Il apporta aussi des fruits, du vin et le petit sac de soie dans lequel il conservait ses préservatifs. La veille, il en avait un dans la poche de sa robe de chambre, mais lorsque Grace l'avait embrassé, il avait littéralement perdu la tête. Il s'était promis d'être plus prudent à l'avenir.

Il avait aussi apporté une lampe, afin d'admirer le corps de la jeune femme dans toute sa splendeur.

La veille, tout à sa passion de la posséder enfin, il lui avait fait l'amour avec une ardeur farouche. Cette fois, il se montra tendre, attentionné, patient, explorant son corps avec une exquise lenteur, comme si le temps s'était arrêté tout exprès pour eux.

Il chercha les endroits secrets qui lui procuraient du plaisir, l'arrière des genoux, la peau sensible sous les seins, le bas de la colonne vertébrale, la nuque... et les exploita sans vergogne. Il lui chuchota des mots doux, des paroles suggestives ou indécentes jusqu'à ce qu'elle rougisse et se tortille sous ses caresses ardentes. Il la pénétra lentement, s'immobilisa en elle, attendant qu'elle le supplie de la soulager, le corps tendu en quête de plénitude.

Lorsqu'il lui demanda si elle voulait dormir, elle secoua la tête. Il la taquina quand elle se rhabilla, mais elle lui jeta un regard si horrifié tandis qu'il s'apprêtait à sortir nu, qu'il enfila ses pantalons et sa robe de chambre.

Ils s'étendirent sur l'herbe pour contempler le ciel étoilé en écoutant le bruit des vagues qui déferlaient sur la plage en contrebas.

— Je ne suis pas fatigué non plus, avoua-t-il.

— Est-ce parce que vous êtes accoutumé à dormir dans la journée ?

— Non. L'heure m'importe peu. Je dors quand je suis tellement épuisé que je ne peux pas faire autrement. J'avais pris l'habitude de sortir tous les soirs pour atteindre cet état d'épuisement.

— C'est une manière compliquée de trouver le repos, fit-elle en se redressant sur un coude pour le contempler. Savez-vous pourquoi vous avez autant de mal à trouver le sommeil ?

Comme il ne répondait pas, elle s'allongea à nouveau sur le dos.

— J'ai toujours rêvé de dormir à la belle étoile en écoutant le ressac, mais on ne m'y a jamais autorisée. C'est vraiment divin.

Elle tendit la main, mêla ses doigts aux siens.

— J'entends un sifflement, dit-il tout à trac. C'est pourquoi j'ai du mal à m'endormir.

Grace tourna la tête et observa son beau profil qui se découpait dans la nuit claire.

— Vous entendez un sifflement ? répéta-t-elle, perplexe. Quand cela ?

— Tout le temps. Vingt-quatre heures sur vingt-quatre. Ce n'est pas un son agréable, comme un carillon par exemple. C'est plutôt un crissement sans fin. Cela ressemble à un diapason qui sonne faux. La seule chose qui varie, c'est la force du son. Par moments, il est presque inaudible. Parfois, c'est un crissement strident.

Grace s'assit et baissa les yeux sur lui, se rappelant comment il se comportait bizarrement parfois. À présent, elle comprenait pourquoi il plaquait les mains sur ses oreilles, d'où lui venaient ses terribles migraines, et la raison pour laquelle il détestait le silence de la campagne. Comment pouvait-on vivre avec un bruit permanent dans la tête ? Cela devait être intolérable de se retrouver allongé dans un lit, essayant en vain de trouver le sommeil. Une véritable torture.

— J'ai fait une chute de cheval il y a cinq ans et demi, dans Hyde Park, poursuivit-il. J'allais beaucoup trop vite. Je suis tombé et ma tête a heurté une pierre. Mon oreille gauche a saigné pendant deux jours. Puis le sifflement a commencé. J'ai vu des tas de médecins. Personne ne peut rien faire.

Grace resserra la pression de sa main autour de la sienne.

— C'est pour cela que vous avez voulu vous supprimer, n'est-ce pas ?

— Oui. Le bruit me rendait fou. Je n'entendais plus la musique. Je n'arrivais plus à composer.

— Mais l'accident date de cinq ans. Vous avez publié des choses merveilleuses depuis.

— Non.

— Et que faites-vous de *Valmont*, votre opéra ? De votre *Concerto pour piano* n° 14 ? De votre *Fantasia à l'aube* ?

— Vous n'avez pas deviné, Grace ? Ce sont de vieux morceaux. J'en avais composé certains alors que je n'étais qu'un adolescent. J'ai écrit *Fantasia à l'aube* à quatorze ans, et le concerto quand j'en avais vingt. Heureusement, j'avais terminé *Valmont* la veille de l'accident.

Il appuya les paumes sur ses yeux et laissa échapper un rire bref.

— Autrement, jamais je ne les aurais considérés comme dignes d'être publiés.

— Pas dignes d'être publiés ? Mais, Dylan, ces œuvres sont magnifiques ! s'écria-t-elle, le cœur serré. À vos yeux, elles ne sont peut-être pas assez abouties, mais ce n'est pas le cas pour votre public. Certaines personnes considèrent *Valmont* comme votre meilleur opéra.

Il la regarda.

— Jusqu'à ce que je vous retrouve, je n'avais pas composé une seule mélodie. Pas une seule en cinq ans.

« Je ne composerai plus jamais », lui avait-il dit ce soir-là, au Palladium.

Elle pensa à Étienne qui répétait sans cesse qu'il ne peindrait plus jamais, alors que l'inspiration lui revenait quelques jours plus tard. D'où sa réponse si confiante à Dylan à l'époque. Elle ne pouvait pas savoir.

Il glissa la main dans ses cheveux d'or pur, les enroula autour de ses doigts.

— Puis vous êtes venue, et vous m'avez rendu l'espoir.

— Oh, Dylan, je n'y suis pour rien, dit-elle tendrement en lui caressant la joue. Vous portez cela en vous. Vous ne savez pas combien vous êtes fort.

— Fort ? s'exclama-t-il. La nuit où je vous ai rencontrée, j'avais l'intention de me tuer. C'est le geste le plus lâche que puisse commettre un homme.

— Nous avons tous nos faiblesses, Dylan, mais vous avez prouvé que vous êtes fort. Vous avez la volonté de vivre, alors que votre vie est parfois un enfer.

Elle marqua une pause, avant d'ajouter :

— Mon mari était un homme versatile, sujet à de brusques et inexplicables sautes d'humeur. Il avait un talent fou, mais il a laissé les faiblesses de son caractère prendre le dessus jusqu'à le dominer complètement.

— On pourrait dire la même chose de moi, Grace.

— Non. Il y a une grande différence entre vous. J'ai quitté mon mari non pas parce qu'il avait des faiblesses, mais parce qu'il n'avait pas la volonté de les combattre. Il avait perdu tout espoir. Si j'étais restée avec lui, moi aussi, j'aurais perdu l'espoir, et il m'aurait détruite. Il est mort un an plus tard.

— Grace…

Il l'attira à lui et l'embrassa.

— Je n'ai jamais rencontré d'être plus compatissant que vous. Chaque fois que je suis avec vous, je me sens apaisé. Votre voix, vos yeux… Hier, pour la première fois depuis cinq ans, j'ai réussi à dormir une nuit complète. Quand je suis avec vous, le bruit s'éloigne et j'entends de la musique.

Elle lui sourit.

— Je croyais que vous me racontiez cela uniquement pour m'attirer dans votre lit.

— Il y avait de cela, aussi, admit-il avec un sourire espiègle. Et ça a marché, non ? ajouta-t-il en déboutonnant sa chemise de nuit.

— Arrêtez, Dylan, chuchota-t-elle en jetant un regard inquiet autour d'elle. Nous ne pouvons pas… Pas ici !

Il réussit à faire glisser la chemise de nuit de ses épaules et lui caressa les seins.

— Bien sûr que nous pouvons, murmura-t-il. Allez, Grace, osez. Faites l'amour avec moi au clair de lune. Je ne le dirai à personne.

Le désir fut le plus fort. Elle succomba et ils s'aimèrent sous les étoiles.

Plus tard, de retour au cottage, ils s'endormirent dans les bras l'un de l'autre. Grace était tellement heureuse qu'il pût enfin se reposer.

Elle lui prit la main et chuchota tout contre sa paume :

— Je t'aime.

Elle y déposa un baiser, puis lui replia délicatement les doigts. Elle demeura allongée dans le noir, les lèvres posées sur le poing de Dylan qui renfermait le secret de son amour. Elle se sentait de nouveau entière, et vivante, tellement vivante. Elle était reconnaissante pour chaque instant de bonheur. Mais une peur familière, née des douleurs passées, continuait de la tarauder. Que resterait-il d'elle quand cela prendrait fin ?

Mai céda la place à juin. Par un accord tacite, Dylan et Grace restaient discrets. Pendant la journée, en présence d'autrui, ils demeuraient polis et presque plus distants qu'auparavant. Puis lorsqu'ils étaient enfin seuls, les caresses de Dylan attisaient le feu qui avait couvé sous la cendre toute la journée.

Il n'était pas le seul à savoir éveiller son désir. Grace commençait à connaître les caresses qui le rendaient fou, et comme elle l'aimait, il y prenait un immense plaisir.

Garder le secret n'était pas toujours aisé. Parfois, alors qu'elle donnait une leçon à Isabel, elle levait la tête et le surprenait en train de l'observer. Et elle savait à son regard qu'il pensait à leurs nuits d'amour.

Il aimait parler lorsqu'ils s'aimaient. Et elle s'aperçut que cela lui plaisait, à elle aussi. Elle se découvrait libertine, prête à céder à toutes ses envies.

Dylan adorait sa chevelure. Elle l'attachait en chignon chaque matin, coiffure sage qu'il prenait plaisir à défaire chaque soir. Il glissait les doigts parmi les longues mèches soyeuses répandues sur ses épaules tandis qu'elle le chevauchait. Dans la journée, il lui arrivait de passer près d'elle et de lui retirer un peigne, libérant l'une de ses nattes. Taquin, il s'éloignait, le peigne dans la poche, et elle n'avait aucun moyen de fixer ses cheveux.

Lorsque la nuit était claire, ils s'allongeaient dans l'herbe, bavardaient et s'aimaient sous la lune. Les soirs de pluie, ils restaient dans le cottage, enlacés, la fenêtre ouverte. Dylan aimait la pluie. Il disait qu'elle l'apaisait, tout comme la voix de Grace et le bruit de l'océan.

Il s'endormait parfois, mais pas toujours. Lorsqu'elle était indisposée, il dormait néanmoins à ses côtés, si elle le voulait bien, heureux de la tenir tout simplement dans ses bras. Quand elle se sentait mal et préférait rester seule, il ne s'imposait pas. Ces attentions la touchaient.

Lorsqu'il avait des insomnies, il partait faire de longues balades dans les collines ou au bord de la mer. Elle ignorait où il se rendait, mais il revenait toujours s'allonger près d'elle.

Ainsi, peu à peu, jour après jour, Grace commença à oublier le goût amer de la solitude.

Les belles journées de juin firent place aux longues journées ensoleillées de juillet. Dylan composait le matin pendant qu'Isabel prenait ses leçons. Il luttait pour chaque note. L'inspiration lui venait en des éclairs lumineux – il voyait passer Grace dans le jardin, un chapeau de paille sur la tête, entendait le rire d'Isabel, regardait l'océan scintiller entre les arbres... La musique l'emplissait et il n'avait plus qu'à la transcrire. Ces moments de grâce étaient devenus précieux parce que rares, aussi éprouvait-il chaque fois un doux bonheur, et remerciait-il le Ciel de les lui accorder. La symphonie prenait forme, si bien qu'il arriva bientôt au quatrième mouvement.

Mais contrairement à son habitude, Dylan avait du mal à achever son travail. Il ne parvenait pas à trouver une fin satisfaisante. Cet opus représentait le début d'un nouveau chapitre dans sa vie, d'où son importance. Comme il cherchait à atteindre la perfection, il se donnait probablement trop de mal.

Mais il avait appris sa leçon. Quand il éprouvait ce sentiment d'insatisfaction et de frustration parce qu'il avait bataillé inutilement des heures durant avec la partition, il savait qu'il était temps de prendre du repos et de partir à la recherche de ses deux meilleures sources d'inspiration.

Ce jour-là, il monta à la nursery. Une boîte à musique distillait une musique aigrelette. Grace essayait d'apprendre la valse à Isabel. Ne voulant pas les déranger, il les observa du seuil.

Grace, qui faisait tournoyer la fillette, leva la tête et l'aperçut. Il posa le doigt sur ses lèvres, et elle continua la leçon, comme si de rien n'était.

Sa tête blonde penchée vers la tête brune d'Isabel, elle marquait la cadence de sa voix limpide, une voix aussi mélodieuse que la valse de Weber aux oreilles de Dylan. Trébuchant une nouvelle fois sur les pieds de Grace, Isabel poussa un soupir exaspéré.

Elle comprenait une valse d'un point de vue musical, mais semblait trouver plus difficile de la danser. Grace essayait de la guider en lui montrant les pas, mais Isabel demeurait raide comme un piquet.

La plupart des gens se seraient étonnés qu'une enfant aussi douée pour la musique trouvât difficile de danser en mesure, mais Dylan comprit aussitôt le problème. Sa fille s'énervait, car ce n'était pas elle qui menait.

— Je n'y arrive pas, décréta-t-elle. Est-ce que je ne pourrais pas mener cette fois-ci ? ajouta-t-elle, comme en écho aux pensées de son père.

— Une jeune fille ne mène pas, rétorqua Grace.

— Vous menez, madame Clairval, et vous êtes une fille. Qui a inventé une règle aussi stupide ?

Dylan réprima un sourire. Comme sa petite fille était volontaire et farouche ! Tenace aussi. Elle ne cessait de tout remettre en question, de s'opposer aux conventions et aux règles comme il l'avait fait, lui aussi. Comment expliquer ce tempérament qui les poussait sans cesse à contester l'ordre établi ? Avaient-ils besoin de cette intensité dramatique pour alimenter leur créativité ? Ils combattaient le monde, tout simplement parce qu'il existait, avec le sentiment confus que la vie serait ennuyeuse si personne ne s'y opposait.

Il comprit que c'était là le lien le plus profond qui l'unissait à sa fille, encore plus profond que la musique. Il la comprenait, et grâce à elle, il apprenait à se connaître lui-même. Elle avait hérité de son tempérament entier et passionné, et parfois, il s'en inquiétait. Isabel était si volontaire que sa vie de femme ne serait pas facile, devinait-il. Il regrettait presque qu'elle ne fût pas un garçon.

Il la regarda tournoyer dans les bras de sa gouvernante, vêtue d'une charmante robe blanche ornée de rubans écarlate – ainsi, elle avait tout de même réussi à imposer sa couleur fétiche, si peu convenable pour une petite fille. L'ourlet était souligné de dentelle – de *dentelle*, cette chose détestable qui gratouillait !

— Papa !

Elle pila net, le fixa de ses grands yeux sombres en souriant jusqu'aux oreilles. Ému, Dylan remercia le Ciel de lui avoir envoyé une fille plutôt qu'un garçon.

— Puis-je mener ? demanda-t-il.

Tandis que Grace remontait la boîte à musique, il s'approcha et prit la main de sa fille.

— Est-ce que tu me fais confiance ?

— Oui, papa.

Elle n'avait pas hésité une seconde. Elle éprouvait une confiance en lui inexplicable, qu'il ne méritait pas encore, mais qu'il s'était juré de mériter un jour.

— Si tu me laisses te guider, je te promets de ne pas te faire trébucher.

Grace les observait, aussi radieuse qu'une journée de printemps. Dylan n'avait jamais rien vu de plus beau de toute sa vie ni goûté de dessert plus délicieux.

Tandis qu'il contemplait Grace, il fut conscient de la main de sa fille dans la sienne, si petite, si vulnérable. Son cœur se serra tandis qu'un sentiment aussi puissant qu'impossible à définir l'envahissait, lui comprimait la poitrine au point de l'empêcher de respirer.

Par la fenêtre, il apercevait les poiriers du verger. Sur le mur se trouvait une carte du Devonshire, ainsi qu'un dessin de Sonate le poney, exécuté par Isabel qui n'avait pas le sens des proportions. La collection de coquillages de sa fille se trouvait dans un bol en cristal posé sur une table. Il était venu d'innombrables fois dans la nursery depuis leur arrivée, et pourtant, il regardait autour de lui comme s'il découvrait cette pièce pour la première fois. *Je suis à la maison*, songea-t-il, éberlué.

— Papa, vous êtes prêt ?

Il caressa la joue de sa fille, comprenant enfin le sens des paroles de Grace, cinq ans auparavant, quand elle lui avait dit pourquoi il devait continuer à vivre.

On aura peut-être besoin de vous pour quelque chose d'important.

C'était cela l'important, des journées précieuses comme celle-ci, toutes de clarté, au cours desquelles il se consacrait à ceux qui lui tenaient à cœur, en espérant qu'il y en aurait encore beaucoup d'autres, jusqu'au jour dernier où on le mettrait en terre.

Dylan étreignit la main de sa fille et inspira profondément.

— Oui, ma chérie, je suis aussi prêt que puisse l'être un père.

19

Dylan et Isabel dansaient depuis une heure quand leur leçon fut interrompue.

— Monsieur? appela Osgoode, élevant la voix pour se faire entendre par-dessus la musique. Monsieur votre frère est là; il vous attend au salon.

Dylan s'arrêta net et se tourna vers son major-dome. Il hésita, partagé entre l'envie de continuer à s'occuper de sa fille et ses obligations envers Ian.

— J'arrive, dit-il à contrecœur, avant de se tourner vers Grace et Isabel. Nous y allons?

Ian se leva poliment à leur entrée. Lorsqu'il posa les yeux sur Grace, il tressaillit, et son visage d'ordinaire impassible trahit une rare émotion, mais Dylan n'eut pas le temps de déchiffrer l'expression de son frère, car celui-ci avait déjà retrouvé son masque aimable de diplomate.

— Ian, le salua-t-il, tu te souviens de ma fille Isabel, n'est-ce pas?

— Bien entendu, fit Ian en s'inclinant. Mademoiselle Isabel.

— Bonjour, mon oncle, répondit-elle en faisant une révérence, avant de saisir la main de son père et d'adresser à Ian un regard condescendant digne d'une reine.

Dylan s'en amusa. Il pouvait presque lire les mots : «Je vous l'avais bien dit», imprimés au-dessus de sa petite tête comme dans une caricature de Rawlinson. Visiblement, elle n'avait pas encore pardonné à son oncle d'avoir douté qu'il fût son père.

— Et voici Mme Clairval, la gouvernante d'Isabel, ajouta-t-il.

— Excellence, fit Grace avec une révérence. Prendrez-vous une tasse de thé?

— Avec plaisir, madame.

Grace tira sur le cordon. Quand la domestique apparut, elle lui demanda d'apporter du thé, puis elle prit place sur l'un des sièges disposés en croissant au centre du salon. Elle fit signe à Isabel de s'asseoir à côté d'elle. Ian prit le siège en face de Grace. Dylan, toujours aussi agité, fut le seul à rester debout.

Il y eut un long silence, ponctué par le cri des mouettes qui volaient au-dessus des falaises. Grace jetait un regard à Dylan, comme pour lui suggérer de lancer la conversation, quand Molly entra au salon.

— Pardonnez-moi, monsieur. Je dois aller à la ferme et je pensais que Mlle Isabel aimerait voir les chatons qui viennent de naître. Ils ont ouvert les yeux.

Aussitôt, la fillette se leva d'un bond.

— Puis-je, papa?

— Bien sûr, ma chérie, acquiesça-t-il, songeant avec envie qu'il aurait préféré, lui aussi, aller voir les chatons.

Elle se précipita vers la porte et prit la main de Molly.

— Isabel, n'as-tu rien oublié? l'arrêta Grace.

L'enfant revint sur ses pas, salua son oncle d'une révérence, puis s'enfuit à la vitesse de l'éclair.

Dylan éclata de rire, mais son amusement fut de courte durée. Alors qu'il se tournait vers son frère, il s'aperçut que ce dernier observait Grace avec attention. Un comportement aussi impoli n'était guère dans la manière de Ian, et même si Grace feignait de ne rien remarquer, Dylan n'en ressentit pas moins une bouffée de jalousie.

Osgoode pénétra dans le salon avec un plateau qu'il déposa sur un guéridon.

— Comment aimez-vous votre thé, Excellence ? s'enquit Grace d'une voix douce.

Dylan tourna le dos à la fenêtre, afin d'être à contre-jour et de dissimuler son expression. Il se sentait troublé. C'était la première fois qu'il éprouvait de la jalousie parce qu'un homme s'intéressait à l'une de ses maîtresses. Mais il faut dire que ce n'était pas n'importe quelle femme. Il s'agissait de Grace, sa vertueuse, bien élevée, généreuse Grace, qui, une heure auparavant, le regardait comme s'il était le roi du monde. Il se découvrait possessif et cela ne lui plaisait guère. L'intérêt que son frère portait à la jeune femme lui arracha une moue agacée.

Grace servit Ian, ajouta du sucre et du lait dans sa tasse avant de la lui présenter avec un sourire. Le moindre de ses gestes était empreint de délicatesse et elle semblait parfaitement à son aise.

Ian accepta sa tasse avec une réserve polie, et Dylan se demanda pourquoi il avait l'impression de se trouver dans une pièce de théâtre où tous les acteurs connaissaient leurs rôles, excepté lui. Grace lui glissa un regard, mais ne lui proposa pas de thé, sachant qu'il ne l'aimait pas.

— J'ai lu des articles sur votre action diplomatique à Venise, fit-elle après s'être servie. Je vous félicite d'avoir obtenu gain de cause lors des négociations. Est-ce que le mariage de la princesse italienne évitera une guerre avec les Autrichiens ?

Ian entreprit de lui fournir des explications détaillées. Grace l'écoutait avec attention si bien qu'il paraissait être au septième ciel.

Dylan vint se poster derrière la chaise de Grace. Croisant le regard de son frère au-dessus de la tête de la jeune femme, il posa délibérément les mains sur ses épaules rondes.

Surprise qu'il se permette un geste aussi intime devant une tierce personne, elle sursauta. Ian, quant à lui, arqua un sourcil étonné, tout en décochant un regard désapprobateur à Dylan, qui n'ôta pas ses mains pour autant.

Apparemment, Ian était seulement venu rendre une visite de politesse à son frère. Le gentleman qu'il était se pliait toujours à ce rituel quand ils se trouvaient dans la même ville ou la même région. Aussi, après dix minutes de conversation policée, se leva-t-il pour prendre congé. Dylan retira les mains des épaules de Grace qui se leva, elle aussi.

— Ce fut un plaisir, Excellence, dit-elle.

— Tout le plaisir fut pour moi, répondit Ian en s'inclinant sur sa main. Dylan, tu me raccompagnes ? ajouta-t-il.

Bien que surpris, Dylan acquiesça.

Les deux hommes sortirent sur le perron. Le valet de Ian l'attendait auprès de sa calèche.

— J'aimerais que tu passes me voir ce soir, fit Ian en enfilant ses gants gris perle. À l'heure qu'il te plaira.

— Pourquoi ? s'enquit Dylan, qui n'était plus invité à Plumfield depuis longtemps.

L'aurait-il été qu'il aurait décliné l'invitation.

Ian affichait un air grave, et encore plus guindé que d'ordinaire.

— Ce n'est pas une requête faite à la légère, Dylan. Nous devons parler affaires, c'est pourquoi j'aimerais que tu viennes seul.

— Très bien. Je serai là à 6 heures.

— Parfait.

Ian monta dans la calèche et prit les rênes des mains de son valet qui grimpa sur le marchepied. Il fit claquer sa langue et le cheval s'éloigna au petit trot. Dylan les suivit des yeux jusqu'à ce qu'ils eussent disparu au bout de l'allée.

Vaguement mal à l'aise, il retourna dans la maison.

— Puis-je vous voir en privé ? demanda Grace, qui l'avait attendu sur le seuil du salon.

Elle se dirigea vers un petit bureau qui se trouvait de l'autre côté du corridor, et il lui emboîta le pas. Il ferma la porte derrière eux, un rien étonné qu'elle ferme aussi la fenêtre.

— Dylan, je sais que notre... liaison est récente, mais j'aimerais que les choses soient claires entre nous, commença-t-elle d'une voix froide et posée. Soyez gentil de ne plus jamais me toucher de cette manière en public.

Elle le regardait d'un air si distant qu'il réprima un frisson d'appréhension. Un crissement résonna dans ses oreilles, et son ventre se noua.

— Mais j'adore vous toucher, fit-il, essayant de plaisanter.

— Je ne peux tolérer ce genre de comportement devant autrui. Ce n'est pas convenable, et vous le savez parfaitement, Dylan. Qu'est-ce qui vous a pris ? Je sais que vous ne vous entendez pas avec votre frère, mais...

— Avez-vous remarqué comment il vous regardait ? la coupa-t-il.

— Il a été d'une politesse sans faille, ce qui n'était pas votre cas. Vous m'avez humiliée, Dylan.

Il eut l'impression d'avoir reçu un soufflet. Conscient que sa conduite était indéfendable, il essaya une autre tactique.

— Vous l'avez trouvé poli ? ironisa-t-il. Eh bien, moi, je lisais dans ses pensées. Il vous déshabillait littéralement des yeux, bon sang !

À sa grande surprise, elle ne discuta pas.

— Et alors ? fit-elle d'un air indifférent.

— Vous êtes ma maîtresse, Grace, et par conséquent, vous n'êtes pas disponible pour lui. Je le lui ai simplement fait comprendre.

— Je ne suis pas votre maîtresse, Dylan. Une maîtresse, c'est quelqu'un que l'on possède, que l'on a acheté et pour qui l'on paie. Je ne vous laisserai pas me traiter comme si vous me possédiez. L'argent que vous me versez est un salaire parce que je suis la gouvernante de votre fille. Au lit, il n'est pas question d'argent entre nous. Je ne suis pas votre maîtresse ; je suis votre amante.

— Quoi qu'il en soit, vous êtes à moi.

— Non, contra-t-elle calmement. Je n'appartiens qu'à moi seule, et si je choisis de me donner à quelqu'un, c'est moi qui le décide, non pas vous.

Elle tourna les talons pour sortir, mais il la saisit par la taille et enfouit le visage dans son cou, respirant son délicieux parfum qui le rendait fou.

Comme elle demeurait immobile, raide et inflexible, il finit par la laisser aller. Elle quitta aussitôt le bureau et referma la porte derrière elle. Il resta seul à contempler les murs, le cœur oppressé, les poings serrés.

— Vous êtes mienne, répéta-t-il comme si elle se tenait de l'autre côté du battant.

Il se rappela ses yeux et son sourire, l'après-midi passé dans la nursery, et il ressentit une jalousie féroce, un désir de possession presque douloureux, et une crainte à la limite de la terreur.

D'un pas déterminé, il se rendit dans le salon de musique et s'assit devant son piano. Il n'avait jamais rien éprouvé de comparable, et il se sentait perdu. Il étudia ses partitions, puis se jeta à corps perdu dans le travail afin de venir à bout de cette jalousie et de cette peur qui le taraudaient.

À force de marteler les touches, il n'entendait même plus le sifflement dans sa tête. Il écrivait vite, dans une espèce de transe rageuse, et acheva sa symphonie sur un final d'une énergie et d'une exubérance qui ne manqueraient pas de soulever l'enthousiasme du public.

Puis il prit sa plume d'oie et inscrivit au bas de la dernière page le mot *Fin*. Le souffle court, il le fixa sans y croire. Il se sentait épuisé. Après des journées de lutte, il avait enfin réussi à terminer. Il avait travaillé d'une seule traite, sans se torturer, sans être gêné par le sifflement. Il avait composé une symphonie entière, alors que quelques mois plus tôt il pensait ne plus jamais être capable d'écrire une note.

Il éclata d'un rire triomphant. Il l'avait fait, pardieu! Enfin!

Le cœur en fête, il rassembla les feuilles de sa partition et les glissa dans un dossier. Il devait annoncer la bonne nouvelle à Grace sans attendre. Elle était probablement encore en colère, mais elle lui pardonnerait, parce qu'elle était douce et tendre, pleine de compassion, et qu'elle avait un cœur d'or.

Alors qu'il s'apprêtait à partir à sa recherche, la pendule sonna 6 heures.

Il retint un juron. Il aurait déjà dû être à Plumfield! Ian serait furieux qu'il soit en retard, mais tant pis. Mieux valait tard que jamais. Dès son retour, il s'excuserait auprès de Grace, et il se ferait pardonner au cottage, de toutes les manières qui lui conviendraient...

Dylan chevaucha à bride abattue jusqu'à Plumfield où il arriva à 18 h 45. Il s'attendait à des reproches narquois de la part de son frère, mais ce dernier demeura courtois tandis qu'il lui expliquait qu'il avait perdu la notion du temps en terminant sa symphonie. Il semblait préoccupé, et Dylan comprit que cet entretien était sérieux.

Ian le fit entrer au salon où il remplit deux verres de vin. Pendant plus d'une heure, ils eurent une conversation banale. En habitué des cultures différentes et des situations politiques délicates, Ian avait la sale manie de toujours tourner autour du pot.

Pour commencer, ils parlèrent d'immobilier, puis Ian aborda le sujet d'Isabel. Il demanda à Dylan quelles étaient ses intentions concernant l'avenir de l'enfant. Celui-ci lui répondit qu'il la garderait auprès de lui, avant de l'emmener en tournée d'ici à quelques années. Il était plutôt content de cette idée qui lui était venue au moment où il l'énonçait.

— Une jeune fille ne peut enfreindre les règles de la bonne société, protesta Ian. Son avenir devra être celui de toutes les femmes, un mariage convenable, une vie de famille et des enfants.

L'idée que le destin de sa fille était tracé d'avance suffit à révolter Dylan. Il mentionna quelques noms de femmes indépendantes et libres, comme Sappho ou Maria Teresa d'Agnesi, tout en essayant de se convaincre que ce n'était pas la faute de son frère s'il était aussi conventionnel.

— En attendant, tu continues à la confier à Mme Clairval ?

— Oui, s'étonna Dylan, brusquement méfiant.

Ian poussa un soupir.

— Tu es au courant du passé de cette femme, n'est-ce pas ?

— Comment cela ? Je sais qu'elle est issue d'une bonne famille de Cornouailles, et qu'elle est veuve.

— Non, je veux dire, tu sais *qui* elle est ? Tu es au courant pour son mari ?

— Elle s'est enfuie de chez elle, et sa famille a été déshonorée, répliqua Dylan d'un ton irrité. Encore que j'ignore comment tu l'as appris. Je me doute que cela te choque, mais ce n'est pas mon cas. Je ne suis pas non plus inquiet pour Isabel. Grace est une excellente gouvernante, et la petite lui est très attachée.

Visiblement mal à l'aise, Ian avala une gorgée de porto pour se donner du courage.

— Certes, Dylan, mais tu résides dans le Devon depuis deux mois, et tu n'es probablement pas au courant.

Alarmé, Dylan sentit les poils se hérisser sur sa nuque.

— Ian, pour l'amour du Ciel, venons-en au fait ! Dis-moi ce que tu as sur le cœur.

— Elle est la veuve d'Étienne Clairval. Tu le sais sûre...

Dylan se figea.

— Étienne Clairval, coupa-t-il. L'artiste peintre ?

— Oui. Le fameux Clairval, ajouta Ian.

Dylan eut un rire moqueur.

— Tu dois faire erreur. Clairval est un nom plutôt répandu en France.

— Les peintures ne laissent aucun doute. J'ai reconnu Mme Clairval au premier regard.

Il était français... De dix ans mon aîné... Il n'était pas du genre à se fixer... Vous, les artistes, pourquoi êtes-vous tous des âmes tourmentées ?

Ian disait vrai, c'était une évidence. Grace connaissait les artistes parce qu'elle en avait épousé un. Pourquoi lui avait-elle caché l'identité de son défunt mari ? Clairval, le peintre... Cela avait-il de l'importance ? Il ferma les paupières, et quelque chose en lui se brisa. Si cela n'avait pas eu d'importance à ses yeux, elle le lui aurait dit.

— Je me moque qu'elle soit ta maîtresse, continua Ian, dès lors que vous êtes discrets. Mais il faut songer à ta fille.

— Je ne vois pas où est le problème. Grace est parfaitement qualifiée pour éduquer Isabel. En quoi le fait d'être la veuve d'un grand peintre, même s'il avait mauvaise réputation, peut-il nuire à Isabel ?

— Même toi, tu dois bien te rendre compte qu'une telle femme ne peut pas être la gouvernante de ta fille. Lorsqu'on apprendra qu'elle vit sous ton toit...

— Je ne vois toujours pas pourquoi tu t'inquiètes pour ma maîtresse.

— Clairval est mort il y a deux ans. D'après ce qu'on raconte, il s'est laissé mourir de faim après qu'elle l'eut quitté.

La main de Dylan se crispa autour de son verre de vin. Il connaissait mieux que personne ce sentiment de désespoir qui pouvait pousser un homme à se supprimer, mais cela n'était pas la faute de Grace. Chacun était libre de ses choix.

— Clairval était un homme instable, poursuivit Ian. Sans un sou. Lorsqu'il est mort à Vienne, ses créanciers ont pris tout ce qu'il possédait, y compris les toiles qui se trouvaient dans son atelier. Il y a quelques mois, trois tableaux qui n'en faisaient pas partie ont été découverts chez le comte d'Augene, qui venait de mourir.

— Et alors ?

— Augene avait une collection privée à Toulouse. Sa mère est anglaise. Elle a mis en vente toute la collection chez Christie's. Personne ne connaissait l'existence de ces trois toiles, car Clairval n'en avait gardé aucun croquis ni aucune trace dans ses carnets de travail. Elles seront vendues individuellement, sans doute fort cher. Je les ai vues. Elles sont magnifiques.

— Bon sang, Ian, qu'est-ce que tu racontes ? Viens-en au fait, ou je vais t'étrangler ! En quoi les peintures de Clairval me concernent-elles ?

Sans un mot, Ian se leva, s'approcha de son bureau et ouvrit un tiroir d'où il sortit un document qu'il tendit à son frère. C'était le catalogue d'une vente de Christie's.

— Page dix-neuf, lâcha-t-il.

Dylan feuilleta le catalogue, glissant sur l'argenterie Louis XVI, les tapisseries élisabéthaines, les poteries antiques. Page dix-neuf, l'un des trois tableaux de Clairval mis aux enchères était reproduit. Il avait pour titre *La Fille aux yeux verts sur un lit*.

Grace était étendue sur un lit, appuyée sur le bras, les cheveux dénoués. Elle était complètement nue, le visage si joyeux, si resplendissant de bonheur que n'importe quel homme aurait eu envie d'aller la rejoindre. Il tourna la page et découvrit deux autres nus. *La Fille aux yeux verts au bain*, ainsi que *La Balançoire*.

Dylan connaissait par cœur le corps de Grace. Le souvenir de ses seins, de ses cuisses, de ses fesses, de ses pieds et de sa merveilleuse chevelure lui traversa l'esprit. Et voilà qu'il découvrait ce corps adoré dans un catalogue de vente.

À présent, il comprenait pourquoi son frère avait détaillé Grace comme il l'avait fait.

Un rugissement retentit dans sa tête. Il avait envie de se jeter sur son frère et de le rouer de coups, juste parce qu'il avait vu le corps de Grace dénudé.

Il ferma les yeux un court instant, le temps de se ressaisir. Ce n'était pas la faute de Ian. Quand on avait vu les toiles de Clairval, comment regarder Grace autrement qu'avec convoitise ?

Curieusement, ce n'était pas l'idée de son corps offert aux regards qui le rendait fou de rage et lui donnait l'impression qu'on lui arrachait le cœur. Non, c'était son visage. Son beau visage qui arborait une expression qu'il ne lui connaissait pas.

Il avait l'impression d'exploser en mille morceaux. Ses mains se mirent à trembler si fort qu'il en lâcha le catalogue. Il se pencha en avant, et étudia le visage de Grace. Rien d'étonnant à ce que Clairval ait été considéré comme l'un des plus grands artistes de sa génération. Une fois encore, il avait été capable de retranscrire sur la toile ce qu'il avait vu : l'amour et l'adoration que sa jeune femme éprouvait pour lui.

J'ai aimé mon mari.

Désormais, Dylan savait à quel point. L'essence même de cet amour était là, prisonnière d'une toile, figée à jamais. Offerte au regard et au désir de n'importe quel homme qui ne pourrait que rêver d'être le bénéficiaire d'un amour aussi absolu. Ian avait déclaré que ces toiles étaient magnifiques, et il avait raison. Un jour, elles seraient accrochées dans un musée où on les admirerait. Grace serait l'incarnation d'un amour qui aurait dû lui être destiné, mais qui ne l'était pas.

— Seigneur, murmura Ian, impressionné par le désarroi de son frère. Tu aimes cette femme.

Dylan fulminait. La colère grondait dans ses veines. Il avait l'impression de perdre la raison. Il devait bouger, marcher… D'un geste rageur, il ramassa le catalogue, se leva, puis, sans même saluer son frère, il sortit en claquant la porte.

Dehors, il inspira de grandes goulées d'air frais comme s'il étouffait. Il enfourcha son cheval et s'éloigna au galop. Il n'était plus sûr de rien, excepté d'une seule chose : jamais Grace ne l'avait regardé avec un tel amour. Pas une fois.

20

Ce soir-là, Dylan ne vint pas au cottage où Grace l'attendit pendant des heures. Constatant qu'il n'était toujours pas à la maison le lendemain matin, elle en déduisit qu'il avait passé la nuit chez son frère.

Il ne rentra qu'en fin d'après-midi, alors qu'Isabel se trouvait à la ferme avec Molly. Grace plantait des géraniums dans le jardin lorsqu'une ombre qui lui cachait le soleil lui fit lever les yeux.

— Enfin! s'exclama-t-elle en se redressant. Je commençais à m'inquiéter.

Dès qu'elle vit son visage fermé, elle comprit. Leur histoire était finie. Son cœur se révolta, mais son esprit accepta l'inévitable. Ne l'avait-elle pas toujours su? Elle tremblait intérieurement et serra ses bras autour d'elle comme si elle redoutait de s'effondrer. Sans y croire, elle essaya de se convaincre qu'elle se trompait.

— Je veux que vous partiez, lâcha-t-il. Tout de suite.

Il tenait une liasse de papiers à la main, ainsi que des billets, qu'il déposa dans le panier vide posé à côté des pots de fleurs. Il sortit une clé de sa poche.

— Pourquoi? articula-t-elle, la gorge nouée, avec l'impression de vivre un mauvais rêve.

— J'ai hérité d'une petite maison au pays de Galles, non loin d'Oxwich. Elle est à vous. Voici l'acte notarié avec ma signature. Un domestique et sa femme s'en occupent. Je leur ai écrit pour leur annoncer que vous étiez le nouveau propriétaire et que vous y. habiteriez dorénavant. Il y a aussi un billet pour traverser la baie à Bristol, ainsi que cinq cents livres. J'ai envoyé un télégramme à ma banque, à Oxwich, afin qu'on dépose cinq cents livres supplémentaires sur un compte à votre nom. Si je me souviens bien, la maison a un jardin.

Dylan parlait d'une voix entrecoupée qui bouleversa la jeune femme. Elle inspira profondément, s'apprêtant à affronter la pire épreuve de sa vie, une épreuve plus redoutable encore que de quitter son mari, ou de regarder en face les visages défaits de ses sœurs. Elle plongea les yeux dans le regard noir de Dylan.

— Pourquoi ? demanda-t-elle. Est-ce à çause de notre dispute d'hier soir ? Si c'est le cas...

Elle s'interrompit, pressentant qu'elle allait dire des choses désespérées, poser les pitoyables questions qui taraudent toujours une maîtresse rejetée. Elle ne s'abaisserait pas à cela, non. Leur dispute n'avait rien à voir avec cette histoire. Elle soutint son regard sans ciller, et attendit qu'il s'explique. En vain.

Ce fut lui qui détourna les yeux le premier et se pencha pour ramasser le panier qu'il lui tendit.

— Si vous avez besoin de quoi que ce soit...

Il fit une pause, et Grace sentit la panique l'envahir.

— Vous avez votre maison, se ravisa-t-il. Partez maintenant.

Comme elle ne prenait pas le panier, il le reposa sur le sol. Elle n'ignorait pas qu'il pouvait se montrer froid, mais jamais elle n'aurait imaginé qu'il pût être aussi distant, aussi abrupt, refusant même de s'expliquer.

— Je savais que notre histoire prendrait fin un jour, s'entendit-elle répondre. Mais je ne pensais pas que cela arriverait si tôt.

La gorge serrée, elle se tut. Il n'y avait plus rien à dire. Dylan Moore la quittait comme il l'avait fait avec toutes ses maîtresses, sans remords, sans effusions.

Elle ne le reconnaissait plus, et pourtant c'était ce même homme au sourire ravageur qui lui avait fait l'amour comme s'il la vénérait, qui composait une musique aux accents divins, qui n'avait pas honte d'aller voir des prostituées, mais se méprisait de faire pleurer sa fille. Un homme qui avait su la faire rire et lui redonner le goût de vivre, mais qui n'hésitait pas à la détruire en quelques mots et à la regarder comme si elle était une inconnue.

— Vous alliez vous tuer, dit-elle d'un ton amer. Pourquoi vous en ai-je empêché ?

Elle lui tourna le dos et baissa les yeux sur les fleurs qu'elle venait de planter. Toute sa vie elle se souviendrait de leur couleur, un rouge éclatant semblable au sang d'une blessure.

— Salaud, espèce de salaud, murmura-t-elle d'une voix brisée. Pourquoi maintenant ? Pourquoi comme ça ? Sans une explication ?

Il ne répondit pas. Quand elle se retourna, il avait disparu.

Grace se laissa tomber à genoux. Elle avait envie de pleurer, mais la douleur était trop vive pour les larmes. Ses sanglots étaient secs, comme si l'air chaud d'un désert aride avait empli ses poumons. Elle n'arrivait toujours pas à croire ce que Dylan venait de lui faire. Son désarroi était si profond, si intense, qu'elle en avait le vertige.

Il lui fallut de longues minutes pour se ressaisir, et seule la pensée d'Isabel lui donna la force de se relever. Elle ne voulait pas que la fillette la trouve dans cet état à son retour.

Elle ramassa le panier, les yeux rivés sur la lourde clé posée sur les papiers et les billets de banque. Elle éprouvait une forme de détachement, comme lorsqu'on rêve. Le corps lourd, elle avait cependant les idées claires. Elle glissa la clé dans sa poche. Au moins, elle avait un endroit où se réfugier, même si cela ressemblait à un sinistre exil.

Elle regrettait de ne pouvoir jeter les papiers et l'argent à la figure de Dylan, mais elle devait se montrer raisonnable. La misère, elle l'avait déjà vécue, et elle ne voulait pas y retomber. Elle prit les papiers. Cela faisait partie de leur accord, et s'il choisissait de la renvoyer plus tôt que prévu, pourquoi refuserait-elle ce qui lui revenait de droit ?

En revanche, il lui avait donné trop d'argent. Elle décida de ne prendre que la somme qui avait été définie au départ. Elle retira deux billets de dix livres afin de payer ses vêtements, et fourra le reste dans sa poche. Puis elle regagna la maison.

Elle pénétra dans le salon de musique et rangea les deux billets dans le dossier où se trouvaient les partitions.

Elle fut surprise de découvrir le titre de la symphonie : *Inamorata*. L'amante… Ainsi, il n'avait pas menti ; c'était bien elle qui lui avait inspiré cette œuvre. Elle feuilleta les partitions, survola les quatre mouvements. Il avait écrit un chef-d'œuvre. Quand, sur la dernière page, elle lut le mot *Fin*, la lumière se fit dans son esprit. Il avait achevé sa symphonie, aussi avait-il mis un terme à leur liaison. Pourquoi s'en étonner ? Elle savait depuis le début que cela se terminerait ainsi. Les artistes et leur art. Les compositeurs et leur musique. Tous les mêmes. Le travail avant tout. À leurs yeux, seules comptaient la toile ou la symphonie.

Et soudain, Grace se laissa aller à pleurer. Les larmes roulèrent de ses joues jusque sur la partition, diluant l'encre de quelques notes.

Lâchant les feuillets, elle pivota sur ses talons et sortit appeler Osgoode qui, Dieu merci, ne broncha pas en voyant son visage décomposé. Il devait avoir l'habitude de voir des femmes en pleurs, songea-t-elle en lui demandant de faire atteler une voiture.

Elle monta en hâte dans sa chambre, fourra ses vêtements dans son sac de voyage sans se donner la peine de les plier, pressée qu'elle était de fuir au plus vite. La voiture l'attendait devant le perron et elle s'y engouffra. Tandis que les chevaux s'élançaient, elle s'interdit de regarder par la portière. Lorsqu'ils passèrent devant son cottage, sur le chemin du village, elle détourna la tête, le cœur ravagé.

Ce fut seulement à son arrivée à l'auberge de Cullenquay, où elle devait attendre la malle-poste qui passerait le lendemain, qu'elle s'aperçut qu'elle n'avait pas dit au revoir à Isabel. Hélas, il était trop tard pour rebrousser chemin. On ne pouvait jamais revenir en arrière. Elle décida de lui écrire une lettre.

Cette nuit-là, pour la première fois depuis longtemps, Grace s'endormit en pleurant, après s'être demandé quand diable elle comprendrait la seule leçon importante qui vaille la peine d'être retenue, à savoir que la vie ne vous donnait jamais une seconde chance, même en amour.

Lorsque Dylan revint chez lui, le crépuscule était déjà tombé. Il laissa son cheval à l'écurie et partit se promener. Il marcha pendant des heures, retournant sur les lieux où ils avaient été ensemble, repensant à tous ces moments heureux qu'ils avaient partagés. Il descendit sur la plage, s'arrêta là où ils aimaient pique-niquer. Il se rendit ensuite au moulin où il respira le parfum fruité de l'huile de poire à en avoir la nausée. Il s'allongea sur l'herbe et contempla les étoiles.

Puis, il gagna le cottage, s'étendit sur le matelas, et continua à se torturer en se remémorant leurs souvenirs communs. Il essaya de dormir. En vain.

Il planta les géraniums au clair de lune, car elle les avait abandonnés dans leurs pots au bord du chemin. Il aurait pu réveiller les jardiniers, mais il se rappela Grace refusant de déranger une femme de chambre et lui expliquant que les domestiques travaillaient dur et avaient besoin de sommeil.

Dès qu'il fermait les yeux, il revoyait le visage de la jeune femme peint par Étienne Clairval, et la jalousie lui déchirait les entrailles. Elle avait passionnément aimé cet homme. Jamais il ne pourrait rivaliser avec lui. Jamais elle ne l'aimerait avec une telle ferveur. Comment l'aurait-elle pu ?

Il songea que certains de ses ennemis trouveraient amusant de le savoir jaloux d'un autre homme, décédé, de surcroît. Comme ils se moqueraient de lui ! Il découvrait que s'il n'avait jamais été jaloux auparavant, c'était tout simplement parce qu'il n'avait jamais aimé. Telle était la triste vérité. Sa vie durant, il ne s'était intéressé qu'à lui-même et à sa musique.

Vous ignorez tout de l'amour...

Grace avait raison. Il avait cru aimer Michaela, mais la jeune fille qui l'avait repoussé n'était qu'une pauvre excuse pour expliquer son incapacité à aimer, à donner son cœur à quiconque.

Angoissé, il se torturait l'esprit. Peut-être aurait-il dû donner sa chance à Grace. Pourquoi avait-il rejeté ce qui ressemblait le plus à un amour véritable ? Après six heures passées à errer dans la campagne en pleine nuit, il n'avait toujours pas de réponse. Son regard peut-être... Non, il ne fallait surtout pas penser à ses yeux, c'était trop douloureux.

L'aube colorait le ciel de rose lorsqu'il rentra chez lui. Il monta dans la chambre de Grace : elle était vide. Le lit n'avait même pas été défait.

Il jeta un coup d'œil dans la chambre d'Isabel. À sa grande surprise, Molly était allongée dans le lit avec sa fille, la serrant dans ses bras. Il comprit que l'enfant s'était endormie en pleurant, et que sa nurse l'avait réconfortée. Il pinça les lèvres, irrité contre lui-même. Il n'avait que deux talents : la musique et celui de faire souffrir les autres.

Dans le salon de musique, il s'assit à son piano. Lorsqu'il ouvrit le dossier contenant ses partitions, deux billets de banque s'en échappèrent. Il les fixa sans comprendre, puis il comprit que Grace avait tenu à lui rembourser les vêtements qu'il lui avait demandé d'acheter.

« Grace, songea-t-il. Pourquoi ne m'avez-vous pas parlé de lui ? Si seulement j'avais su... »

Mais il avait su ! Elle le lui avait dit, plusieurs fois : « J'ai aimé mon mari. » Il ne l'avait pas écoutée, refusant d'admettre qu'un autre homme que lui ait pu avoir une telle importance dans sa vie. Il était tellement centré sur lui-même, tellement égoïste, qu'il en était arrivé à faire souffrir la personne la plus merveilleuse qu'il eût jamais rencontrée. À cet instant précis, Dylan Moore se méprisa.

— Papa ?

Il leva la tête. Sa fille se tenait devant lui. Il ne l'avait même pas entendue entrer.

— Que fais-tu debout si tôt ?

— Vous m'avez réveillée quand vous êtes venu dans ma chambre.

— Tu devrais aller te recoucher, dit-il en la soulevant dans ses bras avant de se diriger vers la porte.

— Pourquoi, papa ? demanda-t-elle.

Il n'eut pas à répondre car Molly descendait l'escalier, l'air affolé, une lampe à la main.

— Oh, monsieur ! souffla-t-elle. Pardonnez-moi. Je me suis réveillée, et Mlle Isabel n'était plus là. Je suis désolée.

— Tout va bien, Molly, ne vous inquiétez pas. Aidez-moi plutôt à la remettre au lit.

Il porta Isabel dans sa chambre. Celle-ci demeura silencieuse jusqu'à ce qu'il la dépose sur son lit.

— Pourquoi l'avez-vous chassée, papa ?

Il se raidit, baissa les yeux sur sa fille. « Ne pleure pas, je t'en supplie, l'implora-t-il en silence. Si tu pleures, je ne le supporterai pas. »

Voilà une autre personne à laquelle il n'avait pas songé avant d'agir. Il n'avait pas pensé combien sa fille souffrirait de perdre sa gouvernante, qui était devenue son amie, après avoir perdu sa mère. En agissant ainsi, il n'avait pensé qu'à lui-même, à son orgueil blessé, à sa propre douleur. Il regarda les larmes glisser sur le visage si triste de sa fille. Accablé, il s'agenouilla près du lit.

« Désormais, je sais ce qu'est l'amour, Grace » , songea-t-il.

— C'est vous qui l'avez fait partir, papa.

Il ne nia pas, essuya ses larmes du bout des doigts. Il lui devait au moins la vérité, quitte à briser l'image de preux chevalier qu'elle s'était forgée de lui.

— Oui.

— Pourquoi, papa ? s'écria-t-elle.

— Je croyais que tu n'aimais pas beaucoup Grace, répondit-il, cherchant à gagner du temps.

— Et c'est pour ça que vous l'avez renvoyée ? s'exclama-t-elle en le regardant comme s'il était demeuré. Je ne l'aimais pas au début, c'est vrai. Je vous ai raconté comment étaient les gouvernantes, mais Grace, elle, ne s'est pas laissé marcher sur les pieds. Elle n'est ni bête ni ridicule. Elle ne me traitait pas comme une enfant mais comme une personne. Voilà pourquoi je l'aime.

Isabel se redressa et saisit le visage de son père entre ses mains.

— Vous aussi, vous l'aimez, papa. J'ai entendu Molly le dire à Mme Blake.

Molly renifla dans son dos. Bon Dieu, est-ce que toutes les femmes dans cette maison allaient se mettre à pleurer ?

Il prit les mains d'Isabel entre les siennes, essayant de revenir sur un terrain moins glissant, mais maintenant que Grace n'était plus là, il avait l'impression que le sol se dérobait sous lui.

— Tu ne devrais pas écouter aux portes.

— Vous l'aimez et vous l'avez chassée.

— Pourquoi est-ce que tu te chamaillais tout le temps avec elle ? répliqua-t-il en remontant le drap sur sa fille.

— Elle voulait que je sois sage, mais ce n'est pas toujours facile. Papa, vous me bordez trop serrée ! protesta-t-elle.

— Excuse-moi.

— Vous comprenez que c'est difficile d'être sage, n'est-ce pas ?

— Oui, ma chérie.

— Alors pourquoi l'avez-vous renvoyée ?

— Je ne sais pas, avoua-t-il.

— Moi aussi, je fais parfois des bêtises sans savoir pourquoi. Tout le monde en fait, non ? Il suffit ensuite de les réparer.

Il esquissa un sourire triste. Que c'était beau d'avoir huit ans, et de croire que tout était aussi simple !

— Il faut que vous la rameniez, papa, insista Isabel. J'avais déjà tout prévu.

— Tout prévu ? répéta-t-il, perplexe.

— Je pensais que, puisque vous l'aimiez, vous pourriez l'épouser, ainsi j'aurais une autre maman. Mais maintenant que vous l'avez fait pleurer et qu'elle est partie, c'est peut-être trop tard… Il n'y a qu'une solution, papa, reprit-elle après réflexion. Vous allez devoir lui demander pardon. Apportez-lui des fleurs. Moi, c'est ce que je fais, et Grace me pardonne toujours.

Des excuses et des fleurs. Avec combien de femmes s'était-il tiré d'une situation épineuse en utilisant cette technique ? Beaucoup trop, sûrement. Quelle honte ! C'était tellement mesquin, facile et superficiel. Surtout lorsque le cœur n'y était pas.

Dylan se pencha pour déposer un baiser sur le front de sa fille.

— Dors, ma chérie, murmura-t-il, avant de quitter la nursery.

Comme il ne savait pas où aller, il descendit dans le salon de musique et se mit à jouer du piano. Que faire d'autre ? Il ne pouvait pas retourner à une vie où l'opium le disputait au jeu et aux femmes. Désormais, il se tenait debout en plein vent avec une petite fille qui dépendait de lui. Il s'arrêta brusquement de jouer.

— Grace, murmura-t-il, au désespoir, le visage hagard. Comment suis-je censé élever Isabel sans vous ? Je ne sais pas comment être père.

Il y avait tant de choses qu'il ignorait. Il ne se connaissait pas lui-même, mais Grace, elle, le connaissait. Elle l'avait compris dès leur première rencontre. Il regarda les partitions et parcourut la symphonie qu'il avait intitulée en son honneur, en honneur du cœur le plus généreux qu'il ait jamais rencontré, de la fille aux yeux verts. Ces yeux qui le hanteraient jusqu'à la fin de ses jours parce que l'amour qu'il y avait lu ne lui était pas adressé.

Il l'aimait. Il le savait à présent. Mais c'était trop tard.

Grace l'avait traité de salaud, et elle avait eu raison. Il enfouit le visage entre ses mains. Rien de ce qu'il pourrait dire ne la lui ramènerait. Rien ne lui permettrait d'obtenir ce qu'il souhaitait plus que tout.

La fenêtre était ouverte, et il écoutait le piaillement des oiseaux dans les frondaisons lorsqu'une idée lui traversa l'esprit. Il se leva d'un bond, le cœur battant. La journée commençait à peine et il avait beaucoup à faire.

Deux heures plus tard, il était de retour à Plum-field, exigeant qu'on réveille Ian alors qu'il n'était que 7 heures du matin.

Quelques minutes plus tard, son frère pénétra dans le salon en robe de chambre, les cheveux ébouriffés, les yeux encore bouffis de sommeil.

— Dylan, que se passe-t-il ?

— J'ai besoin des services d'un diplomate, déclara-t-il tout de go.

21

Grace tentait de s'habituer à sa nouvelle vie au pays de Galles. Au fil des semaines, elle avait cessé de comparer la région au Devonshire. Son cottage était petit mais confortable, niché parmi les rochers au bord de la mer. Meublé de manière rustique mais charmante, il avait un toit de chaume et un jardin qu'elle entretenait avec soin. Grâce aux mille livres versées par Dylan, elle avait le temps de voir venir, surtout si elle se montrait économe.

Elle s'efforçait de ne pas penser à lui, mais, hélas, elle n'y parvenait guère. Elle cessa un instant de couper les fleurs mortes du rosier et ferma les yeux. Il était sans cesse présent, telle une ombre qui obscurcissait sa vie, telle une plaie qui refusait de se refermer.

Lorsqu'elle avait quitté Étienne, elle n'avait rien regretté, car dans son cœur elle s'était détachée de lui bien avant de faire ses bagages. Avec Dylan, c'était différent – elle ruminait le passé. Et elle souffrait.

Un vent frais s'était levé depuis le début du mois de septembre. Cela faisait deux mois qu'elle avait quitté le Devon, et cela lui semblait des années. Jamais les nuits et les jours ne lui avaient paru aussi longs.

Elle aurait dû le haïr. Elle avait essayé, mais la haine était un sentiment difficile à entretenir, et il y avait encore tant de choses chez Dylan qu'elle appréciait. Elle aimait sa créativité, son énergie, sa manière d'écouter ses propos et de s'en souvenir, son amour pour sa fille et la façon dont il avait assumé ses responsabilités vis-à-vis d'elle. Son charme, son humour et le fait qu'il ait pris sans réserve son parti contre sa famille, tout cela lui manquait. Ses baisers aussi lui manquaient. À vrai dire, Dylan Moore lui manquait tellement qu'elle en était malade. Cela aurait été tellement plus simple si elle l'avait détesté.

Grace fourra son sécateur dans la poche de son tablier, et décida d'aller faire une promenade.

Les collines verdoyantes à l'arrière de la maison étaient drapées de brume, signe qu'il allait bientôt pleuvoir. Elle ne pourrait pas aller bien loin. Elle poussa un soupir ; elle avait l'impression qu'il pleuvait tout le temps au pays de Galles.

Alors qu'elle gravissait la colline, elle aperçut un attelage qui s'engageait dans le chemin qui menait de la route principale à son cottage. Étonnée, elle le regarda s'arrêter devant la maison.

Le cœur battant, elle tourna les talons et redescendit la colline en hâte. Un homme blond, élancé, descendit de la voiture.

— James ? appela-t-elle en accélérant l'allure. James, c'est bien toi ?

Son frère enveloppa du regard la vieille robe marron, le tablier, et le mouchoir blanc qui protégeait ses cheveux. Quelque chose qui ressemblait à du regret transforma un instant son expression.

— Grace.

— Oh, James, je n'en reviens pas !

Ils ne s'étaient pas séparés en bons termes, l'année passée, mais elle se sentait si seule qu'elle était heureuse de le voir. Plus heureuse qu'elle ne l'aurait cru possible. Elle tendit la main vers lui et, à son grand étonnement, il la lui prit entre les siennes.

— Comment m'as-tu trouvée ? s'enquit-elle.

— L'un de tes amis est venu me rendre visite. Un dénommé Ian Moore.

— Quoi ? s'exclama-t-elle, sidérée. Pourquoi diable son Excellence serait-elle venu te voir ?

— C'est une histoire assez longue. Nous pourrions peut-être entrer nous asseoir, suggéra-t-il en désignant le cottage.

— Bien sûr !

Elle le précéda dans le petit salon, s'empara du tisonnier pour attiser le feu, mais son frère le lui prit des mains et s'en chargea à sa place.

— Est-ce que je te sers du thé ?

— Non merci, répondit-il en s'asseyant. Comment vas-tu, Grace ?

— Pas trop mal. Mais je dois avouer que je suis un peu déconcertée. Que fais-tu ici ?

— Comme je te l'ai dit, Ian Moore est venu me trouver à Stillmouth. Il agissait à la demande de son frère.

Le cœur de Grace fit un bond dans sa poitrine. Dylan avait demandé à son frère d'aller trouver James ? C'était à n'y rien comprendre.

— Tous deux s'inquiètent pour toi. Il paraît que tu as été la gouvernante de la fille de M. Moore pendant quelque temps ?

Il ne put cacher sa désapprobation. Et comment l'aurait-il pu ? Lui qui était si pointilleux en matière de convenances n'appréciait certainement pas la réputation sulfureuse de Dylan.

— En effet, admit-elle, étonnée que Dylan prenne la peine d'envoyer Ian chez son frère alors qu'il ne s'intéressait plus à elle. Est-ce que Sir Ian t'a donné des nouvelles d'Isabel ?

— Il paraît qu'elle va bien, mais que tu lui manques énormément.

— Et Dylan...

Elle s'interrompit, la gorge nouée. Rien que de prononcer son nom lui faisait mal, mais elle voulait ressentir cette douleur douce-amère.

— Comment se porte M. Moore ? se corrigea-t-elle.

— Très bien, me semble-t-il. Son Excellence est venue me voir, car son frère et lui s'inquiètent de ta brouille avec ta famille. Tous deux en connaissent les raisons et se disent attristés que cette histoire ancienne continue à nous causer autant de chagrin. Ian Moore est venu me trouver dans l'espoir d'encourager une réconciliation entre nous. Inutile de te dire que j'étais abasourdi, ajouta James.

Il n'était pas le seul. Grace s'approcha de la cheminée. Le dos tourné à son frère, elle se réchauffa les mains aux flammes qui crépitaient. Elle était décontenancée. Elle ne comprenait pas que Dylan fasse preuve d'une telle sollicitude alors qu'il l'avait traitée avec une telle froideur.

— Ian Moore m'a assuré que tes autres amis, dont Lady Hammond et son frère, le duc de Tremore, se faisaient aussi beaucoup de souci à ton sujet, et étaient désolés de notre brouille.

Grace se figea. De quoi parlait-il ? Ces gens étaient des amis de Dylan, non les siens. Elle ne les avait jamais rencontrés. Excepté le duc, bien sûr, qu'elle avait croisé dans la chambre de Dylan, en pleine nuit. Et ils n'avaient même pas été présentés ! Elle avait découvert son identité le lendemain, par les domestiques.

— Ma chère Grace, j'ignorais que tu fréquentais la haute société.

— Je ne la fréquente pas, murmura-t-elle.

— Pardon ?

— Rien, dit-elle en appuyant les doigts sur ses tempes.

Si Sir Ian avait raconté ces sornettes, ce devait être dans l'espoir d'impressionner James favorablement afin de faciliter leur réconciliation.

— Je... euh... je m'étonne qu'ils s'inquiètent tous autant pour moi.

— C'est pourtant le cas. En fait, ils essaient aussi de réparer le tort causé à ta réputation et à celle de nos sœurs. Ce sont tous des protecteurs des arts, et des admirateurs de l'œuvre de ton... défunt mari.

Il y avait un tel mépris dans sa voix lorsqu'il avait mentionné Étienne qu'elle en fut peinée. Il avait été certes un mari pitoyable, mais à sa façon il l'avait aimée, et il l'avait rendue très heureuse les premières années de leur vie commune.

— Son Excellence m'a demandé si j'étais ouvert à une réconciliation, poursuivit James. Le fait que tu aies des amis aussi influents plaide en ta faveur, et prouve que ta réputation n'est pas définitivement détruite.

Elle se mordilla la lèvre. Pourquoi Dylan et son frère essayaient-ils de sauver sa réputation ?

Quelles que soient leurs raisons, ils étaient en train de réussir. James la considérait d'un autre œil. Il faut dire qu'il avait toujours été ainsi, impressionné par les titres et les relations, mais en dépit de ses défauts elle comprenait le chagrin qu'elle leur avait infligé, à lui et à leurs sœurs. Remâcher sa rancune était une perte de temps. S'il souhaitait faire la paix, elle aussi. Elle pivota pour lui faire face.

— Tu es mon frère, James, et je ne demande pas mieux que nous nous réconciliions. Mais qu'en est-il de nos sœurs ?

— Elles aussi sont favorables à une réconciliation. Sir Moore a proposé de les présenter à la bonne société au printemps prochain. Lady Hammond, ainsi que le duc et la duchesse de Tremore, seront leurs chaperons. Elles sont enchantées. Sir Ian a fait remarquer que si elles étaient aussi belles que leur sœur aînée, les prétendants allaient se bousculer à la porte, ajouta-t-il avec un sourire.

Comment en serait-il autrement, avec un charmant ambassadeur, des ducs et des vicomtes pour les y aider ? songea Grace.

— Tu sembles abasourdie, Grace, observa James, mais cela devrait nous permettre de reprendre des relations sur de nouvelles bases. En tout cas, je l'espère.

— Oh, James ! fit-elle d'une voix étranglée, avant de se jeter dans ses bras. Si tu savais comme je suis désolée pour ce qui s'est passé, surtout pour Elizabeth. Tu l'aimais tant, et elle a rompu vos fiançailles à cause de moi.

— C'était il y a longtemps, fit-il d'une voix rauque qui trahissait son chagrin. Aujourd'hui, je suis très heureux avec Marianne.

Il lui tapota gauchement le dos, comme lorsqu'ils étaient enfants, et elle se rappela qu'il n'avait jamais aimé les effusions de tendresse.

— Grace, ne t'inquiète pas pour moi, reprit-il. Nous devons penser à nos sœurs.

Ils s'assirent. James se pencha et lui prit les mains qu'il étreignit avec une affection qui paraissait sincère.

— Je suis soulagé et heureux, Grace, confessa-t-il en rougissant légèrement. Je regrette de m'être montré aussi froid et intraitable la dernière fois que nous nous sommes vus.

— Moi aussi, je suis heureuse, James. Notre mésentente me faisait beaucoup de peine. À présent, parle-moi de toi et de nos sœurs ! Il y a tellement de choses vous concernant que j'ignore.

— Que veux-tu savoir ?

— Mais tout, voyons ! Tout depuis le début.

Dylan était allongé dans l'herbe en haut de la colline. Les mains posées sur le menton, il attendait en contemplant le cottage. Le frère de Grace était à l'intérieur depuis près de trois heures lorsqu'il se décida à sortir. Grace le raccompagna jusqu'à son attelage.

Dylan, lui, était là depuis des heures. Il avait tenu à suivre en personne le déroulement des opérations. Le cœur serré, il avait regardé Grace tailler ses rosiers, si belle et si seule. Tout cela était sa faute. Il avait oublié combien cette maison était isolée, et il se sentait coupable d'avoir envoyé là la femme qu'il aimait.

Il avait prié pour que la réconciliation avec son frère se passe bien. Sa famille l'avait traitée aussi cruellement que lui, alors qu'elle ne le méritait pas. Grace ne méritait pas d'être seule. Elle avait besoin de se sentir entourée et aimée.

Caché parmi les hautes herbes, il regarda le frère et la sœur s'embrasser affectueusement. Apparemment, Ian avait fait du bon travail, comme d'habitude. Dieu qu'il était heureux pour elle ! Il savait que cette brouille familiale lui avait causé un profond chagrin. Désormais, avec l'aide de Ian, de Tremore, de Daphné et de Viola, sa réputation et celle de ses sœurs seraient sauvées.

Elle portait l'une de ses vieilles robes informes et un tablier. Un fichu blanc dissimulait ses merveilleux cheveux blonds. Il souffrait de la contempler sans pouvoir la prendre dans ses bras. Un jour ou l'autre, elle n'aurait plus d'argent, mais sa fierté lui interdirait de lui en réclamer. Heureusement, à présent, elle avait de nouveau une famille pour veiller sur elle. Elle n'aurait plus à vendre des oranges dans la rue ni à trimer comme domestique. Une nouvelle vie bien méritée s'offrait à elle.

Il jeta un coup d'œil sur le bouquet de roses qu'il avait apporté. Il avait suivi le conseil d'Isabel, mais il doutait que des fleurs et des excuses suffisent. Comment Grace pourrait-elle accepter de lui pardonner, alors qu'elle ne l'aimait pas ? Et désormais, elle n'avait même plus besoin de lui. Du reste, quelle femme voudrait d'un homme qui l'avait rejetée de manière aussi cruelle ?

Son regard s'arrêta sur le paquet qu'il lui avait apporté. Elle pourrait lui jeter les roses à la figure, mais pas ce paquet. Il se demandait même ce qu'elle en ferait.

Il regarda James monter dans l'attelage pour regagner l'auberge du village où il était descendu. Grace retournerait sans doute bientôt avec son frère en Cornouailles. Elle pourrait même vendre le cottage et se constituer ainsi une petite dot. Dans quelque temps, elle trouverait peut-être un homme bon et respectable qui l'épouserait et veillerait sur elle. Quelqu'un qui la méritait.

La douleur qui ne l'avait pas quitté depuis le départ de Grace s'intensifia. Il ne supportait pas l'idée qu'elle épouse un autre homme. Seigneur, comme il était égoïste, même dans l'amour qu'il éprouvait pour elle !

Il attendit que Grace fût rentrée dans la maison et que l'attelage de James eût disparu au loin, puis il se leva, ramassa les roses et l'encombrant paquet, et descendit la colline jusqu'au cottage.

Il posa les fleurs par terre, appuya le paquet contre le mur et frappa à la porte. Son cœur se mit à battre à coups redoublés lorsqu'il entendit les pas de la jeune femme. Tel un amoureux transi, il se frotta le visage et inspira profondément. Il n'avait jamais été aussi nerveux de sa vie. Il s'attendait qu'elle lui claque la porte au nez, mais il ne la laisserait pas faire. Il ne la quitterait pas avant de s'être expliqué et de lui avoir présenté ses excuses. Alors seulement, si elle lui demandait de s'en aller, il partirait.

La porte s'ouvrit, et elle se figea sur le seuil. Les lèvres entrouvertes, les yeux écarquillés, elle semblait pétrifiée.

— Bonjour, Grace, fit-il.

Il tenta d'esquisser ce sourire charmeur qui lui avait permis de séduire tant de femmes, mais il n'y parvint pas. Pas avec Grace.

— Que faites-vous là ? demanda-t-elle en détournant le regard comme si elle ne supportait pas sa vue.

— Je suis venu vous apporter quelque chose.

Elle se risqua à le regarder de nouveau, quoique pas dans les yeux.

— Quoi donc ?

— Quelque chose qui vous appartient, dit-il en soulevant le paquet. Puis-je le porter à l'intérieur ?

— Cela ne m'appartient pas, répliqua-t-elle. Tout ce que je possède est ici.

— Je vous assure que c'est à vous. S'il vous plaît, Grace, laissez-moi entrer.

Elle hésita un instant, puis recula d'un pas pour le laisser passer. Elle lui indiqua le salon, et il y pénétra.

— Je n'ai rien oublié dans le Devonshire, en tout cas, rien d'aussi encombrant. Si c'est un cadeau, je n'en veux pas, déclara-t-elle froidement en entrant à sa suite.

Il fourragea dans ses cheveux, un peu perdu. Avec les femmes, Dylan avait l'habitude du jeu de la séduction. C'était la première fois de sa vie qu'il était amoureux, et il ne savait trop comment se comporter.

— Je sais que je n'ai pas le droit d'exiger quoi que ce soit de vous, mais je vous demande d'accepter ceci, parvint-il à dire d'une voix tendue. Cela ne changera rien entre nous, Grace, mais je vous en prie, ouvrez ce paquet.

Elle se mordilla la lèvre, indécise. Elle ne voulait rien accepter de lui. Il se tenait devant elle, grand et musclé, les cheveux en bataille. Elle décelait de la tendresse dans son attitude, cette tendresse qu'il savait si bien utiliser lorsqu'il voulait obtenir quelque chose d'une femme.

Pourquoi avait-il envoyé son frère jouer les médiateurs entre sa famille et elle ? Pourquoi avait-il sollicité l'aide de ses amis ? Et ce cadeau ? Que voulait-il ?

Qu'elle lui revienne ? À cette pensée, elle sentit la carapace qu'elle avait érigée autour de son cœur se fissurer. Un espoir insensé naquit en elle. Une fois encore, son cœur si stupide essayait de l'emporter sur sa raison. Mais où était donc passée sa fierté ? Il l'avait abandonnée de la manière la plus brutale qui fût, sans même lui fournir une explication. S'il voulait qu'elle revienne, c'était probablement pour en faire sa maîtresse. Jusqu'à ce qu'il se lasse de nouveau d'elle ou change d'humeur. Elle avait vécu six années avec un homme instable ; pas question de revivre un tel calvaire.

— C'est pour cela que vous êtes venu ? lâcha-t-elle, à la fois furieuse contre lui et contre elle-même. Pour m'offrir un cadeau comme n'importe quel homme ferait avec sa maîtresse ? Est-ce un moyen de m'amadouer afin que je retourne auprès de vous ?

— Non, fit-il d'un air désolé. Je doute d'avoir la moindre chance de vous faire revenir un jour. Et ceci, ajouta-t-il en désignant le paquet, n'est pas le cadeau d'un homme à sa maîtresse, croyez-moi. Il m'a semblé important que vous l'ayez, c'est pourquoi je vous l'ai apporté. Ce que vous en ferez ensuite ne regarde que vous.

Exaspérée, elle décida d'en avoir le cœur net, trancha la ficelle avec son sécateur, et défit l'épais papier.

Le choc fut tel qu'elle laissa échapper un hoquet de surprise.

Bouche bée, elle fixait l'une des toiles d'Étienne, celle où elle posait nue sur un lit. Huit années s'étaient écoulées depuis qu'il avait peint ce tableau. Elle était si jeune ! Et si amoureuse – comme seuls savent l'être les très jeunes gens. Un amour fou et immature, l'adoration d'une enfant de dix-sept ans pour un homme qu'elle avait placé sur un piédestal.

Grace souleva la toile et en découvrit une autre, protégée par du papier de soie. C'était celle qui la représentait sortant du bain. Il y avait aussi celle intitulée *La Balançoire*. Les trois nus qu'Étienne avait peints d'elle. Elle les reposa soigneusement sur la table, porta son poing fermé à ses lèvres, le cœur chaviré.

— Quand je suis partie, Étienne m'avait promis de les détruire, murmura-t-elle. Personne ne les ayant jamais mentionnés après sa mort, j'ai supposé qu'il avait tenu parole. J'avais presque oublié leur existence.

Elle demeura immobile un long moment, détaillant son corps nu offert aux regards. Elle se rappela la personne qu'elle était à l'époque, et cette toute jeune femme qui avait passionnément aimé un homme, et avait cru qu'un coup de foudre pouvait durer toute une vie lui fit de la peine. Mais Dylan était la preuve que l'amour ne durait jamais, même s'il arrivait au bout de longs mois. Un sanglot la secoua.

— Ne pleurez pas !

La voix rauque de Dylan la tira de ses pensées, et avant même qu'elle ait le temps de se retourner, il fut près d'elle. Ses bras glissèrent autour de sa taille et il la serra contre lui.

— Ne pleurez pas, répéta-t-il en baisant les larmes qui coulaient sur ses joues.

C'était si humiliant de pleurer devant lui. Elle essaya de se dégager, mais il ne la lâcha pas.

— Où les avez-vous trouvées ? hoqueta-t-elle.

— Je les ai achetées, répondit-il. Elles étaient en vente chez Christie's.

— Ô Seigneur ! gémit-elle, horrifiée à l'idée que des dizaines d'hommes aient pu voir son corps dénudé et renchérir pour l'acheter.

Elle se rappela cette nuit à Londres où elle avait envisagé de poser nue pour gagner de l'argent. Elle avait été si heureuse que cette épreuve lui eût été épargnée. Elle avait posé pour son mari, l'homme qu'elle aimait. L'idée que d'autres personnes aient pu voir ces toiles la rendait malade.

— Personne ne les verra plus jamais, murmura Dylan, comme s'il lisait dans ses pensées. Elles sont à vous, à pésent, et vous pouvez en faire ce que vous désirez.

Elle pivota entre ses bras, et s'écarta de lui.

— Combien vous ont-elles coûté ?

— Cela n'a aucune importance.

— Combien ? insista-t-elle, déterminée à le rembourser.

— Grace…

Il s'interrompit, l'étudia un instant, puis capitula.

— De toute façon, vous l'apprendrez tôt ou tard par les journaux. Elles m'ont coûté trente-six mille livres.

— Mon Dieu ! s'exclama-t-elle, consternée. Je ne pourrai jamais vous rembourser. Je vous serai redevable ma vie durant.

— Bon sang, Grace, vous ne me devez rien ! protesta-t-il, agacé. Je vous les offre. De toute façon, elles auraient dû vous revenir, et votre maudit mari aurait dû les détruire comme il vous l'avait promis.

Elle s'approcha de la cheminée.

— J'ignorais que ces toiles existaient encore. Comment l'avez-vous appris ?

— Ian m'a montré le catalogue de la vente. Il l'avait apporté dans le Devonshire. Il vous a reconnue au premier regard.

— Et c'est pour cela que vous m'avez demandé de partir, fit Grace, qui comprenait tout, soudain. Vous avez vu ces reproductions de tableaux où je suis dénudée, et vous m'avez rejetée. Sans même une explication !

Elle serra les poings, folle de douleur.

— Vous m'avez chassée à cause de ces maudites toiles ! Parce que mon mari m'avait peinte nue. Jamais je n'aurais imaginé que Dylan Moore était aussi prude ! s'écria-t-elle, oscillant entre la rage et le chagrin.

— Je reconnais que l'idée que d'autres hommes salivent en vous lorgnant dans une collection ou dans un musée m'était insupportable ! cria-t-il en s'approchant d'elle. Mais ce n'est pas pour cela que je vous ai chassée. C'est à cause de votre visage. Ça m'a transpercé le cœur.

Elle le dévisagea sans comprendre.

— Mon visage ?

— Regardez-vous ! fit-il en désignant les toiles du doigt. Vous l'aimiez.

— Bien sûr que je l'aimais… Je ne vous l'ai jamais caché.

— Clairval était un grand peintre, n'est-ce pas ? Oh, oui, très grand ! Il peignait ce qu'il voyait… Cet amour sur votre visage, immense, absolu, pour lui seul !

— Et alors ?

Dylan était défiguré par le chagrin.

— Jamais vous ne m'avez regardé ainsi, lâcha-t-il, et sa douleur était presque palpable.

Et ce fut comme une révélation pour Grace. Dylan l'aimait. Ce regard désespéré qu'il avait ! Jamais elle n'avait vu un homme souffrir autant.

Elle ouvrit les mains en un geste d'impuissance.

— J'étais si jeune, Dylan. Presque une enfant. Je ne connaissais rien à l'amour. Quand Étienne a peint cette toile, j'avais dix-sept ans. Ce que je ressentais pour lui était un mélange d'admiration et de désir physique. J'aimais mon mari, c'est vrai, mais ce fut un amour si peu profond qu'il ne dura que trois ans. Il a été mon premier amant. Tout était tellement nouveau, romantique et excitant…

Elle contempla le visage douloureux de Dylan.

— Je ne connaissais Étienne que depuis une semaine quand nous nous sommes enfuis, lui rappela-t-elle. Il ne m'a peut-être épousée que deux ans plus tard, mais il m'a aimée à sa manière. Il voyait en moi sa source d'inspiration. C'était un homme versatile dont les humeurs étaient imprévisibles ; à la fin, vivre avec lui était devenu un enfer.

Dylan respira bruyamment, puis se détourna.

— À mesure que ses humeurs s'assombrissaient, il devenait plus instable, poursuivit-elle. Il me reprochait de ne plus pouvoir peindre. Jusqu'au jour où il s'est tourné vers d'autres femmes. Ensuite, tout est allé de plus en plus mal, et notre amour a fini par s'éteindre. Quand il a commencé à s'afficher avec ses maîtresses, tout en cherchant à rejeter la faute sur moi, je l'ai quitté. Oui, Dylan, je l'ai aimé, mais je n'étais pas la femme que je suis aujourd'hui. Est-ce que vous pouvez comprendre cela ?

Il lui fit face de nouveau.

— Je le hais, Grace. Je le hais parce qu'il vous a fait souffrir, qu'il a pris votre cœur généreux et aimant, et qu'il l'a réduit en charpie. Il vous a forcé à partir. Comme moi. Je le hais parce que je me hais moi-même. Je n'ai apprécié ce que j'avais qu'après l'avoir perdu.

— Dylan…

— Laissez-moi finir ! J'allais presque oublier.

Il sortit à grands pas, et revint avec son bouquet de roses, qu'il lui tendit d'un geste gauche.

— Je sais que les roses sont vos fleurs préférées, et je voulais vous acheter un beau bouquet, mais comme il n'y a pas de fleuriste au village, je les ai volées dans le jardin d'une pauvre dame.

Grace s'efforça de réprimer ce tremblement qui la secouait de l'intérieur. Elle lui prit le bouquet des mains.

— Pourquoi m'offrez-vous des fleurs tel un prétendant ?

— C'est une idée d'Isabel. Elle m'a demandé d'aller vous chercher. Elle avait déjà tout prévu. Elle espérait que vous alliez devenir sa nouvelle maman. Toujours ce désir d'avoir une vraie famille. Elle m'a ordonné de vous offrir des fleurs et de demander pardon. Il paraît que ça marche avec elle, alors j'ai pensé que ça valait le coup de tenter ma chance. Je vous demande pardon, Grace.

— Vous m'avez fait souffrir.

— Je sais, fit-il, et sa bouche prit un pli amer. Je vous ai vue pleurer. Je sais que demander pardon est stupide, et que cela ne suffit pas, mais je n'ai rien trouvé d'autre à dire. Je vous ai fait souffrir, et j'en suis profondément désolé.

Elle porta le bouquet à son visage et huma le délicat parfum des roses. Dans le flot de paroles, elle avait cru comprendre qu'elle pouvait devenir la nouvelle maman d'Isabel, mais elle ignorait si c'était une demande en mariage ou pas. La journée avait été si riche en rebondissements qu'elle ne parvenait plus à réfléchir correctement.

— J'ignorais ce qu'était la jalousie, confessa-t-il. Mais lorsque Ian a commencé à vous détailler de manière aussi insistante, j'ai eu l'impression qu'une bête me dévorait les entrailles. Vous vous rappelez notre dispute ?

— Bien sûr.

— Ensuite, j'ai vu les reproductions de tableaux, et cette expression sur votre visage… Je suis incapable d'expliquer ce qui s'est passé. Je… je suis devenu fou. Jamais vous ne m'aviez regardé ainsi, et j'avais tellement peur, parce que je savais que ça signifiait que vous ne m'aimiez pas.

Il eut un rire amer.

— Non pas que je le mérite. J'ai fait souffrir tant de femmes dans ma vie. Je ne me souviens même pas de la plupart d'entre elles. Égoïste, égocentrique, je ne me suis jamais préoccupé de leurs sentiments. Désormais, je sais ce qu'elles éprouvaient ; je leur ai brisé le cœur, et je comprends ce que l'on ressent, parce que sans vous, le mien est en miettes. Je vous aime, Grace. Je vous aime plus que ma vie, plus que ma musique.

— Dylan…

— Non, ne dites rien, la coupa-t-il d'un ton désespéré. Je sais que vous voulez que je parte, mais j'ai encore des choses à vous dire. Vous aviez raison. Je ne connaissais rien à l'amour. Même avec Michaela, ce n'était pas de l'amour. Je l'avais demandé en mariage, mais je ne lui avais pas donné mon cœur. Pas vraiment. La musique avait tout pris.

— Je vous comprends, Dylan. Vous n'avez pas besoin de me l'expliquer.

— Je n'avais jamais donné mon cœur. Jamais. Sachant que si je le faisais, je le donnerais entièrement et qu'il n'y aurait plus de place pour la musique. Or, sans la musique, je ne suis plus rien. Pendant cinq ans, privé de musique, je n'étais rien.

— Ce n'est pas vrai.

— Si. Puis vous êtes revenue dans ma vie.

Il tira une liasse de papiers de sa poche.

— Voici la symphonie. C'est notre histoire. Elle vous est dédiée.

— Je sais, murmura-t-elle. Je…

— Je veux que vous la preniez. Sans vous, je ne peux pas la publier. Sans vous, la musique n'a plus aucun sens pour moi. Je vous aime. Et je veux me marier. Avec vous, bien sûr. Nous, vous et moi. Je veux qu'on publie les bans et qu'on fasse tout dans les règles. Je ne veux pas vous emmener en France et ne pas vous épouser avant deux ans comme un certain Français.

— Je vois.

— Grace, voulez-vous m'épouser ?

Il y eut un silence interminable. Il la regarda et attendit, suspendu à ses lèvres. Comme elle ne réagissait pas, il voulut lui prendre les mains, puis se ravisa.

— Dites quelque chose, par pitié ! ordonna-t-il, à l'agonie.

Elle laissa échapper un rire tremblant.

— Est-ce que vous allez me laisser parler ?

— Ne me ménagez pas, Grace. Je me suis conduit de manière abominable avec vous, et je mérite le pire.

Le regard de Grace passa de la partition qu'elle tenait à la main, aux toiles sur la table. Elle pensa à ce que Dylan avait fait pour sa famille, et à ses excuses sincères.

— Que suis-je censée faire d'une symphonie ? demanda-t-elle.

— Brûlez-la ! Je m'en fiche.

— Que vous êtes exalté ! fit-elle avec un soupir amusé. Isabel et vous tournez tout en drame. Vous ne pouvez donc pas tomber amoureux et faire votre demande en mariage comme un homme normal ? Cela requiert-il d'écrire une symphonie ? Dieu merci, je ne suis qu'une modeste provinciale de Cornouailles. C'est une très bonne chose pour Isabel et vous que je sois une personne raisonnable, sinon vous seriez perdus tous les deux.

— Pardon ?

Il la fixait, mais il n'y avait aucun bruit dans sa tête, excepté le battement de son cœur.

— Que dites-vous ?

— Je suis en train de dire oui. Je vous aime, Dylan.

— Vraiment ?

Elle hocha la tête, et il sentit son cœur se dilater de bonheur. Il l'attira dans ses bras, et l'étreignit si fort qu'elle avait peine à respirer.

— Grace, ne me quittez plus jamais! *Jamais*, vous m'entendez!

— Vous êtes insupportable! C'est vous qui m'avez demandé de partir, je vous rappelle.

— Je n'ai jamais dit que je n'étais pas un idiot.

Il la couvrit de baisers, dévora ses lèvres, ses joues, son front.

— Grace?

— Oui.

— Tout à l'heure, j'ai dit que je n'avais pas acheté ces toiles dans l'espoir de vous reconquérir, vous vous souvenez?

— Oui.

— Je mentais.

Elle sourit et glissa les bras autour de sa taille.

— Je sais. Vous avez une certaine façon de sourire quand vous mentez.

— Comment pouvez-vous le savoir? Je ne vous avais jamais menti auparavant.

— Isabel a le même sourire quand elle ne dit pas la vérité. Tel père, telle fille.

— Je ne me suis pas trompé à votre sujet. Vous êtes un merveilleux général d'armée. Avec vous à la tête des troupes, je ne pourrai plus faire de bêtises.

Grace rit en écartant une mèche de cheveux du visage de Dylan.

— C'est vous qui êtes à la tête des troupes, voyons. À chacun de vos sourires et de vos baisers, mon amour pour vous grandit.

Il laissa ses mains glisser le long de ses hanches, respira son parfum enivrant. Il ne souriait plus.

— À partir de maintenant, tous les sourires, les baisers, les symphonies seront pour vous et vous seule. Jusqu'à ce que la mort nous sépare. Je vous le jure.

Il recommença à lui mordiller l'oreille et tira sur sa jupe, mais elle l'arrêta en lui attrapant les poignets.

— Attendez, fit-elle d'un air faussement sévère. Qu'en est-il des sonates, des concertos et des opéras ? À quelle autre femme seront-ils dédiés ?

Dylan libéra ses poignets d'une secousse, et tenta une autre tactique en s'attaquant aux boutons de la robe de Grace.

— Isabel, bien entendu. Oh, et il faudra aussi que je garde quelques baisers pour elle !

— Ainsi, vous avez écrit cette symphonie pour moi, murmura-t-elle en s'appuyant contre lui.

— En effet, avoua-t-il en écartant le col de sa robe.

Il déposa une traînée de baisers sur son épaule si douce, puis leva les yeux sur elle, l'air émerveillé de celui qui vient d'assister à un miracle.

— Vous qui prétendiez que les muses n'existent pas, reprit-il en effleurant les lèvres de sa bien-aimée. Elles existent, croyez-moi, Grace. Du reste, je vais épouser la mienne, et passer le restant de mes jours à entendre de la musique grâce à elle.

Découvrez les prochaines nouveautés
des différentes collections J'ai lu pour elle

AVENTURES
&PASSIONS

Le 1er février

Inédit   *L'inferno Club - 1 - Caresses diaboliques* ⚭
Gaelen Foley

De retour à Londres, après deux ans d'absence, le marquis de
Rotherstone espère rétablir la réputation de sa famille en épousant
une demoiselle exemplaire et en fréquentant la haute société. Quand
on lui dresse la liste des jeunes célibataires, c'est Daphné Starling qui
retient son attention. Le marquis ne peut résister à ses charmes, mais
la jeune femme s'inquiète. Qui est-il vraiment et quel est ce lieu secret
qu'il fréquente, surnommé l'Inferno Club ?

Inédit   *Les carnets secrets de Miranda* ⚭ **Julia Quinn**

Après l'échec de son mariage, le vicomte Turner, est bien décidé à faire
une croix sur l'amour. Il y a pourtant une femme susceptible d'éveiller
son intérêt, une femme qu'il ne cesse de croiser ces derniers temps…
Miranda Cheever, l'amie d'enfance de sa petite sœur. Miranda, la
gamine insignifiante à qui Turner a autrefois offert un journal intime,
en lui promettant qu'un jour elle deviendrait jolie. Miranda,
aujourd'hui des plus séduisantes…

Inédit   *Les frères Malory - 10 - Mariés par devoir* ⚭
Johanna Lindsey

Il y a neuf ans, quand son père l'a fiancé de force à la fille d'un riche
marchand londonien, Richard Allen a fui l'Angleterre, déterminé à
diriger sa vie. Aux Caraïbes, où il a rejoint une bande de pirates, il a
sillonné les mers sous une fausse identité. De retour à Londres, il rencontre une superbe jeune femme… qui n'est autre que Julia Miller, sa
fiancée !

Un héritage compromettant ♋ **Leslie Lafoy**

À Belize, depuis la disparition de son mari en pleine jungle, Seraphina vit sans le moindre argent... et est en charge de trois petites orphelines ! Quand elle reçoit une lettre d'Angleterre, adressée au père des fillettes, la chance semble lui sourire. Car l'enveloppe contient deux cents livres ! Bien décidée à les emmener chez leur oncle, Seraphina part pour Londres. Leur oncle... Carden Reeves, le plus célèbre libertin de toute la ville !

Le 15 février

Inédit   ### *Les sœurs d'Irlande - 2 - Anna, la bohème* ♋
Laurel McKee

Irlande, 1799. Jeune frivole et espiègle, Anna Blacknall est d'une beauté sans pareil. Dans les salons de Dublin, elle est courtisée de tous mais elle ne peut se résigner à épouser l'un de ses prétendants. Quand elle se rend dans un club licencieux où est organisé un bal, elle se retrouve très vite dans les bras d'un mystérieux Irlandais, aux yeux émeraude. Et, bien qu'il soit masqué, son baiser passionné semble à Anna étrangement familier...

Les Lockhart - 1 - Le dragon maudit ♋ **Julia London**

Écosse, 1449. Après dix ans dans l'armée, Liam Lockhart rentre chez lui, auprès d'une famille pauvre et démunie. Depuis des siècles, la lignée des Lockhart fonde tous ses espoirs dans une légende... Celle d'une statuette antique, un dragon d'or incrusté de rubis. Apparemment, elle serait aujourd'hui aux mains des Anglais. Aller à Londres et la voler, voilà la mission de Liam. Une tâche bien difficile qui se corse quand il croise la belle Ellen Farnsworth...

Le 1er février

FRISSONS

Du suspense et de la passion

Inédit *Un mariage en noir* ∝ **Linda Howard**
En plein hiver, Gabriel, fils du sheriff de la ville, doit aller aider sa voisine Lolly. Le gel et la glace ont brouillé les lignes et personne n'arrive à la joindre. Gabriel aperçoit des hommes armés chez elle. Comment faire pour la tirer de là alors que la tempête de neige fait rage au dehors ?

Inédit *Untraceable* ∝ **Laura Griffin**
La détective privée Alexandra Lovell sait manier les logiciels et effacer la trace des gens, afin qu'ils recommencent leur vie en sûreté. Battue par son mari, Melanie Bess était une de ses clientes. Lorsque cette femme se volatilise littéralement, Alexandra va mettre tout en œuvre pour la retrouver. Aidée de son ténébreux coéquipier, la détective devra faire vite si elle ne veut pas disparaître à son tour.

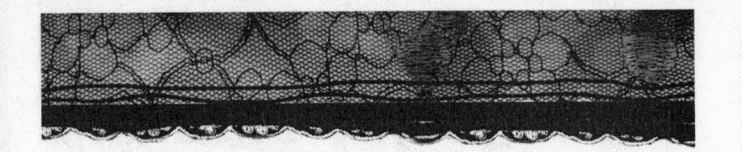

Le 15 février

Passion intense

Des romans légers et coquins

Inédit ### Les frères McCloud - 1 -
Derrière les portes closes ∞ Lisa Marie Rice

Expert en surveillance, Seth Mackey espionne la vie du millionnaire Victor Lazar et de ses innombrables maitresses. La dernière en date est d'ailleurs très différente. Raine Cameron est belle, vulnérable, innocente. Nuit après nuit, au fur et à mesure qu'il l'observe sur ses écrans vidéo, Seth sent s'éveiller en lui une ardente passion. Mais il ne peut se permettre la moindre erreur. Seth en est persuadé, Lazar a tué son demi-frère. Il lui faut donc mener l'enquête dans le plus grand secret car sa vie est en jeu. Et pas seulement la sienne...

Désir brûlant ∞ Nicole Jordan

Presque toutes les nuits, Raven Kendrick fait un rêve... un rêve érotique dans lequel elle est sur une plage exotique avec l'amant de ses rêves.

Raven débarque à Londres où elle doit épouser un illustre duc. Le jour de son mariage, elle est mystérieusement enlevée. Le frère de son ravisseur, Kell Lasseter, vole à son secours. Et, pour réparer les torts causés par son frère, il la demande en mariage. Raven accepte car seule cette union arrangée pourrait sauver sa réputation, mais un ardent désir va les unir malgré eux... D'autant que Kell ressemble intensément à l'amant torride qui hante les nuits de Raven...

Le 1er février

CRÉPUSCULE

Inédit *L'exécutrice - 4 -*
L'Orchidée et l'Araignée ⊗ **Jennifer Estep**

Me voilà, Gin Blanco, redoutable tueuse à gages connue sous le nom de l'Araignée. J'ai une cible bien précise : Mab Monroe, une élémentale de Feu. Cette dernière a engagé l'un des assassins les plus dangereux pour me piéger. Elektra LaFleur, habile et efficace, détentrice d'une magie élémentale mortelle, aussi puissante que mes propres pouvoirs. Ce qui signifie donc qu'une seule de nous deux restera en vie... Et Elektra a une deuxième mission : tuer ma petite sœur, l'inspectrice Bria Coolidge. Gros problème : Bria n'a aucune idée que je suis sa sœur... ou plutôt le meurtrier qu'elle traque depuis des semaines. Or, ce que Bria ne sait pas pourrait faire bien des victimes...

Et toujours la reine du roman sentimental :

Barbara Cartland

« Les romans de Barbara Cartland nous transportent dans un monde passé, mais si proche de nous en ce qui concerne les sentiments. L'amour y est un protagoniste à part entière : un amour parfois contrarié, qui souvent arrive de façon imprévue.
Grâce à son style, Barbara Cartland nous apprend que les rêves peuvent toujours se réaliser et qu'il ne faut jamais désespérer. »

Angela Fracchiolla, lectrice, Italie

Le 1er février
Une trop jolie écossaise

Le 15 février
Qui êtes-vous, Alexander ?

7891

Composition Chesteroc
Achevé d'imprimer en Italie
par GRAFICA VENETA
le 5 décembre 2011.

Dépôt légal décembre 2011
EAN 9782290040515
1er dépôt légal dans la collection : janvier 2006

ÉDITIONS J'AI LU
87, quai Panhard-et-Levassor, 75013 Paris

Diffusion France et étranger : Flammarion